ИРОНИЧЕСКИЙ
ДЕТЕКТИВ

Дарья Донцова

Али-Баба и сорок разбойниц

Москва

ЭКСМО

2003

ИРОНИЧЕСКИЙ ДЕТЕКТИВ

УДК 882
ББК 84(2Рос-Рус)6-4
Д 67

Оформление серии художника *В. Щербакова*

Серия основана в 1999 году

Д 67   **Донцова Д. А.**
Али-Баба и сорок разбойниц: Роман. — М.: Изд-во
Эксмо, 2003. — 384 с. (Серия «Иронический детектив»).

ISBN 5-699-03919-8

«Моя жена — ведьма!» — заявил новый клиент детективного агентства
«Ниро» Кирилл Потворов. Да, у этого парня большие проблемы с головой,
не сговариваясь, решили хозяйка агентства Элеонора и ее бессменный
секретарь Иван Подушкин. Теперь нужно как-то избавиться от сумасшедшего. Но сделать это оказалось не так-то просто. Кирилл соглашается
покинуть квартиру Норы, только если Иван поедет с ним в загородный
дом, где теперь живет жена Кирилла Аня со своим любовником-бизнес-
меном. Как и предполагали сыщики, у парня оказались не все дома...
Возвращаясь домой, Иван попадает в аварию, сбив то ли девушку, а то ли
видение. Выбравшись из покореженной машины, Иван так и не нашел
тело незнакомки. Но уже на следующий день он понимает, что девушка
ему не привиделась. Именно ее портрет он узрел в газете, а ниже шла
подпись: «В декабре прошлого года ушла из дома и не вернулась...»

УДК 882
ББК 84(2Рос-Рус)6-4

Глава 1

— Моя жена — ведьма!

Я постарался скрыть усмешку и сделал вид, что сосредоточенно листаю блокнот, в котором веду записи. Элеонора хмыкнула:

— Эка невидаль! Да половина баб ведьмы!

Мужчина, сидевший в кресле напротив моей хозяйки, покачал головой.

— Вы меня не так поняли. Моя не в фигуральном смысле, она — настоящая колдунья.

— Варит суп из жабы и летает на метле? — развеселилась Нора.

— Да, — кивнул тот, — именно так!

Я со вздохом отложил блокнот. Все понятно, к нам опять явился сумасшедший. Просто удивительно, сколько ненормальных людей проживает в огромном мегаполисе. Выйдешь на улицу, окунешься в толпу — вроде ничего, прохожие выглядят совсем обычно, никто не выскакивает из дома голым, не кривляется... А начнешь с ними разговаривать, и становится понятно: почти все со странностями или, как говорит моя матушка Николетта, с тараканами в голове. Вот и наш посетитель сначала произвел на меня самое приятное впечатление. Открыв дверь, я увидел человека лет тридцати, может, чуть моложе, в джинсах, пуловере, с барсеткой в руках.

— Детектив Элеонора тут проживает? — спросил он.

Я посторонился.

— Проходите, пожалуйста, Элеонора в кабинете, вы записаны на прием?

Гость кивнул:

— Да, я вчера звонил по телефону и беседовал с ее секретарем Иваном Павловичем Одеяловым.

Я улыбнулся.

— Подушкиным. Разрешите представиться: Иван Павлович Подушкин!

— Простите, бога ради! — воскликнул вошедший.

— Ничего страшного!

— Меня зовут Кирилл.

— Очень приятно, — кивнул я.

Пару минут мы толкались у вешалки, обмениваясь церемонными любезностями. Кирилл выглядел как человек моего круга, я хочу сказать, что он не станет сморкаться при дамах в скатерть.

Мы прошли к Норе в кабинет, уселись, и хозяйка спросила:

— Что привело вас к нам?

И тут Кирилл мгновенно выдал:

— Моя жена — ведьма!

Надеюсь, он не начнет сейчас швыряться предметами? Очевидно, Элеоноре в голову пришла та же мысль, потому как она быстро переставила подальше от психопата тяжелую бронзовую фигурку, изображающую лучника. Сей предмет хозяйке на день рождения преподнесла наша домработница. Уж не знаю, чем Ленке понравился этот монстр. Теперь Элеонора, которая при всей своей внешней грубости обладает тонкой душевной организацией, вынуждена держать это чудовище на своем письменном столе. Одно хорошо, если кто-то нападет на Нору, фигурку можно будет использовать в качестве дубинки, чтобы отбиться.

— Моя жена — самая что ни на есть настоящая ведьма, — тупо повторил Кирилл, — она заставила меня такое проделать!

Элеонорино лицо приняло самое сладкое, самое участливое выражение, и она спросила:

— Уважаемый Кирилл... о... простите, вы не назвали свое отчество.

— Не надо, — отмахнулся клиент, — можно просто по имени.

— Кирилл, вам следует обратиться к священникам или к экстрасенсам, — выпалила Нора, — эти люди умеют обходиться с колдунами!

Я мысленно ей зааплодировал. Молодец, с сумасшедшим надо вести себя как с нормальным человеком, иначе быть беде. Кирилла нужно во что бы то ни стало выпроводить из нашей квартиры, я, честно говоря, слегка побаиваюсь людей, способных на неадекватные поступки.

— Меня прислал к вам Олег Семенов! — заявил Кирилл. — Он уверял, что вы можете справиться с любой ситуацией! А ваш Одеялов даже полено уговорит в печь прыгнуть! Верните мне мою жену!

— Подушкин, — машинально поправил я умалишенного, но он не обратил на это внимания.

— Верните мою жену, — забубнил он, — верните!

Элеонора, сверкая улыбкой, попыталась справиться с ситуацией.

— Кирилл, мы с Иваном Павловичем, к сожалению, не являемся специалистами по ведьмам.

— Приведите Аню назад, — бормотал Кирилл, лицо его побледнело, губы посинели.

Я посмотрел на телефон. Может, вызвать психиатрическую перевозку? Элеонора, очевидно, страшно разозлилась. На ее лице по-прежнему сияла улыбка, но она скорее напоминала гримасу, в глазах метались искры. Да, похоже, как только мы избавимся от докучливого посетителя, Нора моментально соединится с Олегом Семеновым, своим бывшим сотрудником, а теперь весьма удачливым, состоятельным бизнесменом, и оторвет парню голову. И правильно сделает! Зачем отправлять к ней психов?

— Кирилл, — завела было Нора.

Но клиент прервал ее:

— Я не уйду отсюда, пока вы не вернете мою Аню! Не уйду!

В его голосе зазвучали бабские, истерические нотки. Я струхнул окончательно. В квартире, кроме меня, — две женщины. Элеонора, которая сидит в инвалидном кресле, и кухарка, она же горничная, Ленка. Ни та, ни другая не способны оказать сопротивления. Я тоже отнюдь не штангист, ничего тяжелее книги давным-давно в руках не держу. Если этот Кирилл сейчас начнет размахивать кулаками, как быть? С одной стороны, я обязан защитить женщин, с другой... Я никогда не дрался, даже в детские годы предпочитал решать конфликты вербально. Мой отец, писатель Павел Подушкин...

— Иван Павлович, — вернула меня к действительности Нора, — сделай одолжение, принеси Кириллу чай.

Я быстро встал. Понятно, Нора хочет, чтобы я вызвал милицию. В нашей квартире везде, даже на кухне, есть телефонные трубки.

— Сидеть! — рявкнул Кирилл. — Я не хочу пить!

Я плюхнулся в кресло. Однако дело плохо, клиент становился агрессивным.

Нора побарабанила пальцами по столу.

— Хорошо, — неожиданно заявила она, — мы возьмемся за ваше дело. Вы сейчас успокойтесь и попытайтесь максимально подробно рассказать о своей проблеме.

Кирилл обмяк, его большое тело «стекло» в кресле, кулаки разжались, лицо расслабилось.

— Моя жена — ведьма, — опять прошептал он.

Нора закивала головой:

— Конечно, дружочек, мы это уже поняли!

Мне неожиданно стало смешно. Элеонора разговаривает сейчас таким тоном, который я, живущий с ней в одном доме много лет, слышу впервые. Так педагог-психолог разговаривает с ребенком-дебилом: «Петечка, ты не наделал в штанишки? Правильно, дружочек, молодец!»

Но Кирилл не заметил ее странного тона.

— Я сейчас все вам расскажу!

— Да, да, — кивнула Нора.

— В мельчайших деталях!

— Естественно!

Кирилл выпрямился и начал рассказ. Чем дольше он говорил, тем больше я убеждался — парень натуральный псих, с диагнозом. История, изложенная нашим гостем, выглядела откровенно идиотской.

До недавнего времени Кирилл Потворов жил вполне счастливо, он имел жену Аню и небольшое собственное дело: авторемонтную мастерскую. Много денег работа не приносила, конкуренция в этом бизнесе большая, сервисов много. Поэтому жила семья напряженно, ничего лишнего себе не позволяя: одевались незатейливо, питались просто и ездили на обычной «шестерке». Многие ведут подобный образ жизни — и ничего, плодят детей, воспитывают их. Кирилл тоже хотел сына или, на худой конец, дочку, но Аня категорически отказывалась рожать, мотивируя свое нежелание просто — незачем нищету плодить.

Сначала Кирилл принимал ее слова за чистую монету, потом понял: это тещина работа. Мать Ани, баба Катя, постоянно жила в деревне, но частенько наезжала к дочери в гости. Зятя она ненавидела, считала неудачником, голью перекатной и с крестьянской простотой, которая, как известно, хуже воровства, заявляла:

— Эх, Анька, говорила я тебе, выходи замуж за Мишку Консова. А ты, дура, ломалась: мол, кривоногий он и роста нет. Ну и что вышло? Мишка теперь, хоть едва выше табуретки, миллионами ворочает. Матери в селе двухэтажный каменный дом отгрохал, сам на иномарке катается, жена в шубе разгуливает, а ты... ну какой толк, что у Кирилла рост под два метра? С воды на квас перебиваетесь. А ведь Мишка по тебе долго сох!

После таких заявлений Аня уходила плакать в ванну, а у Кирилла просто чесались руки, так хотелось дать любимой тещеньке в нос. Останавливало лишь одно: мама Кирилла, покойная Елизавета Михайловна, никогда бы не одобрила подобного поведения сына.

Впрочем, имелись у бабы Кати и положительные качества. Она была знахарка, умела заговаривать грыжу, вправлять кости, лечила травами. Когда Кирилл подцепил какую-то непонятную заразу, вроде желудочного гриппа с высокой температурой, теща мигом поставила его на ноги, заварила какие-то сухие корешки, завалила его одеялами, под них сунула свою кошку Муську, и наутро от болезни не осталось и следа.

К бабе Кате бегала лечиться не только родная деревня, приходили из соседних сел, приезжали даже из Москвы. У тещи водились денежки, и она подсовывала дочери копеечку. Аня никогда не тратила полученное на семью, покупала подарки себе. Один раз Кирилл обозлился и сказал:

— Слышь, Ань, у меня зимних сапог нет, в полуботинках по снегу хожу, а ты себе кольцо приобрела!

Аня фыркнула:

— И что? Не твои деньги потратила. Мне мама дала.

А еще теща привозила банки с соленьями, вареньем и компотом, снабжала «молодых» картошкой, морковью, свеклой, осенью приволакивала домашнюю тушенку и мясо кабанчика. В общем, отношение Кирилла к теще нельзя было назвать однозначным. С одной стороны, баба Катя не давала им с Аней помереть с голоду, одевала дочь. С другой, у Кирилла просто скулы сводило от злости, когда он в очередной раз видел на пороге старуху, обвешанную торбами.

Потом баба Катя умерла. Кирилл по ней не убивался, наоборот, даже обрадовался. Избу тещи и принадлежавшие ей сорок соток земли можно было хорошо продать, а вырученные деньги вложить в умирающий авторемонтный бизнес. Но Аня от дома избавляться не разрешила, стала проводить там все свободное время, и скоро Кирилл понял: жена знает многие секреты своей матери. Аня начала собирать травы, варить всякие зелья. Теперь лечиться ходили к ней. Вскоре Аня обзавелась большим количеством клиентов, а автомастерская Кирилла скончалась. Жена зарабатывала деньги, муж лежал на диване, щелкал пультом от телевизора и периодически устраивал скандалы, чтобы супруга помнила, кто в доме хозяин.

Потом ему самому откровенное безделье надоело, и Кирилл начал искать работу. Приятель предложил ему заняться перегоном из Германии автомобилей. Кирилл согласился и пару раз вполне нормально скатался туда-сюда. Но потом случилась неприятность. Возле небольшого городка в Польше у него отняли машину и все деньги.

Как Кирилл добирался до дома — отдельная сага. Но когда он наконец очутился в родной квартире, на него навалилось новое несчастье. От Кирилла потребовали всю сумму за украденную иномарку, огромную, просто невероятную для мужика, не имеющего стабильного дохода.

Кирилл впал в панику.

— Не можешь отдать наличкой, переписывай на меня квартиру, — потребовал приятель, отправивший его в Германию, — дружба дружбой, а табачок врозь.

И тут за дело взялась Аня. Она, последнее время не проявлявшая к мужу особой нежности, решила проблему шутя.

— Не нервничай, — сказала супруга, — у меня есть клиент, очень богатый человек, ему эти тридцать тысяч, как тебе десять копеек. Он даст в долг.

— Отдавать-то как! — окрысился Кирилл.

Но Анечка не стала рассуждать на эту тему, а просто привела своего знакомого по имени Андрей. Тот согласился дать взаймы и сразу выложил на стол три пачки стодолларовых купюр, перехваченные резинками. Кирилл уставился на деньги, протянул руку, потом отдернул ее и поинтересовался:

— Процент какой?

— Никакой, — усмехнулся Андрей, — и расписки не надо, забирай так.

Кирилл насторожился. С чего бы этот Андрей такой добрый?

— Отдать-то я скоро не сумею, — пробормотал Потворов.

— И не надо.

— Как?

Андрей пожал плечами:

— Разбогатеешь — вернешь!

Кирилл окончательно растерялся. Чтобы человек просто так отстегнул огромную сумму? Андрей широко улыбнулся:

— Деньги дам при одном условии...

— Каком?

— Ты мне свою жену отдашь, на год.

Кирилл с трудом переварил услышанное.

— Жену? На год? Аню?

— Да.

— Зачем?

Андрей засмеялся:

— Нравится она мне. Беру ее в аренду за тридцать тысяч баксов!

У Кирилла голова пошла кругом. Такого поворота событий он не ожидал.

— Никогда, — вырвалось у Потворова.

— Ты подумай, не торопись, — предостерег его Андрей, — хорошая цена за подержанную бабу.

— Давайте чайку попьем, — засуетилась Аня, — с домашним вареньем.

Ощущая себя полнейшим идиотом, Кирилл сел за стол с «арендатором», отхлебнул машинально пару глотков из чашки... Мозг заволокло туманом, ситуация перестала казаться ему гротескной. Тридцать тысяч, вот они, рядом, а Аня всего-то на год переселится к Андрею.

Кирилл допил чай и пробормотал:

— Хорошо.

Дальнейшее он помнит смутно. Вроде Андрей подсунул ему какие-то бумажки на подпись. Очнулся Потворов утром, в квартире было пусто. На столе лежали тридцать тысяч баксов и ключи Ани. Кирилл подошел к шкафу, раскрыл его. Внутри висела только его одежда, шмотки жены испарились, ее косметика и различные мелочи тоже. У Кирилла в голове гудело так, словно он вчера выпил не меньше литра водки. И тут затрезвонил телефон. Потворов схватил трубку и услыхал голос своего работодателя:

— Ну что? Решил? Отдаешь квартиру?

— Приезжай за деньгами, — прохрипел Кирилл.

Потом он на целый месяц ушел в запой, очнулся лишь неделю назад и испугался. Из дома испарилась вся бытовая техника: холодильник, телевизор, стиральная машина, даже утюг. Не имея денег на водку, Кирилл продал все. Самое интересное, что он совершенно не помнил, каким образом производил обмен вещей на «огненную воду».

Еще десять дней понадобилось ему на то, чтобы привести себя в божеский вид: отмыться и отдохнуть. И только потом до Кирилла дошло — он не виноват! Это все Аня, ведьма! Она ему что-то в чай подлила!

Кирилл замолчал. Я попытался переварить услышанное. Надеюсь, теперь и вам стало понятно, что

парень просто сумасшедший, мужчинам свойственно винить во всем, что с ними случилось плохого,
жен, но ведь не до такой же степени!

— И что же вы от нас хотите? — осторожно полюбопытствовала Элеонора.

Кирилл повернул ко мне бледное лицо с красны-
ми, неровными пятнами на щеках.

— Пусть он поедет со мной к Ане и велит ей вернуться домой.

Я хотел было возразить. Большей глупости в своей жизни не слышал. Во-первых, сама ситуация со
сдачей жены в аренду выглядит словно дурной анекдот. Во-вторых, если все рассказанное правда, то каким образом я сумею повлиять на ход событий? Уго-
вор-то дороже денег! Взял тридцать тысяч долларов — выполняй условие.

— Кирюша, — ласково пропела Нора, — так хочется вам помочь! Дайте телефон Ани. Иван Павлович ей сейчас позвонит, она сюда приедет...

— Я его не знаю, — буркнул Кирилл, — у меня
есть только адрес! Пусть ваш секретарь со мной едет!
Прямо сейчас, иначе...

Красные пятна с его щек поползли на шею, в глазах заплескалось безумие.

— Хорошо. — Нора предприняла последнюю попытку избавиться от Кирилла: — Сейчас Иван Павлович сопроводит вас. Идите пока, грейте машину.

— Я пешком, — заявил посетитель, — тут подо-
жду, пока Одеялов оденется.

Не было никакого смысла в третий раз сообщать
больному, что я Подушкин. В комнате повисло рас-
терянное молчание. Нора явно не знала, как поступить.

— Ну и чего? — прервал тишину Кирилл. — Мы едем?

Я встал. В конце концов, в нашем доме проживает лишь один мужчина, и ему следует избавить женщин от стресса.

— Пойдемте.

Кирилл покорно двинулся в коридор, я за ним.

— Ваня, — прошептала Нора.

Я обернулся.

— Ты куда? — тихо поинтересовалась хозяйка.

— Думается, он сбежал из поднадзорной палаты, — так же шепотом сообщил я, — доставлю несчастного к жене, пусть она с ним разбирается. Если с Кириллом не спорить, он не опасен.

Глава 2

Мы сели в мои «Жигули». Не так давно я обзавелся «десяткой» и должен заметить, что она нравится мне больше, чем «шестерка» и «восьмерка».

— Ну, говорите адрес, — бодро воскликнул я, — вмиг домчу.

— Поселок Нистратово, — вяло проронил Кирилл.

— Где же это такой? — удивился я.

— По МКАД, — принялся объяснять Потворов, — недалеко, километра нет от Окружной!

Я посмотрел на улицу, там мел вьюжный февраль. Снег летел клочьями. Несмотря на то что было всего пять часов дня, вокруг сгущались сумерки. Дорога была похожа на тарелку с остатками несъедобного молочного киселя, повсюду белые холмики и очень скользко. Сами понимаете, какое удовольствие от езды должен получить шофер в подобной ситуации. А еще если учесть, что рядом сидит ненормальный...

— Трогай, — тихим голосом велел Кирилл, — чего кота за хвост тянуть.

Я мысленно перекрестился и включил первую передачу. Дорога оказалась ужасной. Странное дело, если с неба сыплет снег, дорожная техника испаряется. «Десятку» все время заносило, и я радовался, что она «обута» в хорошую, шипованную резину.

Кирилл молчал, чтобы хоть как-то разрядить обстановку, я включил «Русское радио». «Неужели розу чайную выпьет кто-нибудь за нас...» — мгновенно заорали два голоса, проникающие в уши словно раскаленные гвозди в масло. Вижу, как сейчас многие из вас скривились: фу... «Русское радио», попса! Я согласен, музыка, звучащая на этой волне, не самого лучшего качества. Да еще я, закончивший Литературный институт, имею глупую привычку вслушиваться в тексты песен. А вот этого делать не надо, потому как от них просто оторопь берет. Наверное, их никто, кроме меня, и не разбирает. Но, с другой стороны, куда деваться человеку, который по нескольку часов в день проводит за рулем? Блатной фольклор я не люблю, поэтому «Шансон» отпадает, «Лав радио» раздражает до зубовного скрежета, оно рассчитано на тинейджеров, остро переживающих первое чувство. На «Эхо Москвы» слишком много говорят, «Наше радио» вечно глупо шутит, а однажды, случайно поймав «Маяк», я чуть не заснул от скуки. Там шла передача с идиотским названием «Звездная гостиная», и девица с писклявым голосом приставала к никому не известному писателю с оригинальным вопросом:

— Расскажите о ваших творческих планах.

Так что «Русское радио» — еще не самый худший вариант. Впрочем, я давно хочу купить кассеты и слушать в машине классику. Но все руки не доходят.

— Здесь налево, — внезапно ожил Кирилл.

Я послушно повернул. Дорога вилась через лес, вокруг не было видно никакого жилья — ни деревень, ни отдельных избушек. Я засомневался и спросил:

— Мы правильно едем?

— Да, — буркнул Кирилл и уставился в боковое окно.

— Вы уверены?

— Да, — с легкой агрессией в голосе подтвердил спутник.

Мне стало не по себе. Кирилл ненормальный, это ясно. Непонятно, куда он меня тащит. Кажется, я сглупил, согласившись везти его в незнакомое место.

— Направо, — велел пассажир.

Мы проехали еще метров сто и уперлись в железные ворота, выкрашенные темно-зеленой краской.

Кирилл вылез и нажал на кнопку домофона. Я испытал острейшее желание включить заднюю скорость и смыться отсюда как можно скорей. Остановило меня лишь одно соображение. Кирилл был одет не по сезону — в тонкую курточку пронзительно оранжевого цвета, которая не могла защитить его от февральской стужи, на голове у него сидела бейсболка с большим козырьком. За воротами же было темно и тихо. Если я брошу этого психа тут одного, он попросту замерзнет.

Вдруг из домофона раздался искаженный голос:

— Кто там?

И тут Кирилл поразил меня, он натужно закашлялся и прохрипел:

— Я.

— Кто? — настаивал голос.

— Открывай скорей, — ответил Кирилл.

— Я машину вашу не знаю.

— Да я это, я, — кашлял Кирилл, — не узнаешь? Не томи! Околел весь.

Ворота лениво, словно нехотя стали открываться. Я въехал во двор и увидел большой добротный дом. Светло-бежевые стены, крыша из темно-коричневой черепицы. Оконные рамы и входная дверь такого же цвета. Никаких новорусских башенок, барельефов из жизни древних греков и колонн. Если представить на секунду, что у меня есть деньги на загородный особняк, то мой дом внешне выглядел бы, наверное, так же.

Кирилл быстрым шагом поднялся на крыльцо, я за ним, мы вошли в просторную прихожую. Справа и слева высились шкафы, похоже, из массива дуба. Около небольшого столика стоял мужик лет тридцати пяти в синих джинсах и коричневой водолазке. Увидев Кирилла, он очень удивился:

— Ты как сюда попал?

— Я приехал за Аней, причем не один! Имей в виду, он из милиции, — быстро соврал Кирилл, — знаешь, что будет, если их сотрудник пропадет? Да здесь камня на камне не оставят!

Мужик равнодушно пожал плечами:

— У меня нет никакого повода бояться милиции. Пройдемте в кабинет.

Он повернулся и стал подниматься по лестнице на второй этаж. Через пару минут мы оказались в просторной комнате, и я впервые в жизни почувствовал укус зависти.

Говорят, что завистливые люди амбициозны, что они, желая утереть нос окружающим, добиваются успеха в жизни. Я никогда не испытывал этого чувства при виде «Мерседеса», который купил себе Никита Васильев, или при взгляде на Наташу Малахову, жену Кости. Мало того, что она красавица, умница, зарабатывает большие деньги и обожает Костика. Так Наташа еще дочь очень богатых родителей, их единственная наследница. А наследовать есть что: у них дача в Испании, дом в Подмосковье, огромная квартира на Китай-городе. Так что Косте завидовали многие, но только не я.

Сейчас же, стоя в кабинете, я тяжело вздохнул. Именно о такой комнате и о таком вот доме я мечтал всю жизнь. Чтобы он был в лесу, а кабинет... Книжные полки из цельного массива дерева тянулись от пола до потолка. Тут небось несколько тысяч томов. Потолок обит деревянными панелями, на полу лежит светло-бежевый ковер, свет льется непонятно откуда. Никаких люстр не видно, лишь на огромном письменном столе приветливо светится лампа. Не дневная или галогеновая, с резким, мертвенным светом, а обычная, под светлым абажуром. Еще тут была удобная мягкая мебель, не кожаная, а велюровая, и весело горел камин. На диване валялся скомканный плед, на маленьком столике лежала трубка и стояла бутылка отличного коньяка в компании с пузатым бокалом. На подушке белела раскрытая, перевернутая обложкой вверх книга. Очевидно, хозяин проводил время в свое удовольствие: наслаждался трубкой, коньяком и читал...

Я скосил глаза на обложку. Плутарх! Я сам люблю этого автора. Однако хозяин дома просто мой двойник, он живет в «моей» комнате, читает «мою» книгу... Правда, есть небольшая разница, очевидно, он, в отличие от меня, умеет зарабатывать деньги, поэтому и сумел осуществить свои мечты. Я же... ладно, хватит ныть, такого особняка у меня никогда не будет, но трубку, коньяк и Плутарха я вполне способен себе купить.

— Садитесь, — радушно предложил хозяин, — рюмочку?

— Спасибо, я за рулем, — ответил я.

— Верни Аню, — прошипел Кирилл.

Раздались легкие шаги, появилась женщина лет сорока с подносом.

— Где Аня? — не успокаивался Кирилл.

— В ванной, — спокойно ответил хозяин, потом повернулся к горничной: — Анна Николаевна еще не вышла?

— Голову красят, — сообщила та, — минут через сорок появятся.

— Ступай, — велел мужик.

Горничная, опустив глаза в пол, тенью шмыгнула за дверь.

— С места не сдвинусь, пока Аню не увижу! — выкрикнул Кирилл.

— Чайку? — словно не слыша его, предложил хозяин. — Плюшки очень вкусные, Настя — мастерица печь.

— Ты мне зубы не заговаривай, — рявкнул Кирилл, — в чай небось отраву добавил? Одеялов, ничего не пейте, нас хотят усыпить!

Хозяин невозмутимо взял чайник, наполнил свою чашку, сделал пару глотков, потом предложил:

— Минералки хочешь?

— Из закрытой бутылки! — настороженно ответил Кирилл. — Сам пробку открою!

Мужик улыбнулся, встал, открыл большой глобус, стоявший на подставке у балкона, я увидел внутри множество бутылок. Это был бар.

Хозяин вытащил зеленую бутылочку «Перье» и протянул Кириллу:

— Держи.

Ненормальный подозрительно осмотрел емкость и стал откручивать пробку. Неожиданно на пороге вновь обозначилась горничная.

— Принеси бокал, — велел хозяин.

Для меня осталось загадкой, каким образом прислуга поняла, что ей следует появиться в кабинете. Через секунду у Кирилла в руках оказался фарфоровый стакан. Сумасшедший наполнил его водой, жадно выпил, пару секунд посидел на диване, потом вдруг закрыл глаза и захрапел. Вновь откуда ни возьмись появилась служанка. Я удивился, может, у нее телепатическая связь с работодателем?

— Настя, — сурово приказал хозяин, — позови ребят.

— Хорошо, Андрей Павлович, — прошелестела она и испарилась.

Хозяин подошел к столу, взял большое портмоне и, демонстративно держа его в руке, поинтересовался:

— Вы и правда из милиции? Что-то не очень похоже. Служащие МВД выглядят несколько иначе.

— Нет, — ответил я, — я не имею никакого отношения к органам. Разрешите представиться, Иван Павлович Подушкин, ответственный секретарь благотворительного фонда «Милосердие».

В кабинет вошло двое парней, крепко сбитых,

тоже в джинсах. Андрей Павлович указал им на Кирилла:

— Действуйте.

Молодые люди легко подхватили тело и без видимых усилий унесли. Тут я запоздало сообразил, что у нас с хозяином одно отчество, мы оба Павловичи.

— Вы приятель Кирилла? — поинтересовался Андрей Павлович. — Я вас почему-то не знаю. Вместе учились? Или жили в одном дворе?

Я почувствовал к нему полнейшее расположение и ответил почти правду:

— Он пришел к нам сегодня и рассказал историю о сданной в аренду жене...

Отчего-то мне не захотелось рассказывать о том, что я являюсь сотрудником агентства «Ниро». И поэтому я представил дело так, будто Кирилл явился в «Милосердие».

Андрей Павлович молча выслушал меня, потом тяжело вздохнул:

— Несчастный человек.

Дверь скрипнула, появилась молодая женщина в черных брючках и ярко-красной кофте. Ее длинные, светло-каштановые волосы были слегка влажными.

— Анечка, — ласково сказал хозяин, — ты сядь, послушай, что говорит Иван Павлович!

Я повторил свой рассказ.

— Господи! — воскликнула Аня. — Опять придется его в клинику устраивать.

Я непонимающе смотрел на пару. Андрей Павлович налил мне чаю и предложил:

— Да вы пейте, а я пока введу вас в курс дела.

Я взял чашку. Чай тоже оказался моего любимого сорта, «Лапшанг сусонг. Мало найдется в России людей, которым он придется по вкусу. Все мои приятели, отхлебнув этот напиток, мигом морщатся и недоуменно спрашивают: «Ты что, заварил его водой, в которой мыли рыбу?»

И никакие мои рассказы о том, что «Лапшанг сусонг» готовится особым образом, сушится дымом от дров, обладающих специфическим ароматом, на них не действуют. Не далее как вчера мой лучший приятель Макс, услышав от меня фразу: «Сейчас угощу тебя лучшим чаем на земле», — завопил: «Только не тем, который воняет тухлой воблой».

— Вам не нравится вкус? — заботливо поинтересовался хозяин.

— Наоборот, это мой любимый сорт, — пробормотал я, — странно, до чего могут быть похожи два человека. Мало того, что у нас одно отчество, так еще и пристрастия одинаковые. Я словно сижу у себя дома. Ей-богу, не знай я своего отца столь хорошо, подумал бы...

Андрей рассмеялся.

— Я тоже сразу почувствовал к вам расположение и удивился, где вы могли познакомиться с Кириллом! Ладно, начнем по порядку.

Я внимательно слушал его речь, очень грамотную, без малейшего признака сленга или простонародных выражений.

— Кирилл — первый муж моей жены Ани, — пояснил Андрей. — Они давно развелись, не я послужил тому причиной, через пару лет после их развода мы с Аней полюбили друг друга, и она переехала ко мне.

У Кирилла нет никаких родственников, мать его закончила свои дни в сумасшедшем доме. Анечка, выходя замуж за Кирилла, понятия не имела о том, что связывает свою судьбу с психически больным человеком. Впрочем, у Кирилла болезнь развивалась медленно, Аня все странности в поведении мужа объясняла его дурным характером. Вскоре она подала на развод. Став свободной женщиной, она осталась с бывшим супругом в одной квартире, ей просто некуда было идти. И только тогда до нее дошло — Кирилл не совсем нормален. Аня обратилась к врачу, психиатр поставил диагноз: шизофрения, ну а потом выяснилась правда про сумасшедшую мать.

Раз в год у Кирилла бывает обострение. Если у обычных шизофреников, простите за дурацкий каламбур, заболевание ужесточается весной и осенью, то Кирилл становится невменяемым зимой, в феврале. В остальное время он ведет себя как нормальный человек, моет машины на автомойке и даже кажется довольным своей судьбой.

— Чего мы только с Анечкой не натерпелись, — качал головой Андрей, — вы и не представляете, какой бред приходит больному в голову!

Аня молча кивнула, она явно чувствовала себя скованно в моем присутствии.

— Заканчивается это всегда одинаково, — продолжал Андрей, — я кладу его в клинику, плачу врачам, через несколько недель Кирилл вполне адекватным выходит из больницы и вновь начинает мыть чужие машины. Любой другой труд ему не под силу, хотя амбиций у парня выше крыши. Честно говоря, он неприятный человек, надо бы плюнуть на него, пусть живет, как может, я ему ничем не обязан, но Анечка, добрейшая душа, не способна оттолкнуть больного, вот мы и маемся! Адрес наш ему известен, и, поверьте, ваше появление было не самым неприятным сюрпризом!

Аня снова кивнула.

— Просто ужас, — вздохнул Андрей, — в прошлом году он привез сюда человек десять милиционеров, вооруженных до зубов. Наплел им, что его жену похитили и держат тут помимо ее воли. Естественно, мы показали наше свидетельство о браке и решили проблему, но пережили несколько очень неприятных минут. Теперь вот история с вами.

— Я сразу понял, что посетитель не в себе, — заверил я Андрея.

Мы выпили чаю, поговорили о том о сем, и я откланялся. Андрей довел меня до машины. Аня, не сказавшая за время встречи и десяти слов, осталась в доме.

— Поезжайте направо, — посоветовал Андрей, — так быстрее получится, не по основному шоссе, а по местной дороге.

Я кивнул:

— Спасибо.

«Десятка» заурчала мотором.

— Ждем вас весной на шашлычок, — радушно пригласил меня Андрей. — Анечка волшебно люлякебаб готовит. Здесь в апреле такая красота!

Я улыбнулся:

— Не премину воспользоваться.

— Буду рад, — сказал Андрей, — поверьте, не ради красного словца говорю. Вы мне очень симпатичны.

— Взаимно, — ответил я и уехал.

Дорога оказалась отвратительной, скользкой, узкой, извилистой. Я постарался сосредоточиться на управлении автомобилем и пожалел, что, послушавшись Андрея, не выехал сразу на шоссе. Было темно, в свете фар кружились и падали тысячи снежинок.

Я полз на третьей скорости, спидометр показывал километров пятьдесят. Внезапно, чуть не задев «десятку», меня обогнал «каблук». За рулем сидел парень в ярко-оранжевой бейсболке — абсолютно не подходящем для зимы головном уборе. На секунду водитель повернул в мою сторону лицо, бледное, с тоненькими, стекающими вниз от верхней губы к подбородку усами. Я подался чуть левее и почувствовал, что педаль тормоза как-то странно легко ходит под ногой. Дорога внезапно пошла под гору; показался очередной крутой поворот. И тут в свете фар возникла девушка, одетая во все белое. Ее лицо, пугающе огромное, мелькнуло перед моими глазами. На какую-то долю секунды я потерял самообладание и зажмурился, а потом попробовал остановить машину. Педаль тормоза свободно ушла в днище «десятки». Я пытался и так и этак затормозить, но «Жигули» двигались вперед. По непонятной причине у практически новой машины отказали тормоза. Я резко повернул руль. Послышался тупой удар, затем такой звук, словно кто-то раздавил яичную скорлупу, и «десятка» полетела куда-то вниз. «Господи, — пронеслось в моей голове, — кажется, это конец».

Глава 3

Один из моих приятелей, Леня Калмыков, перенес клиническую смерть. Он очень подробно рассказал нам о своих ощущениях.

— Сначала, — вещал Ленька, — я увидел свое тело сверху. Жуткое ощущение, скажу я вам. Потом меня волокло через трубу, а затем... Нет, ребята, слов не хватает! Невероятный свет, всепоглощающая радость... Прямо жаль, что сюда вернулся.

Ленька говорил с таким жаром, с такой убежденностью, что я ему поверил, похоже, он и впрямь побывал там, откуда не возвращаются.

Я раскрыл глаза и испытал некоторое разочарование. Вроде я умер, погиб в автомобильной катастрофе, но где тот невероятный, согревающий душу свет? Вокруг совершенно темно. Или я сразу попал в ад? Хотя если уж прелюбодей и выпивоха Ленька оказался на некоторое время в раю, то и мне там должно найтись местечко. Ей-богу, ничего плохого я никому в жизни не сделал, так, грешил по мелочи: лгал, впадал в уныние... Но я чтил отца и мать, никого не убивал...

В лицо ударил пучок света. Я невольно зажмурился. Вот он, Господь. Кто бы мог подумать, что россказни про тот свет — правда? Я, конечно, очень надеялся, что там, за чертой, меня ждет более счастливая жизнь, но все же в существовании загробного мира сильно сомневался. Господи, прости меня, грешного!

— Эй, мужик, ты жив? — послышался хриплый голос.

Я раскрыл глаза и увидел перед собой лицо. Бог явился мне в образе дядьки в грязном полушубке и ушанке.

— Ты как? — спросил он. — Говорить можешь или онемел от страха?

И тут до меня дошло: сижу в «десятке», которая, съехав с дороги, угодила в довольно глубокую канаву. А около меня сейчас топчется водитель, очевидно, ставший свидетелем происшествия. Я разлепил губы и пробормотал:

— Жив вроде.

— Здорово, — обрадовался шофер, — ну-ка, пошевели руками и ногами. С виду ты вроде целый.

Очень осторожно я выполнил его указание и пришел к выводу: да, я цел. Скорей всего, переломов нет.

— Вот и славно, — гудел мужик, помогая мне вылезти из покореженной «десятки». — Еду я себе спокойненько, гляжу — в канаве жопа торчит. Ну, думаю, убился бедолага.

Он впихнул меня в свою «Газель».

— Надо в ГАИ позвонить, — прошептал я.

— Так я вызвал, — сказал шофер, — ща подъедут. Тебя как звать-то?

— Иван Павлович, — машинально представился я, — Иван Павлович Подушкин, ответственный секретарь общества «Милосердие».

В глазах доброго самаритянина запрыгали чертенята.

— А я Серега, — сообщил он, — Поливанов, на «Газели» езжу, грузы перевожу, кто наймет, на того и работаю. Как же ты так неаккуратно? Машина-то, похоже, новая.

— Да, — кивнул я, чувствуя, что начинаю дрожать, — месяц назад купил.

— Нельзя по такой дороге носиться, — рассудительно сказал Серега, — вишь, что получилось!

— Тормоза отказали, — проклацал я зубами и передернулся, вспоминая, как отчаянно давил ногой на педаль.

— Вона чего, — протянул Серега, — ты теперь на завод в суд подай! Тачка новая, все должно работать хорошо. Они тебе ремонт оплатят и за моральный ущерб дадут. Во гады! Наши-то работяги хороши!

С похмелья, небось, были, когда твою «десяточку» клепали. Я поэтому летать на самолете перестал. Пьяный механик винтик закрутить забудет, и прощай, Серега! Ну и негодяи! Ладно, хорошо, что это тут приключилось. Народу нет, а кабы задавил кого?

Моментально перед моими глазами возникла фигура девушки в белом, и я закричал:

— Боже, я сбил ее!

— Кого! — шарахнулся в сторону Серега.

Но я уже открыл двери «Газели» и побежал на дорогу, едва увернувшись от ехавшей навстречу машины, «каблука», с распахнутой дверью багажного отделения.

— Стой! — завопил Серега. — Погодь!

Он бросился следом и схватил меня за рукав.

— Остановись.

— Она там, — дергался я, — может, жива еще, в белом платье.

Серега потащил меня назад к «Газели».

— Привиделось тебе, Иван Павлович. Ну раскинь мозгами! Белое платье! Кто ж в такую погоду без пальто на улицу выйдет!

Я внезапно осознал странность произошедшего. Действительно, Серега прав.

Шофер впихнул меня в «Газель» и заблокировал двери.

— Вот и хорошо, — запричитал он, — вот и ладненько вышло! У меня тут термосик есть, глотни-ка.

Серега вытащил пакетик растворимого кофе, ловко высыпал его в кружку, добавил кипятку и сунул мне со словами:

— Ох, лепота! Все там есть, и молоко, и сахар, и кофеек.

Я органически не перевариваю быстрорастворимые напитки, мне не нравится употреблять внутрь всю таблицу Менделеева в одном стакане, но сейчас я схватил кружку и залпом выпил. Стало немного теплее, дрожь прошла.

— Я видел ее как тебя, — пробормотал я, — лицо бледное, огромные глаза, волосы длинные, до плеч, на щеке крупная родинка, губы красивые, пухлые. На голове у нее была шапочка, белая, конической формы, а сама то ли в костюмчике белом, то ли в платье. Она как из ниоткуда возникла, близко-близко, я ее словно сфотографировал.

Серега покачал головой.

— Ерунда тебе привиделась, хочешь еще кофе?

Тут послышался стук в окно, прибыл инспектор ГИБДД.

— Ну класс! — восхитился Серега. — Обычно их часами ждать надо, я думал, до утра простоим, а эти через десять минут явились!

Сначала сержант выслушал мой рассказ, потом походил вокруг «десятки» и велел:

— Заберите все ценные вещи, я вызову эвакуатор.

— Ему бы в больницу, — шепнул милиционеру Серега.

— Зачем? — удивился страж дорог. — Вроде здоровый с виду.

Серега быстро рассказал историю про девушку в белом платье. Инспектор пару мгновений помолчал, потом снял шапку, перекрестился и сказал:

— А ну залазьте в мою машину.

Мы влезли в его «газик». Инспектор крякнул:

— Это ты с Нинкой повстречался.

— С кем? — оторопел я.

Сержант вздохнул.

— На этом повороте давно очень девушку насмерть сшибло, виновного не нашли. Вот с тех пор она, Нинка, и пугает водителей. Сам я никогда ее не видел, а от других слышал. Привидение, короче говоря. Ладно, ехайте отсюдова. Эвакуатор мне заказывать?

— Сам позабочусь, — ответил я.

— Ты не дергайся, — посоветовал гаишник, — лучше завтра с утра прикатывай. Здесь редко ездят, никто твою колымагу не тронет, да и не на ходу она.

Серега заботливо довез меня до дома и отказался от денег.

— Чего я, нелюдь, — сердито воскликнул он, увидев купюру, — стану на чужом горе наживаться? Убери рубли, они мне счастья не принесут!

Мы обменялись телефонами, и я пошел к Норе, рассказал хозяйке, что пережил за последние часы, и решил пораньше лечь спать. Завтра предстояло встать в шесть утра, чтобы вместе с эвакуатором поехать за несчастной «десяткой».

Я лег на диван, но сон не шел. Тогда я решил немного почитать. Не успел открыть книгу, как за дверью раздалось сначала тихое царапанье, а потом зычный голос Ленки:

— Иван Палыч, вам ужин дать?

— Спасибо, не надо!

— Ну поешьте чуток, — не отставала она, — блинчики у нас!

Чтобы она отвязалась, я крикнул:

— Хорошо, сейчас приду, съем пару штук!

— Вам с чем? — не умолкала прислуга. — С вареньем, сметаной или творогом?

— С джемом.

— Каким?

— Апельсиновым.

— А-а-а.

— Если нету, давай с любым.

— Почему? — запричитала Ленка. — Как не быть? Есть он. Только больно высоко стоит, я убрала подальше, никто его, кроме вас, не жрет, потому что сильно противный...

Продолжая бубнить, Ленка ушла. Я полистал книгу и сел. Может, и впрямь пойти поесть блинчиков? Глядишь, на сытый желудок лучше заснется!

В голове не было ни одной мысли. Я тупо смотрел в одну точку, потом стал нащупывать ногами тапочки...

Внезапно послышался сначала грохот, а потом дикий, полный боли крик. Я побежал в кухню. Там на полу лежала стонущая Ленка.

Очевидно, пытаясь достать для меня апельсиновый джем, домработница влезла на лестницу, потянулась к высоко висящей полке и, не удержавшись на перекладине, рухнула вниз. Судя по тому, как странно вывернута у нее нога, Ленка ее сломала.

Поспать мне так и не удалось. Сначала я ждал «Скорую помощь», потом, взяв машину у Норы, поехал за «рафиком», в который на носилках загрузили Ленку. Затем началась маета: рентген, вправление костей, гипс... Я раздал кучу взяток медсестрам и врачам, устроил Ленку в приличную двухместную палату, смотался домой, привез ей зубную щетку, пасту, купил соков и вернулся к Норе. Часы показывали четыре утра. Ложиться спать не имело никакого смысла. Мне легче провести ночь на ногах, чем покемарить два часа, а потом вставать с гудящей головой.

Ровно в семь эвакуатор тронулся в путь. Мы добрались до места быстро. Рано утром, в воскресенье, да еще на шоссе, покрытом ледяной коркой, практически не было машин.

— Всегда бы так кататься, — мечтал водитель эвакуатора, дымя на редкость вонючей сигаретой, — мухой до МКАД долетели.

Оказавшись возле «десятки», шофер принялся, насвистывая, налаживать хитрое приспособление, призванное вытащить мою несчастную «лошадку» на дорогу.

Я молча осматривал пейзаж. Похоже, мне вчера повезло, причем многократно. Первый раз, когда «десятка» нырнула в овраг, доверху заваленный снегом. Лишь по счастливой случайности она не врезалась на полной скорости ни в одно из толстых старых деревьев.

Я прошел пару метров по шоссе и испугался. Невдалеке от того места, где потерпела «крушение» моя машина, был обрыв, очевидно, тут раньше разрабатывался карьер. Странно, однако, что он не огражден забором, но, с другой стороны, ничего удивительного. Около нашего дома, на проспекте, пару недель зиял открытый канализационный люк. Одному богу известно, куда подевалась его крышка. Легко представить, что могло случиться с водителем, если бы его машина на скорости около ста километров в час попала колесом в разверстую дыру.

Так вот, над люком не было ничего, никакого предупредительного знака, заборчика или просто веревки. Закрыли его лишь после того, как я поскандалил в районной управе, живописуя последствия катастрофы. Да и крышка появилась не сразу, а лишь после моего третьего визита и категорического обещания вызвать на место безобразия корреспондентов из «Московского комсомольца». Если подобное творится на одном из проспектов в центре столицы, в районе, считающемся элитным, то чего ждать от дороги возле МКАД?

Я постоял пару минут на краю обрыва, испытывая липкий ужас. Господи, ну и повезло же мне! Докатись «Жигули» сюда — от Ивана Павловича Подушкина осталось бы одно воспоминание.

Я пошел назад, шоссе словно вымерло. А еще мне вчера посчастливилось встретить простоватого и душевного Серегу на «Газели». Печка в моей «десятке» после аварии не работала, я замерз бы, дожидаясь ГАИ. Как все автовладельцы, я не ношу тяжелого зимнего пальто и ботинок на меху.

— Отчаянный вы человек, — сказал эвакуаторщик, когда я вернулся к месту аварии.

— У меня тормоза отказали.

— Да не об этом речь. Вы бросили машину на ночь, в лесу, ее же «раздеть» могли. Деревенские, они такие, ничего не оставят. Колеса, сиденья — все бы утащили, да вы еще и магнитолу забыли.

Я тяжело вздохнул. Да уж, о радио я вчера не подумал, прихватил документы, и все. Впрочем, ничего ценного я с собой не вожу. В бардачке лежит небольшая сумма денег, несколько пятидесятирублевок, так сказать, «штрафные», и это единственное, чем можно поживиться. То, что «десятку» могут разобрать на части, мне в голову не пришло.

— Безголовый вы человек, — бубнил эвакуаторщик.

— Здесь жилья поблизости нет, — попытался я оправдаться, — откуда мародерам взяться? Повсюду лес, а по этой дороге, похоже, практически не ездят.

— И то верно, — сбавил тон собеседник, — все

по основному шоссе пилят, это никому не нужно. Ну, с богом!

Раздался скрип, и «десятка» медленно вползла на дорогу.

— Теперича все заберите изнутри, — велел эвакуаторщик. — Чтоб пусто было. Мне неприятности ни к чему. А то потом начнутся претензии: мол, у нас тысяча баксов в бардачке валялась.

Я улыбнулся, подошел к машине и увидел спереди на покореженном бампере непонятный предмет, похоже, тряпку. Я машинально схватил его и вскрикнул. Это была шапочка белого цвета, конической формы.

— Она была! — выкрикнул я.

— Ты чего? — попятился эвакуаторщик.

Я подбежал к нему.

— Как вас зовут?

— Леха, — оторопело ответил парень.

— Леша, там в овраге женщина! У вас есть лопата?

— Есть, — кивнул Леха, — как не быть! Куда ж без нее? Вон висит!

Я схватил орудие землекопа и бросился к оврагу. Значит, несчастная девушка, возникшая в свете фар, никакое не привидение. Я сбил ее, а она своим внезапным появлением спасла мне жизнь. Да, именно так. Не возникни внезапно в свете фар ее лицо, бледное, с огромными глазами и крупной родинкой на щеке, я бы не стал выворачивать руль влево и не попал бы в кювет. Нет, я пронесся бы еще несколько метров и слетел с высокого обрыва в карьер. Я убил незнакомку и тем самым спас себя.

Я орудовал лопатой, как сумасшедший, снег летел в разные стороны, забивался в ботинки, в рукава... Леша пару мгновений стоял молча, потом спустился в кювет, отнял у меня лопату и сказал:

— Сбрендил, да?

— Там девушка, — я указал пальцем в снег.

Леша покачал головой.

— Привиделось тебе.

— Нет! Буду ее искать.

— Некогда мне тут толкаться, — обозлился Леша, — мне по времени платят.

Я сунул ему свой кошелек.

— Возьмите сколько надо!

— Ну, раз так, — протянул эвакуаторщик и вернулся в кабину.

Я продолжал раскапывать снег и через полчаса был вынужден признать: никакого изуродованного тела в кювете нет. Чувствуя невероятную усталость, я сел в кабину эвакуатора. Леша хмыкнул:

— Ты к доктору, в сумасшедший дом, сходи, там тебе помогут!

Я тупо уставился в окно. Какой смысл разговаривать с этим черствым парнем?

Дома я вынул из кармана шапочку и стал ее внимательно изучать. Если бы не странная, коническая форма, то головной убор походил бы на тот, который носят врачи и медсестры. Но, насколько я знаю, медики носят нечто похожее на беретки или «таблетки». А тут многоугольная, странная конструкция, собранная из шести клиньев. Значит, девушка была... Отчего она стояла на пустом шоссе, зимой, вечером, одна, да еще без верхней одежды? Я очень хорошо помню ее лицо, голую шею и воротничок белой блузки или платья. Куда подевался труп? А может, незнакомка не пострадала? Успела увернуться от «десятки» и убежала? Может, ее и не было? Вдруг инспектор ГАИ прав? Мне привиделся фантом! При этой мысли я обозлился и одернул себя. Ну, Иван Павлович, совсем ты разума лишился! В призраки верить стал! А шапочка? Она-то вполне материальна!

Нет, эта загадка имеет простое объяснение. Тела в овраге не было, это точно, я перелопатил весь снег. Уйти сбитая девушка не могла, значит, ее и не существовало, это был глюк. Я был страшно напуган нештатной ситуацией, судорожно пытался затормозить, отсюда и неадекватное восприятие действительности. А шапочка? Небось лежала в канаве давно и прилипла к фаре...

Пальцы помяли белую ткань. Не слишком-то похоже, что она валялась пару недель под открытым небом. И что прикажете делать? Рассказать Норе? Или не стоит? Совсем запутавшись, я лег на кровать и взял газету. Под руки попалась «Комсомольская правда», даже не знаю, каким образом это издание очутилось у меня на столике. Я вообще-то следую совету профессора Преображенского, который настоятельно рекомендовал не читать газет на ночь. Скорей всего, я случайно прихватил «Комсомолку» из кабинета Норы вместе с ворохом писем, пришедших в наш фонд «Милосердие». Вот моя хозяйка — та настоящая газетоманка, пролистывает кучу печатных изданий, самых разных, от натужно-респектабельных до откровенно желтых. Она не брезгует ничем и порой страшно веселится, зачитывая мне статьи типа: «В деревне «W» женщина, сожительствовавшая с котом, родила черепаху». Наши газетчики меня искренне поражают. Если уж печатаешь на страницах своего издания откровенную утку, то постарайся придать ей хотя бы налет правдивости. Хотя люди вроде нашей домработницы Ленки охотно станут повторять эту глупость.

Я бездумно листал «Комсомолку», потом мне стало скучно. Лучше уж возьму Сенеку или Аристофана. Но для этого надо встать, а сил нет. Бессонная ночь давала о себе знать. Я положил «Комсомолку» на столик и уже совсем было решил вздремнуть, но тут перед глазами вновь возникло лицо той девушки с дороги: огромные глаза, большая родинка на щеке, крупные, пухлые, сексуальные губы. Только шапочки на ее голове не было, волосы красивыми волнами спускались на плечи. Мне понадобилась целая минута, чтобы сообразить: я вижу не глюк, не привидение. Смотрю на фотографию, помещенную на последней странице «Комсомолки».

Сами понимаете, что сон с меня словно ветром сдуло. Я сел, схватил газету и впился глазами в текст. «Ушла из дома и не вернулась. В декабре прошлого года, в районе девяти часов вечера пропала Ирина Медведева, студентка УПИ. Ирина Медведева была одета в темно-зеленую куртку с капюшоном, отороченным мехом лисы, от фирмы «Барберис», темно-коричневые вельветовые джинсы «Прада», светло-розовый пуловер «Томми Хилфипер» и сапоги «Альберто Челлини» из кожи питона черного цвета, на меху. Нижнее белье: комплет от Валентино телесного цвета. При себе имела черную сумочку, часы «Шопард», серьги и два кольца той же фирмы, мобильный телефон «Нокиа». Рост — 1,64, вес — 50 кг, глаза — темно-карие, волосы цвета шатен, вьющиеся. Особая примета: крупная родинка на щеке. Если

кому известно о местонахождении Ирины Медведевой, просим сообщить по телефонам.

Далее шли цифры и фраза, набранная более ярким шрифтом: «Гарантируется огромное вознаграждение».

Глава 4

Я перечитал заметку трижды и только потом побежал в кабинет хозяйки.

— Нора!

Элеонора отложила счета, подняла на меня глаза
и хмыкнула:

— Ну? Что еще плохого случилось? Домработница пришла?

— Ленка? — удивился я. — Но она ведь в больнице, со сломанной ногой! Вы забыли?

Нора хмыкнула.

— Почему ты считаешь меня дурой, вроде никаких поводов к этому я не даю. Естественно, я понимаю, что Ленка застряла в больнице максимум месяца на три, а при ее весе, полагаю, что и через полгода она еще не сможет приступить к своим обязан-
ностям. Я наняла другую бабу, она скоро должна
явиться!

Я насторожился. Нора требует от прислуги,
чтобы та жила в доме постоянно. Учитывая, что у хозяйки парализованы ноги, это понятно. У меня в ее
доме есть большая комната, которую Нора велела
обставить в соответствии с моим вкусом.

Более того, она неоднократно подчеркивала, что
это и мой дом, поэтому я имею полное право проводить свободное время как хочу. То есть, читай между
строк, Элеонора не станет протестовать, если я при-

веду к себе любовницу. Последнее время Нора открыто стала спрашивать:

— Ваня, ты хочешь прожить жизнь холостяком?

Думается, тут не обошлось без моей маменьки Николетты, которая общается с Элеонорой много лет. Собственно говоря, благодаря этой дружбе я и попал на службу к Норе.

Но мне не слишком хочется приводить в свою берлогу дам. Я снимаю в случае необходимости квартиру, теперь с этим проблем нет. Домработница Ленка тоже живет здесь. У меня к ней куча претензий. Ленка ленива, отвратительно убирает помещения, разгоняя пыль по углам и всегда переворачивает все бумаги на моем столе. Еще она не умеет гладить рубашки. Я так и не смог внушить неумехе, что на рукаве не должно быть заглаженной складки, спускающейся от плеча к манжету. Готовит домработница отвратительно. Зато она очень честная — не способна взять без разрешения даже спичку. И еще, Ленка неприставучая. Переделав все дела, она запирается в своей спальне и самозабвенно проводит время в кресле у телевизора с вязанием. Кособокие кофты и пуловеры своего производства она потом дарит мне и Норе на день рождения, а мы, чтобы не обижать «рукодельницу», иногда облачаемся дома в жуткие тряпки и хвалим Ленку.

Одним словом, у нас сложилась семья, пусть немного на чужой взгляд странная, но мне в ней комфортно. И вот теперь в квартире должна появиться совершенно неизвестная женщина. Согласитесь, это не слишком приятное известие. А ну как новая домработница окажется истеричкой?

— Вы, надеюсь, нашли ее через агентство? — воскликнул я.

— Нет, — ответила Нора.

Я испугался:

— По объявлению в газете?

— Ваня, — возмутилась хозяйка, — я еще не выжила из ума. Нам ее отдает Раиса Ямпольская.

Я испугался еще больше: Раиса — дочка старинной подруги Норы. Она отличается редкостной жадностью и никогда не делает добра окружающим. Еще она никогда не признается, где раздобыла ту или иную полезную вещь. Как-то раз моя матушка, Николетта, дошла почти до бешенства, пытаясь выяснить, где Раиса взяла мыло с отрубями.

Ямпольская на все ее вопросы отвечала сухо:

— Купила в магазине.

— В каком? — не успокаивалась маменька.

— В большом, — не сдалась Раиса.

Но Николетту тоже трудно сбить с толку, поэтому она не дрогнула.

— И где он находится?

— В центре.

— Улицу назови.

— Не помню, длинная такая.

— Ну какое там метро?

— Я на нем не езжу, станций не знаю.

В конце концов разъяренной Николетте пришлось признать свое поражение. Мыло она потом все-таки раздобыла, принесла домой кусок и с возмущением воскликнула:

— Раиса — отвратительная особа! Считает, будто весь мир создан только для нее!

Сами понимаете, что эта дама никогда не отдаст хорошую прислугу. Следовательно, наша новая домработница такая же неумеха, как Ленка, или еще хуже.

Наверное, мрачные мысли отразились на моем лице, потому что Нора, усмехнувшись, добавила:

— Ну, не дрожи, все не так плохо. Раиса уезжает с мужем в Америку, на пару лет. Анатолий получил место переводчика при ООН. Естественно, прислугу они не берут, она достается нам по наследству. Рекомендации великолепны.

Я слегка успокоился. Может, эта баба хоть немного умеет готовить? Честно говоря, мне надоело питаться «изысками», которые вдохновенно стряпает Ленка.

— Что ты ворвался ко мне с таким безумным видом? — прищурилась Нора.

Я мгновенно вспомнил о газете, положил «Комсомолку» на стол перед хозяйкой, рядом устроил белую шапочку и начал рассказывать о случившемся.

К одному из несомненных достоинств Норы относится умение слушать собеседника.

Нора внимает вам, никогда не перебивая. Она потом задаст все интересующие ее вопросы, но в момент вашего рассказа никогда не воскликнет: «Ну, хватит, по второму кругу болтать пошел».

Вот и сейчас она выслушала мой рассказ и взяла газету.

— Да, — протянула хозяйка, — эта Ирина Медведева явно не из бедных слоев. Часы «Шопард», драгоценности той же фирмы, вещи от известных фирм. Ты уверен, что именно ее видел на шоссе?

— Стопроцентно! — с жаром воскликнул я. — Эта родинка очень приметна.

— Все это очень странно, — протянула Нора, — даже загадочно. Впрочем, сейчас выясним.

Не успел я поинтересоваться, что она собирается делать, как Элеонора схватила телефон.

— Алло, здравствуйте. Мне случайно попалась на глаза газета «Комсомольская правда». Тут опубликовано фото... да... да... Скажите, Ирина нашлась? Нет... Видите ли, тут такое дело, мой секретарь...

Я смотрел в окно, за которым веселые снежинки исполняли польку. Первый раз я оказался в столь откровенно идиотской ситуации.

— Сейчас приедет, — сообщила Нора, бросая трубку на столик.

— Кто?

— Отец этой Ирины, некий Семен Юрьевич, — пояснила Нора, — он уже в пути.

И тут прозвенел звонок. Я пошел в прихожую. Да уж, этот Семен Юрьевич явно владеет фантастическим искусством телепортации. Пять секунд назад он пообещал явиться и, пожалуйста, тут как тут.

Я открыл дверь и увидел нечто огромное, черное, больше всего похожее на стог подгнившего сена.

— Вы Семен Юрьевич? — от неожиданности спросил я.

Гора зашевелилась и ответила очень тонким голосом:

— Нет, меня зовут Муся.

— Как? — удивился я.

— Муся, — повторил стог дискантом. — Я Марина Евгеньевна по паспорту, но мне не нравится, когда меня так кличут, лучше Муся...

— А где Семен Юрьевич? — окончательно растерялся я.

— Не знаю, — отозвалась Муся, — со мною Орест Михайлович.

Я осмотрел лестничную площадку, искренне недоумевая, кто такой Орест Михайлович. Между лифтом и квартирой Элеоноры никого не было.

— А Элеонора Михайловна дома? — пропищала Муся.

Я моментально понял, что к чему, это новые клиенты.

— Да, конечно, проходите, она в кабинете. Вы договаривались о встрече?

— Так велено было приезжать, — ответила Муся и двинулась в прихожую.

Элеонора, покупая квартиру в элитном доме, особое внимание обратила на холл.

— Надоело мне плечами о стены стукаться, когда пальто надеваешь, — в минуту откровенности сказала она мне, — я полжизни в наперстке прожила, теперь хочу жить во дворце.

Жажда простора ввергла Нору в дополнительные расходы, потому что она купила сразу две квартиры на одной площадке и объединила их. Поэтому у нас был только один сосед, Валера, но о нем как-нибудь позже. Прихожая у нас просто огромная, но сейчас, когда туда ввалилась Муся и заняла почти все пространство, мне показалось, что помещение сузилось до размеров спичечного коробка.

Внезапно Муся грохнула о пол два здоровенных чемодана, которые до сих пор держала в руках, и пискнула:

— Ой, здрассти!

Я обернулся. Из коридора выкатилась в инвалидном кресле Нора.

— Мы вот тут, — завела Муся, — от Раисы Сергеевны. Доброго вам здоровьичка, извините, отдыхать небось вам помешали. Вы не беспокойтесь, только комнату укажите!

И тут я сообразил, что это не клиентка, а наша новая домработница. Однако внешность у нее устрашающая.

— Ты не торопись, — раздался за спиной Муси сочный бас. Из-за громадной фигуры вынырнуло маленькое, тщедушное существо, похожее на кузнечика, больного рахитом.

Несчастное создание было облачено в костюм, явно купленный в магазине игрушек. Круглая, почти лысая голова яйцевидной формы сидела на тоненькой шейке, которую я запросто мог обхватить двумя пальцами. На ногах непонятного субъекта были крошечные ботинки, под мышкой он держал роскошную папку из натуральной кожи.

— Это кто? — весьма невежливо ткнула в него пальцем Нора.

— Орест Михайлович, — ответила Муся, — я женой ему прихожусь!

Я постарался не расхохотаться. Да эта Муся спокойно может раздавить муженька, если ненароком сядет на него.

— Но мне никто не говорил, что вы семейный человек! — возмутилась Нора. — Речь шла лишь о домработнице!

— Мы завсегда парою, — сообщила Муся. — Орест Михайлович — повар, я на подсобных работах, убрать, почистить, перевернуть чего, перенести, прибить... Все могу, даже часы чиню.

— Коли не ко двору пришлись, то мы уйдем, — загудел Орест Михайлович.

Муся подхватила поставленные чемоданы.

— Стойте, — выпалила Нора и уставилась на «кузнечика»: — Это вы пекли пироги с рыбой на день рождения Раисы?

Орест Михайлович гулко кашлянул.

— Расстегайчики? Мы-с. Вам какие по сердцу больше пришлись, с севрюжиной или с визигой?

— Я все съела и чуть не скончалась от обжорства, — вздохнула Нора. — Ваня, покажи им комнату, пусть распаковываются и приходят в кабинет.

Я решил проявить галантность и попытался перехватить один из чемоданов семейной пары, но потерпел сокрушительную неудачу. Саквояж был, похоже, набит камнями или надгробными плитами.

— Что вы, — засуетилась Муся, — я сама доволоку.

Она легко подхватила багаж и поинтересовалась:

— Идтить куда?

Я отвел супружескую чету в их спальню и со вздохом заметил:

— Кровать тут одна, довольно узкая. Завтра куплю для вас побольше.

— Не беспокойтесь, — заявила Муся, — Орест Михайлович на постельке ляжет, а я на полу, вот туточки, у окошка.

Муж спокойно сел в кресло. Ситуация показалась мне странной. Конечно, Орест Михайлович размером с одну руку своей жены, но все-таки он мужчина, и, следовательно, на полу должен спать он, а не женщина, пусть даже такая сильная и огромная, как Муся.

— У окна дует, — решил я укорить Ореста Михайловича, — в кладовой есть раскладушка.

— А не надо, — отмахнулась Муся, — я завсегда на полу сплю. На кровати мне неудобно, спина болит. Спасибо вам за заботу!

В прихожей опять прозвучал звонок. Муся дернулась было на выход, но потом притормозила и воскликнула:

— Вы мне покажьте, как дверь отворять!

— Раскладывайте пока вещи, — предложил я, — завтра с утра к работе приступите.

— Как велите, — мигом согласилась Муся.

Я пошел ко входу, глянул на экран видеофона и увидел мужчину лет пятидесяти. Это, скорей всего, и был Семен Юрьевич.

Глава 5

Гость снял дорогое кашемировое пальто, подбитое собольим мехом, поправил безукоризненный пиджак, явно сшитый на заказ, и весьма нервно спросил:

— Вы знаете что-то об Ирине? Имейте в виду, за сведения о моей дочери обещана награда!

— Пойдемте в кабинет, — предложил я.

Семен Юрьевич, не сказав ни слова, проследовал за мной к Норе.

Выслушав рассказ Элеоноры, он повернулся ко мне:

— Вы уверены, что видели лицо Иры?

Я кивнул:

— У вашей дочери яркая внешность, к тому же родинка на щеке...

Семен Юрьевич вздохнул:

— Ничего не понимаю.

— Мы тоже, — развела руками Нора.

Наш гость посидел какое-то время молча, затем достал дорогое портмоне и коротко поинтересовался:

— Сколько?

— За что? — уточнила Нора.

— Я хочу нанять вас для поисков Ирины.

Элеонора откатилась от стола.

— Финансовые вопросы решить просто. Вы оплачиваете наши расходы по делу. Естественно, получаете все чеки, квитанции и прочие документы, подтверждающие траты. Если мы успешно справимся с поставленной задачей, то вы заплатите нам...

Хозяйка протянула намечающемуся клиенту листок.

Сергей Юрьевич кивнул:

— Хорошо.

— Ежели мы не сумеем вам помочь, — продолжала Нора, — это, конечно, нонсенс, но надо предусмотреть любой исход дела, оплата составит один процент от вышеуказанной суммы.

— Нет проблем, — нервно воскликнул Семен Юрьевич, — начинайте.

— Иван Павлович, — велела Нора, — оформляй договор.

Я вытащил из стола необходимые бумаги. Элеонора — расчетливая бизнесвумен, сумевшая создать с нуля великолепно работающую империю. Все, за что берется моя хозяйка, мигом начинает приносить доход. Вначале ее игра в частного детектива меня раздражала, потом я привык, ну а год назад мне стало понятно: новое увлечение дает нам немалые деньги. Слух о способностях Норы разнесся по Москве со скоростью света, и если первое время она очень переживала от отсутствия клиентов и даже давала объявления в газетах, то теперь выбирает лишь интересные дела. Детективное агентство «Ниро», владелицей которого является моя хозяйка, оформлено по всем правилам. У нас на руках имеются необходимые лицензии и разрешения. Расследования — это увлечение Норы, поэтому она никогда не берется за то, что кажется ей простым или глупым. Хобби должно доставлять удовольствие, а то, что оно еще и прибыльно, Норе с ее миллионами казалось лишь приятным дополнением. Теперь же деятельность сыщика стала давать немалые деньги. Согласитесь, Нора очень счастливый человек. Мало кому удается заниматься любым делом, да еще преуспеть в нем.

Подписав все мыслимые и немыслимые бумаги, Нора отдала Семену Юрьевичу копию договора и велела:

— Теперь рассказывайте.

Тот удивленно спросил:

— О чем?

— Все, что знаете о дочери, — ответила Нора. — О ее друзьях, врагах.

— Зачем?

— Вот уж глупый вопрос! — начала злиться Нора. — Любопытство меня вовсе не мучает! Вы же наняли нас для поисков Ирины. Вы предполагали, что мы станем действовать вслепую? И вообще, с чего вы взяли, будто она пропала?

— Так она дома с декабря не появлялась, — резонно ответил Семен Юрьевич.

— Может, она к любовнику ушла, — рявкнула Нора, потом, повернувшись ко мне, спросила: — Помнишь Лену Малкову?

Я кивнул:

— Да.

Нора глянула на Семена Юрьевича.

— Не так давно прибежала к нам женщина в слезах, дочка у нее исчезла, вроде вашей ситуация. Вечером она разоделась, словно на Пасху, и ушла. Домой не вернулась ни ночью, ни на следующее утро, словно в воду канула. И что мы выяснили? Очень быстро разузнали, девица просто перебралась к любовнику, а родителям ничего не сказала, справедливо полагая: предки не одобрят такого поведения.

Семен Юрьевич тяжело вздохнул:

— Ира не такая.

— Ну все в определенном возрасте хороши, — отмахнулась Нора, — впрочем, посмотрим на проблему с иной стороны. Ну когда еще покуролесить, если не в двадцать лет? В пятьдесят поздно, да и не захочется уже коленца выкидывать.

Сергей Юрьевич вздохнул:

— У нас другая ситуация.

— Какая? — быстро спросила Нора.

Клиент медлил с ответом, явно раздумывая, стоит ли вводить нас в курс дела. Элеонора окончательно разозлилась и довольно резко сказала:

— Есть три места, где от души советую вам говорить правду: у доктора, адвоката и у меня. Каким образом мы сумеем вам помочь, не владея никакой информацией об Ире?

Степан Юрьевич тяжело вздохнул:

— Ладно, слушайте.

Он начал рассказ. Я молча записывал самое интересное в блокнот.

Сергей Юрьевич никогда не был женат на матери Иры. Женщина, подарившая ему дочь, была случайной знакомой. Они встретились на какой-то вечеринке, выпили, и праздник завершился любовными объятиями.

В молодости Семен был отчаянным бабником, падал на все, что шевелится. Впрочем, счастливой семейной жизни эта привычка не мешала. Жена Семена, тихая, безответная Наташа, делала вид, что ничего не знает о похождениях супруга. Его она в неверности не упрекала, программных заявлений типа: выбирай, либо она, либо я — не делала. Наташа, несмотря на юный возраст, оказалась мудрой женщиной с сексуальным аппетитом, как у ленивца. Муж по полгода не залезал к ней под одеяло, а супруге этого и не хотелось. После рождения дочери Кати Наташа с головой ушла в пеленки, а Семен начал усиленно заниматься карьерой.

Надо сказать, что бессловесная Наташа в результате осталась в выигрыше. Бабы менялись у Семена словно носки, больше двух, трех дней ни одна не задерживалась, накотовавшись, он всегда возвращался к жене и, чувствуя перед ней вину, делал ей подарки.

Несмотря на редкостную похотливость, Семен оказался ловким бизнесменом и сейчас ворочает огромными деньгами. Наташа и любимая доченька Катенька не отказывают себе ни в чем. Короче говоря, жить бы Семену да радоваться, но тут неожиданно грянул гром среди ясного неба.

Один раз, возвращаясь домой, Семен увидел на лестничной клетке около своей квартиры серую фируру. На какую-то секунду бизнесмен испугался. В столице есть парочка людей, желающих ему смерти. Семен не верил в то, что конкуренты способны нанять киллера, но чужая душа потемки, вдруг да и захотят решить проблему просто. Охраны у Семена нет, он убежден в том, что от снайперской винтовки не спасет ничто, а раз так, то незачем и тратиться.

Серая фигура отлепилась от стены, и Семен с облегчением понял, что перед ним девушка с яркой броской внешностью.

— Здравствуйте, — тихо сказала она, — я ваша дочь Ира.

Растерявшийся Семен пригласил девчонку в квартиру. Неожиданная гостья вытащила пару фотографий.

— Это моя мама, узнали ее?

Семен уставился на снимок, никаких воспоминаний он у него не вызвал. У Семена в жизни были сотни баб, где уж тут всех упомнить.

— С чего ты решила, будто являешься моей дочерью? — поинтересовался Семен.

Ира покраснела:

— Мама перед смертью сказала...

Слово за слово Семен вытащил из девушки правду. Он только качал головой, слушая бесхитростного подростка. Мать Иры звали Вера. Всю свою жизнь она любила Семена Юрьевича, поэтому замуж не выходила, воспитывала дочку одна. Вера работала учительницей, имела копеечную зарплату, проживала в бараке и никогда не побеспокоила Семена. Она ничего не сообщила ему о рождении ребенка, не требовала алиментов или какой другой материальной помощи. Более того, Вера все детство лгала Ирочке, что ее папа был капитаном дальнего плавания и геройски погиб при исполнении служебного задания.

Ирина долго верила маме, но потом в ее детскую голову пришла одна простая мысль: если у нее был папа-герой, то почему она носит мамину фамилию? С этим вопросом девочка обратилась к Вере. Та сначала растерялась, но потом быстро сказала:

— А я ведь взяла фамилию мужа и теперь Медведева.

Но Ирочка оказалась не так проста:

— Но, мамочка, ты же показывала мне свой школьный аттестат, и там тоже фамилия Медведева.

— Мы с твоим отцом однофамильцы, — выкрутилась Вера, и Ирина ей поверила.

Скорей всего, мать никогда бы не рассказала дочери правду, но она внезапно заболела, угодила в больницу, а потом, поняв, что умирает, открыла девочке тайну. Ее отец Семен Юрьевич Коротков, богатый человек, имеющий жену и дочь, практически одногодку Иры.

— Ты ступай к нему, — шептала Вера, — он тебе поможет.

Ирочка, ошарашенная новостью, только кивала. Потом Вера умерла, дочь похоронила ее, истратив не слишком густые «подкожные». Несколько недель она жила впроголодь и наконец решилась на визит к отцу.

Честно говоря, Семен слегка обалдел, а вот Наташа, тоже присутствовавшая при разговоре, не потеряла самообладания и стала задавать Ире вопросы:

— Откуда же Вера узнала адрес Семена?

— Она его всю жизнь любила, — тихо ответила Ира, — следила за ним, иногда напротив вашего дома в скверике сидела, поджидала, когда Семен Юрьевич с собачкой гулять пойдет. Ей больше ничего не было надо, только бы знать, что он жив, здоров и счастлив!

Семен напряг память. Он действительно по вечерам выходит на променад с Булькой, и на лавочке вроде маячила иногда какая-то баба... Только он не обращал на нее внимания, мало ли кто выходит по вечерам дышать свежим воздухом?

Что делать в создавшейся ситуации, Семен не знал. Выгнать плохо одетую и явно голодную девочку у него рука не поднималась, но признавать неизвестно кого своей дочерью тоже не хотелось. И вновь на помощь пришла разумная Наташа.

— Надо сделать генетическую экспертизу, — сказала она, — ты, Ира, на нас не обижайся, но так лучше будет всем. Подтвердится, что Семен Юрьевич твой папа, — тогда один разговор, если нет — тогда другой. Мама ведь наврала тебе про капитана, могла нафантазировать и в другой раз. Хотя следует признать: вы с Катей похожи, как близнецы.

— Хорошо, — пролепетала Ира, — я согласна.

Результаты анализов ошеломили всех. Никаких сомнений не осталось в том, что Ира родная кровиночка Семена. Был еще один факт, полностью убедивший его в том, что Ира его плоть и кровь. У Семена Юрьевича патология, зеркальное расположение органов. У всех людей сердце слева, а у него — справа. Подобный казус встречается крайне редко. Катя родилась обычной, а вот у Иры сердце тоже оказалось не на месте, и у Семена Юрьевича, когда он узнал об этом факте, мигом возникла мысль: Ира — его подлинная дочь, от Веры в ней нет ничего. А вот Катя пошла вся в Наташу. И это было правдой. Ирине достался характер отца, а Кате матери. Девочка поселилась в доме у отца и в самое кратчайшее время подружилась с Наташей и Катей. Может, вам это покажется невероятным, но Катюша с радостью приняла сестру, а Наташа без всякой позы начала звать Ирину дочкой.

Семен, чувствовавший некую вину перед умершей Верой, изо всех сил старался украсить жизнь неожиданно появившейся дочери. Он устроил ее в Институт управления полиграфии и издательского дела и стал осыпать девушку подарками. Катя совершенно не завидовала сестре, да и о какой зависти могла идти речь? Да, папа приобрел Ире часики «Шопард», но у Катюши на запястье сверкал золотой «Ролекс». Так что все в их семье шло прекрасно до того декабрьского дня, когда Ирина исчезла.

— Кто была ее ближайшая подруга? — поинтересовалась Нора.

Семен Юрьевич пожал плечами:

— Катя, наверное. К девочкам все время кто-то приходил, но я никогда в это не вникал.

— Нам надо поговорить с Катей и Наташей. Когда это можно сделать? — спросила Нора. — Вообще говоря, чем скорей, тем лучше.

— Дочки сейчас нет в Москве, — ответил Семен Юрьевич.

— Где же она? — подскочила в кресле Нора.

— В Германии.

— Уехала за границу в разгар учебного года? — продолжала недоумевать Нора.

— Она отправилась туда через несколько дней после исчезновения Иры...

— Еще более странно! Сестра, пусть и родная лишь по отцу, испаряется в неизвестном направлении, а... — начала было Нора, но Семен Юрьевич не дал ей договорить.

— У Кати, как и у Иры, на щеке родинка, на том же месте. Она стала кровоточить, я договорился в клинике, в Мюнхене, об операции. Дело не простое. Находись родинка где угодно, я бы не волновался, но лицо! Сами понимаете, что это значит для молодой женщины. Операция и все процедуры мною были оплачены заранее. Задержаться в Москве Катя никак не могла, она уехала в слезах. К сожалению, вмешательство прошло неудачно. Сначала занесли инфекцию, потом анализ показал, что в родинке есть переродившиеся клетки. В общем, Катя лечится в Германии больше предусмотренного срока. Я очень надеюсь на ее скорейшее выздоровление, но вернется она не скоро.

Когда Семен Юрьевич ушел, Нора сердито заявила:

— Наташа, конечно, с дочерью. Ладно, пока нет возможности поговорить с ближайшими родственниками, поиски поведем в двух направлениях одновременно. Ты снова съездишь на место автокатастрофы и спокойно оглядишься. Подумаешь, откуда девушка могла появиться на дороге.

— Там поблизости нет никакого жилья, — пробормотал я.

— В это верится с трудом, — парировала Нора, — если учесть, что Ира была одета в кофту...

— Может, в платье, — перебил я хозяйку.

— Да какая разница, — вскипела та, — главное, что на ней не было верхней одежды. На дворе стоит мороз, далеко раздетой не уйти. Нет, там рядом что-то есть, просто ты не знаешь где. Найди мне это место: маленькая избушка, вагончик, где переодеваются строители, будка стрелочника, шалаш, землянка... И второе. Съездишь в этот институт УПИ и порасспрашиваешь однокурсников. Что-нибудь да и всплывет, я не верю в исчезновение без всяких следов, так не бывает! У тебя самого какие соображения на сей счет?

Я потер затылок.

— Да самые простые! Дорого одетая девушка, при ювелирных украшениях, вышла вечером из дома. На пути попались подонки. Схватили, скрутили...

— Девять вечера еще не ночь, — прервала меня Нора, — на улицах много прохожих, отчего Ира не кричала?

Я пожал плечами.

— Ну это как раз понятно, ей сделали укол...

— Значит, похищение планировали заранее, — протянула Нора, — обычные хулиганы действуют проще.

— Может, ее позвал кто из знакомых? — предположил я. — Предложил сесть в машину.

— Ладно, — оборвала меня Нора, — действуй. Прямо сейчас поезжай на шоссе.

Я с тоской глянул в окно. Снег валил хлопьями, никакого желания таскаться по проселочным дорогам у меня не было.

— Ваня, — поторопила Элеонора, — не спи, замерзнешь! Бери мой «мерс» и отправляйся.

Я тяжело вздохнул. Ну все в этой ситуации плохо. Во-первых, никаких сил нет тащиться бог знает куда, во-вторых, я очень не люблю пользоваться машиной Элеоноры. Я чувствую себя скованным за рулем шикарного «шестисотого».

— Ваня, ау, — хмыкнула Нора, — опять ушел в себя! Держи ключи.

Я покорно взял связку и пошел в прихожую. Моя жизнь кому-то может показаться замечательной, но в положении наемного работника, получающего жалованье из рук хозяйки, есть один жирный минус: никто не станет слушать никаких ваших соображений или возражений. Приказ отдан, бери под козырек и выполняй.

Иногда мне свойственно впадать в меланхолию. Зная за собой это качество, я совсем не удивился, ощутив в душе некоторое уныние. Впрочем, прежде чем предаваться ему, следовало подумать, каким образом экипироваться для загородной прогулки. Придется доставать высокие зимние сапоги и теплое пальто. Представив себе, как неудобно будет в этом одеянии в «Мерседесе», я еще больше пригорюнился, и тут резко прогремел звонок в прихожей.

Глава 6

Я распахнул дверь и увидел нашего соседа Валерия.

— Привет, Иван Павлович, — радостно заулыбался тот. — Ты чем заниматься собрался?

Я настороженно глянул на Валеру, надеясь, что он не пришел опять просить о «соседской услуге».

Когда Нора покупала квартиру в этом доме, она самым тщательным образом расспросила риелтора об остальных жильцах подъезда.

— Мне не хочется, отдав гигантскую сумму за квартиру, обнаружить загаженную лестницу, лифт, исписанный фразами типа «Спартак — чемпион» и «Мерседес», поцарапанный гвоздем, — вполне резонно заявила она.

Риелтор замахала руками.

— Что вы! Люди тут живут приличные, все одного материального достатка, поддерживают чистоту и порядок, все сплошь бизнесмены!

Последнее слово еще больше насторожило Нору, и она бдительно осведомилась:

— Бизнесмены, говорите? Это хорошо. Ну-ка, какой совокупный срок судимостей у моих соседей? Лет триста?

— Никакого криминала нет, — заверила ее риелторша, — все нормальные законопослушные граждане.

Нора въехала в дом и целый год наслаждалась покоем. Но потом случилось непредвиденное. Наш единственный сосед по лестничной клетке, милейший Арон Вергелис, уехал жить на историческую родину, свою квартиру он продал Валере.

Когда я впервые увидел парня, то струхнул. Валера выглядит весьма экзотично. Он практически лысый, всегда носит спортивный костюм и выплевывает жвачку, выходя из лифта. Первое время мы не общались, но потом у Норы случился сердечный приступ, я вызвал «Скорую», та прибыла с двумя тщедушными докторицами, и пришлось обратиться к Валере за помощью — я не мог донести носилки до машины один.

Валера без писка согласился. Более того, он отправился со мной в больницу и, пока я ездил домой за забытым паспортом Норы, ловко договорился со всеми: врачами, медсестрами и санитарками. Когда я прибежал в клинику с высунутым языком, Нора уже лежала в лучшей одноместной палате и около нее выстроился дивизион медицинских работников. Оставалось только удивляться способностям Валеры. Со мной, узнав об отсутствии паспорта у больной, никто даже не стал разговаривать. А ради Валеры все мигом засуетились.

С тех пор мы дружим. Я хорошо знаю супругу Валеры, крикливую Надю, и его тещу, даму, обладающую крутым характером. Валера, которого жизнь основательно потрепала до того, как наградила деньгами, не боится никого, кроме Ангелины Степановны.

— Понимаешь, Иван Павлович, — говорил он мне, — все ж я не лютик, два срока за плечами. Уж поверь, навидался я всякого. Но, скажу тебе, даже конвой из Владимира белым и пушистым покажется на фоне любимой тещеньки. Я, как дорогую маму вижу, сразу дара речи лишаюсь.

Честно говоря, столкнувшись в лифте с Ангелиной Степановной, я и сам по непонятной причине испытываю резкий дискомфорт, хотя лично мне она ничего плохого не сделала, даже наоборот, увидав соседа, дама изображает самую любезную улыбку и мило чирикает:

— Добрый день, Иван Павлович.

В мае прошлого года Валера попросил меня:

— Иван Павлович, будь другом, съезди со мной в Аникеевку.

— Можно, конечно, — осторожно ответил я, — только где это и зачем туда ехать?

— Вот, еклмн, докука, — буркнул Валера, — там у тещи дом.

— И что?

— Надо на участок навоз отвезти.

Я удивился:

— Навоз? Зачем?

Валера пожал плечами:

— На огород. Она там всякую дрянь сажает: картошку, морковку, свеклу, репу, клубнику...

Я захлопал глазами.

— Но разве не проще купить овощи и ягоды на рынке? Они сейчас совсем не дорогие!

— Едрена матрена, — сердито воскликнул Валера, — да ей хоть кол на голове теши, не понимает. Уперлась, старая кошелка, и хоть трава не расти. Положено, понимаешь, весной сажать, потом окучивать, потом собирать. И ведь вечно у ней лажа получается. Огурцы тля сожрет, на помидорах какие-то

пятна, медведки все корешки измусолят, а картошка
родится махонькая, крошечная, ваще никуда! Виноградный сорт!

— Может, Ангелине Степановне не стоит огородом заниматься? — покачал я головой.

— Ты ей это объясни! — скривился Валера. —
Нет уж! Теперь новая забава! Говно везти! Из Москвы!

— Не проще ли навоз купить на месте, у селян,
они, наверное, недорого возьмут, — посоветовал я.

— Ну елы-палы, — выдохнул Валера. — Тещенька жаднючая до такой степени, что ей мои деньжонки жаль, прикинь, а? У ней двоюродный брат в зоопарке работает и задаром говно отдает! Из-под верблюдов! Уж я и так ее уговаривал и этак, нет, стоит
на своем! Вези дерьмо! Из Москвы! В прицепе! Бесплатно же.

— Вы бы ей сказали, что бензин дорогой, — посоветовал я соседу, — туда, сюда, больше денег истратишь. Лучше в деревне приобрести!

— Да дура она! Дура, — зашипел Валера, —
сгрызла меня, Надьку накрутила, а та истерики закатывает, орет: «Бедная мама так редко тебя просит!»
В общем, жизни нет, помоги, Иван Павлович!

— С удовольствием, но каким образом?

— Поехали в Аникеевку!

— Но зачем я тебе понадобился?

Валера задрал штанину, и я увидел, что его лодыжка забинтована.

— Нога у меня болит, — пояснил он, — ты за
руль сядешь, я рядом.

Пришлось выручать Валеру. А теперь представьте себе картину: по шоссе катит роскошный джип
«Лендкрузер», черного цвета, с тонированными ок-

нами, сзади мотается самый примитивный прицеп, железный ящик на двух колесах, прикрытый старым, выцветшим брезентом. На дворе стоит неожиданная для мая жара, навоз испускает такие миазмы, что мухи теряют сознание.

Как только мы отъехали от дома и порулили в зоопарк, Валера принялся материться. Когда он понял, что говно, произведенное верблюдами, предстоит самим перекладывать лопатой в прицеп, он начал выдавать такие коленца, что мне захотелось все это записать для потомства. Кое-как, задыхаясь от вони, мы с ним наполнили прицеп и двинули к МКАД. По дороге Валера покупал воду, без конца мыл руки и стонал:

— Ну и вонища! Никогда не думал, что верблюд родственник скунса.

Мы вполне благополучно добрались до шоссе, проехали энное количество километров и были остановлены гаишником. Сержант, помахивая жезлом, приблизился к «Лендкрузеру», проверил наши документы и лениво спросил:

— Что в прицепе?

Мы с Валерой переглянулись и замешкались с ответом. В глазах инспектора мелькнул огонек. Очевидно, он решил, что двое мужиков, мрачно восседающих в лаково-черном «Лендкрузере», перевозят что-то незаконное, и уже мысленно стал подсчитывать свою выручку.

Сержант алчно воскликнул:

— Ну и чего там, а?

— Дерьмо! — рявкнул Валера.

Инспектор покраснел.

— Ты это, того, поосторожней выражайся, а то и привлечь можно.

— Ты спросил, я ответил, — взревел Валера.

— Фекалии там от верблюдов, — некстати влез я, — из зоопарка!

— Из зоопарка? — в полном обалдении переспросил милиционер и совсем обозлился: — Из какого такого зоопарка?

Валера сплюнул за окно, сержант побагровел, повернулся к бело-синей машине и замахал руками. К нам подошли еще двое милиционеров.

— Вылазьте, — сказал один, дергая носом.

Второй молча чихнул.

— Вы напрасно беспокоитесь, — я попытался объяснить ситуацию, — мы везем навоз.

— Дерьмо, — гавкнул Валера.

— От верблюдов, из зоопарка, московского, — подхватил я.

— На огород, — продолжил вполне миролюбиво Валера, — на картошку!

И тут стражи дороги окончательно взбесились. Они вытащили нас из «Лендкрузера», поставили у машины и, злобно бормоча: «Ну шутники фиговы, погодите», — резко сдернули брезент.

Тучи мух взлетели вверх, отвратительный запах разлился в теплом воздухе. На какое-то мгновение группа милиционеров застыла, потом один протянул:

— Дерьмо...

— Мы же вам говорили, — покачал я головой.

— Ты в нем руками пошарь, — прищурился Валера, — авось найдешь чего!

Инспектора затрясли головами.

— Зачем вы навоз из Москвы прете? — не выдержал первый. — За бутылку на месте можно гору получить!

— А мы только из-под верблюдов берем, — прошипел Валера, закрывая прицеп брезентом, — он целебный! Экологически чистый со светлой аурой!

Я не буду вам тут живописать, как, прибыв на место, мы сваливали фекалии в ржавую ванну, стоявшую посреди участка. Понимаете теперь, отчего я вздрогнул, услыхав сегодня от Валеры слово «помоги»?

— Что случилось? — осторожно спросил я.

— Да Ангелина Степановна, чтоб ей!

— Сейчас холодно, удобрения перевозить рано!

— Ей новая дурь в голову пришла.

— Какая?

— Тумбочку надо в Локтевку отволочь.

— Что?

— Ну мебель такую, — принялся растолковывать Валера, — жуткую поцарапанную развалину.

— Зачем же ее в эту Локтевку тащить?

— Там у тещи брат живет, она ему ее пообещала, — со стоном протянул Валера, — Иван Павлович, выручай.

— Но я-то чем могу помочь?

Валера задрал рукав. Я увидел толстую повязку.

— Упал вчера, сильно ушибся, хорошо руку не сломал, — разохался сосед, — а теща орет, словно потерпевшая, невменяемая совсем. Вези тумбочку, и точка.

— Где же эта Локтевка?

— А недалеко, — обрадовался Валера, — по МКАД, налево...

Он детально объяснил дорогу, и тут меня осенило, это же совсем рядом с тем местом, где нашла свою погибель моя «десятка».

— Ладно, — перебил я Валеру, — поеду, но с одним условием.

— Проси, что хочешь, — кивнул сосед.

— Сначала завезем тумбочку, а потом вы со мной в одно место съездите, буквально в двух шагах от вашей Локтевки.

— Не вопрос! — закричал Валера. — Пошли!

Я тоже испытал радость. Мне повезло, не придется брать «Мерседес» Норы, я понимаю, что вам это покажется глупым, но за рулем «Лендкрузера» Валеры я чувствую себя совершенно спокойно, а стоит мне усесться на шоферское место в «шестисотом», как ноги словно опутывают толстые веревки.

«Лендкрузер» выглядел дико. Валера купил его примерно год назад, что для машины подобного класса не срок. Большой, роскошный, иссиня-черный, практически новый джип. Тонированные стекла, массивный «кенгурятник», «бриллиантовая оптика», кожаный салон цвета кофе с молоком и... привязанная на крыше ободранная тумбочка, сделанная косорукими советскими мебельщиками году этак в 1960-м, если не раньше.

— Вы уверены, что эту рухлядь стоит тащить родственнику Ангелины Степановны? — осторожно осведомился я, оглядывая то, что постеснялся бы сжечь в печке. — Вещь-то совсем на ладан дышит. Ну зачем она мужику? Ободранная, поцарапанная, и, похоже, одной ножки нет!

— Ты это теще объясни, — хмыкнул Валера, — невменяемая совсем, гундосила неделю: «Тумбочка хорошая, недавно куплена. Еще в семидесятых, сказала, ежели выбрасывать соберусь, то лучше брату отдам».

— Ну если еще в семидесятых обязательство было дано, то конечно, — ухмыльнулся я и сел за руль.

До Локтевки мы добрались очень быстро. Я не сноб и никогда не стану ругать вещь лишь потому, что она российского производства. Вот Николетта, та даже не взглянет на отечественное изделие. Я же очень хорошо знаю: докторская колбаса много вкуснее прибывшей из Дании и называющейся по недоразумению «Золотой салями». Опять же не советую вам лакомиться шоколадными конфетами, выпущенными в Турции, купите лучше коробочку отечественных конфет, кстати, очень неплохая вещь — одеяло из чисто овечьей шерсти. Не все наше плохо. Но вот автомобили! Просто удивительно, до чего они допотопные. Хотя не счесть числа людям, которые не променяют «Жигули» ни на что. Вот, например, Шурик, шофер Норы. Хозяйка решила наградить трудолюбивого, безотказного парня и подарить ему на день рождения машину, не слишком дорогую, но новую иномарку. Шурик пришел в ужас, узнав, что Элеонора жаждет презентовать ему «Пежо».

— Ой, лучше «Жигули»! — воскликнул он.

Нора, думая, что хозяйственный, слегка жадноватый Шурик просто экономит ее деньги, обозлилась.

— Чем тебе «Пежо» плох? — сердито стала она выговаривать парню. — Не смей со мной спорить!

— Ладно, ладно, — мигом сдался шофер, — дареному коню в уши не заглядывают.

— Во-первых, не в уши, а в зубы, — процедила Нора, — а, во-вторых, изволь объяснить свою позицию.

— В «Пежо» — компьютер, — завздыхал Шурик, — с любой ерундой придется в сервис мотаться.

А если на дороге встану, то и не понять, чего делать. Наши же «жигулята» кувалдой починить можно. Нет детальки какой — не беда, проволочкой прикрутим, тук-тук, и машина на ходу!

Нора тяжело вздохнула и купила ему «восьмерку», теперь Шурик абсолютно счастлив. Его колымага регулярно ломается, он приводит ее в чувство посредством молотка, долота и лома, никакие «Мерседесы» парню не нужны. Разве «шестисотый» можно разобрать в гараже, с приятелями, прихлебывая пиво и обсуждая футбольный матч?

Но я не любитель самостоятельно исправлять занедужившие механизмы. На «десятке» езжу лишь потому, что денег на более приличную машину у меня нет. Должен вам сказать, что «Лендкрузер» лучше, чем продукция концерна «ВАЗ», причем намного.

Мощная, полноприводная машина легко справилась с обледеневшим шоссе, пургой и прочей непогодой. До Локтевки мы долетели птицами.

— Вон его ворота, — сообщил Валера, — зеленые, те, что завалились.

Мы вылезли из джипа, и Валера пошел в избу. Я же, чтобы не терять зря время, начал отвязывать тумбочку. Узлы размотались мгновенно, «мебель» накренилась, я испугался, что кособокая развалюха сейчас испортит полировку на крыше, приподнял стонущую от старости конструкцию и, не удержав, уронил. Тумба ахнула вниз и развалилась. Я уставился на кучу деревяшек. Когда-то в детстве отец купил мне набор «Сделай сам». Вот он состоял из таких чурочек, которые следовало склеить вместе и получить шкатулку. Мы с папой пару вечеров пытались и так и этак склепать не желавшие соединяться части, в

конце концов отец, обозлившись, выкинул самодел-
ку в мусоропровод. Интересно, что скажет незнакомый мне Николай, когда увидит руины подарка?
Может, мне сгонять в Москву, в какой-нибудь ме-
бельный магазин и привезти ему новую тумбочку?

Из ворот вышел Валерий, он выглядел мрачным.
Я топтался вокруг бывшей тумбочки, приговаривая:

— Вот, случайно получилось... Мне очень неприятно, я сейчас скатаю...

— Забей, — буркнул Валера.

— Что? — не понял я. — Тумбочка сломалась, видите?

— Плевать на нее, Николай умер.

— Как? — попятился я.

— Как, — выдохнул Валерий, — самогонку они с
соседями пили и допились.

— Все скончались? — зачем-то решил уточнить я.

— Нет, только Николай.

— Вот беда!

— Ага, радости мало, надо «Скорую» вызывать.

Валера вытащил мобильный и позвонил. Я снова
влез в «Лендкрузер» и постеснялся включить радио,
близость покойника нервировала.

Наконец Валера сел в джип.

— Суки, — сказал он с чувством.

— Кто?

— Да врачи! Московская «Скорая» не едет, потому что область, а местная отказывается.

— Почему?

Валера пожал плечами.

— Говорят, машин мало, живым не хватает, а
трупу уже все равно, может подождать. Посоветова-
ли во двор вынести, на мороз. Дня через два приедут!

— Но мы же не можем тут столько времени провести! — воскликнул я.

— Ага, — кивнул Валера, — я так им и сказал. Знаешь, чего они велели?

— Откуда же?

— Сами его к нам в морг доставляйте!

Я похолодел. Это еще хуже, чем поездка с навозом!

— Делать-то нечего, — пожал плечами Валера, — не бросать же бедолагу, не по-христиански это! Ладно, ща!

И он вышел из машины. Ничего себе приключение, просто слов нет.

Глава 7

Минут через двадцать Валера вышел из ворот, за ним тащились два парня с опухшими лицами, они несли нечто длинное, закутанное в простыню.

— На заднее сиденье кладите, — велел Валера.

— Не умещается, — прокряхтел парень.

— Тогда сажайте, — не растерялся мой сосед.

— Тяжелый, зараза, — мучились алкоголики, выполняя приказ.

Я вцепился в баранку и дал себе честное слово, что ни за что не оглянусь назад. Слава богу, местная больница и морг при ней оказались рядом, в трех минутах езды от Локтевки. За несколько минут пути я взмок, словно мышь, повстречавшая лунной ночью десяток когтястых котов, и почти лишился сознания от напряжения. Но всему приходит конец, мы наконец очутились перед обшарпанной дверью.

— Пойду погляжу... — начал было Валера.

Я мгновенно выскочил из «Лендкрузера»:

— Давайте вместе.

Мы толкнули тяжелую дверь и вошли в длинный, мрачный коридор.

— Эй! — крикнул Валера. — Есть кто живой?

Его голос прокатился по помещению и замер. Никакого ответа не последовало.

— Умерли тут все, что ли? — заорал Валера.

Вдруг справа от нас приоткрылась ободранная дверца, и из щели высунулся парень в грязном, некогда белом халате. Лицо санитара покрывала густая щетина.

— Чего орете? — осведомился он, распространяя крепкий запах перегара. — Не в лесу, в больнице. Соображение надо иметь!

Валера молчал, на его щеках играли желваки. Я испугался, что сосед сейчас схватит санитара и начнет трясти его, как бутылку с загустевшим кефиром, поэтому быстро решил разрядить обстановку.

— Видите ли, любезнейший, мы привезли труп, куда его сдать?

Пьянчуга выпучил глаза, икнул и скрылся за дверью. В коридоре воцарилась тишина.

— Ну ща им мало не покажется, — начал наливаться кровью Валера.

— Вы пока отдохните, — велел я и подтолкнул соседа к ободранной табуретке у стены.

Валера отчего-то меня послушался, а я, толкнув дверь, оказался в довольно просторном помещении. У стола, опершись на локти, сидели три человеческих особи в халатах разной степени замызганности: грязноватый, очень грязный и невероятно грязный. Услыхав звук моих шагов, одна особь повернула голову, и я понял, что это женщина.

— Сюда нельзя, — лениво протянула санитарка.

— Куда труп сдать, не подскажете?

— Погодьте в коридоре, не видите, обед у людей.

Я вытащил из кармана сто рублей и повторил вопрос:

— Кому тело отдать?

Санитар, сидевший у окна, вскочил, выхватил купюру, помял в пальцах и протянул:

— А пятнадцати рублей у тебя нет?

— Насколько я понимаю, сто целковых больше, чем полтора десятка, — удивился я.

Санитар икнул.

— Бутылка самогонки пятнадцать стоит!

— Ты на сотню не одну купишь, — я попытался вразумить пьянчугу.

Но тот лишь тупо повторял:

— Давай пятнашку.

Поняв, что с ним спорить бессмысленно, я выдал ему «пятнашку». Санитар оживился и приступил к исполнению служебных обязанностей.

— Справка есть?

— Какая?

— О смерти.

— Нет.

— Не возьмем без бумаги.

Я растерялся:

— Кто ее выдает?

— А где труп взяли? — вопросом на вопрос ответила девица, казавшаяся самой трезвой в этой компании.

— Дома.

— И чего он там делал?

— Сначала жил, потом умер.

— Ну и везите по месту прописки, вызывайте

«Скорую», пусть документ выписывает, — промям-
лила девица.

— Но «Скорая» велела его сюда доставить!

— Таперича назад прите! Вдруг вы его убили?

Я ощутил легкое головокружение, потом снова
расстегнул портмоне и вытащил тысячу рублей.

— Вот, возьмите, здесь на шестьдесят бутылок,
даже больше выйдет.

Девица встала, пошатнулась и пихнула третьего
собутыльника, молча смотревшего перед собой оста-
новившимся взглядом.

— Эй, место в холоде есть?

— Ну... бу... му... — ответил тот.

Медсестра доковыляла до боковой двери, пнула
ее, я увидел крохотную комнатушку.

— Сюда, на топчан ложьте, — велела она, — пол-
нехонько у нас. Тута пока полежит.

Я вздрогнул, в помещении, очень похожем на
чулан, работали три громадные батареи, в углу валялась куча тряпья.

— Может, все же найдем место в рефрижерато-
ре? — вырвалось у меня.

Девица задумчиво поковыряла в носу.

— Он туды не влезет, ну никак. Либо сюда прите,
либо домой везите. Альтернативы нет!

Последняя фраза повергла меня в изумление. Вот
уж не предполагал, что девица знает такие умные
слова, как «альтернатива».

Через некоторое время останки Николая были
водружены на кушетку.

Мы с Валерой вышли в коридор.

— Погодьте тута, — велел санитар, — ща талон
дадим.

Мы застыли у стены. Разговаривать не хотелось, да и не о чем было.

— Вот ядрена матрена, — не выдержал Валера.

Он явно хотел продолжить свою речь, но тут за дверью послышался дружный вопль, она распахнулась, в коридор вылетели три алконавта в грязных халатах и опрометью, даже не качаясь, понеслись на улицу.

— Что это с ними? — изумился Валера.

— Не знаю, — пробормотал я, — может, пошли в снегу купаться, ну так после бани поступают иногда.

Не успели мы с соседом сообразить, что нам делать дальше, как на пороге возникла еще одна личность, тоже в белом, но не в халате. Человек, пошатывающийся перед нами, был облачен в нечто, более всего напоминавшее тогу римлян. Вид у него был совершенно безумный, очевидно, он не просыхал с Нового года.

— Слышь, ребята, — прохрипел он, — где Петрович? И ваще, я сам где?

Возле меня раздался грохот. Я обернулся, Валера, словно истерическая барышня, обрушился в обморок. Вот тут я перепугался по-настоящему и закричал:

— У вас есть тут нормальные врачи?

«Римлянин» затряс головой:

— В Алтуфьеве Ленка живет, она роды принять может.

Выдав эту информацию, тип в простыне спокойно вышел на улицу.

Я попытался привести Валеру в чувство. Наконец сосед открыл глаза и спросил:

— Он где?

— Кто?

— Николай.

Ощущая себя персонажем пьесы абсурда, я осторожно ответил:

— Мы в морге, Николай на кушетке, в чулане.

— Нет, — простонал Валера, — он ушел.

Я мысленно перекрестился. Похоже, от переживаний психика соседа не выдержала. Ладно, попробую воздействовать на него логикой. Я вошел в комнату, толкнул дверь в каморку и хотел сказать: «Смотрите, вот труп брата вашей тещи», но слова застряли у меня в горле. Колченогий топчан был пуст. В углу чуланчика белела груда тряпок, сверху на них лежала одна туфелька, вернее, коротенький сапожок, тоже белый, узконосый, довольно элегантный и от этого щемяще беззащитный. Чуть поодаль валялась черная шапочка конической формы. Больше тут не было ничего.

— Э... — пробормотал я, — э...

Но Валера уже обрел способность соображать и двигаться, поэтому он рванул во двор, я последовал за ним и увидел дивную картину. У забора стоит тип в белой тряпице и колотит кулаками по доскам, приговаривая:

— Откройте, это я, Николай.

— Так он жив! — закричал я.

— Выходит, да, — ответил Валера, пытаясь оторвать мужика от забора.

— Кто же сказал, что он умер?

— Димка, гад, — пыхтел сосед, заталкивая плохо соображающего родственника в «Лендкрузер».

Я попытался трезво оценить ситуацию. Значит, Николай не умер, просто опьянел до невменяемости. Ну, Валера, ну, хорош! Впрочем, и я дурак! Следовало проверить «труп», поднести к его носу зеркальце... Замечательно, что мы не успели уехать и не оставили бедолагу в морге.

— Если кому рассказать, не поверят, — воскликнул Валера, — ладно, везем это чудо назад, в Локтевку.

Я включил было мотор, но тут Николай, вроде бы заснувший, ожил и взвыл:

— Верните мне ботинки.

— Ну еклин! — в сердцах заявил Валера. — Он босиком! Туфли в морге оставил, ща сбегаю.

Но мне не хотелось оставаться тет-а-тет с пьяным, полубезумным мужиком, поэтому я быстро сказал:

— Сидите, я принесу обувь.

Возле топчана в чуланчике и впрямь валялись растоптанные, никогда не видевшие крема для обуви опорки. Я брезгливо поморщился, наклонился, и тут мои глаза вновь наткнулись на кучку одежды, сиротливо белевшую в углу: сапожок... шапочка...

Забыв обо всем, я схватил головной убор и завертел его в пальцах. Коническая, сшитая из клиньев шапочка. Точь-в-точь такая лежит сейчас в кабинете у Норы, только белого цвета. Взяв ее, я вернулся в комнату и увидел девицу, возившуюся у шкафа.

— Это чье? — ткнул я в нос алкоголички головной убор.

Та заморгала.

— А че?

— Кому принадлежит эта вещь?

— Фиг ее знает!

— Она лежала в чулане, в углу.

— А... а, — протянула санитарка, — слышь, ваш труп-то, тю-тю, сбежал. Мы чуть не сдохли, когда...

— Извините, — перебил я ее, — он жив, просто пьян был!

Девица выпучила затуманенные глаза.

— Ну... того... вы даете, однако!

— Чья это шапочка? — настаивал я.

Она пожала плечами.

— Туда одежу сваливают.

— Какую?

— Ну, всякую, — бестолково объясняла девица, — к примеру, родственники брать не хотят, грязная очень или с неопознанного кого. Опишут тряпки и в печку, за фигом их хранить, да и негде.

— Можно узнать, кому принадлежали эти вещи? — ткнул я пальцем в груду тряпья.

Санитарка зашевелила губами:

— Ваще... зачем тебе? Ты кто? Чего пристал? Не пойму никак! Труп привез, а он уходит... Коли ваша шмутяра, забирай! Мне они все без надобности. Может, другой кто бы и прихватил себе, да я брезгливая сильно!

— Но неужели тут нет компьютера, где вы ведете учет трупов?

Девушка хрюкнула:

— Компьютер, блин! Ну сказанул! Журнал у нас!

— Можно его посмотреть?

— А не положено!

Я вытащил из кошелька очередную купюру.

— Ща приволоку журнальчик, — оживилась девица.

По тому, как резво она побежала к выходу, я понял, что алкоголь начал отпускать ее. Глядишь, через некоторое время она будет способна адекватно отвечать на вопросы. Я вернулся в чуланчик и, преодолевая брезгливость, поворошил тряпки в углу.

Коротенькая плиссированная юбочка белого цвета, блузка с длинным рукавом и воротником-стойкой, украшенная длинной цепочкой «золотых» пуговичек, гольфы и один сапожок. Все легкое, летнее, совершенно не пригодное для вьюжного февраля.

Послышался топот, девушка вернулась, неся под мышкой толстую амбарную книгу. Было заметно, что хмель совсем покинул ее.

— Во, глядите, — сообщила она, — вчера мужика привезли из Клотина, удавился он. В четверг бабка померла, нашенская, из больнички, в среду одну из родильного доставили, криминальный аборт. Больше никого! Читайте!

Я побежал глазами по строчкам. Мужчина мне не нужен, старуха тоже ни к чему, вот женщина, решившая в недобрый час сделать подпольный аборт... Но в графе «одежда» напротив ее фамилии значилось: черные брюки, красный пуловер, куртка серая. Белая юбочка с блузкой не имела к бедняжке никакого отношения.

— Попробуйте вспомнить, — взмолился я, — ну когда появилась в чуланчике эта куча тряпок. Вот, возьмите еще денег!

Моя собеседница собрала узенький лобик складками.

— Ну... вчера меня не было, тут другая смена работала. Значитца, в нашенское прошлое дежурство ничего такого не наблюдалось. А утром мы пришли на работу, глянь, валяется. Небось баба Сима оставила.

— Но в журнале нет записи о трупе с такой одеждой!

Санитарка прищурилась.

— Ну, всяко бывает! Может, кто из своих попросил тело пригреть, в избе держать неохота, в сарай выносить стыдно, вот и приволокли сюда. Кто ж соседям откажет?

— И много у вас соседей? — слегка приуныл я.

Девица пожала плечами.

— Вы с бабой Симой потолкуйте, дайте ей немножко, она все и расскажет. Рядом она живет, в Бубновке, или завтрева сюда являйтесь, ейная смена будет.

Я посмотрел на одежду.

— Можно мне ее забрать?

Санитарка скривилась.

— За фигом она вам?

— Нужна.

— Берите, — милостиво разрешила санитарка.

Я сначала взял ботинки ожившего и отнес их в «Лендкрузер».

— Ну тебя за смертью только посылать, — недовольно сказал Валера и пнул Николая: — Натягивай тапки.

— Мне и так хорошо, — пролаял тот, не открывая глаз.

— Пакета не найдется? — спросил я.

— На, — сосед сунул мне в руки полиэтиленовый мешок. — Эй, ты куда?

— Сейчас вернусь, — пообещал я и пошел за одеждой.

Когда мы прибыли в Локтевку, Николай выпал из «Лендкрузера» и пошел босиком по снегу, отвратительно воняющие ботинки он забыл в джипе.

— Ведь простудится насмерть, — забеспокоился я.

— Чего ему сделается, — не выказал никакого волнения Валера, — проспиртовался насквозь.

— И как он только холода не чувствует!

Валера засмеялся:

— Ты, Иван Павлович, человек непьющий, вот и не знаешь, что под кайфом все ощущения исчезают.

Внезапно я сообразил, почему Ирина, оказавшись холодным февральским вечером за городом, на шоссе, шла без верхней одежды. Девушка, наверное, была пьяна или находилась под воздействием наркотика.

К месту аварии мы прибыли уже в темноте, и я понял, что начинать поиски бесполезно. Вокруг мрачнел лес. Что ж, придется возвращаться сюда завтра утром.

Едва я открыл дверь квартиры, как в нос ударил аромат свежеиспеченных пирожков. Не знаю, как у вас, а у меня этот запах вызывает всегда одно и то же воспоминание. Седьмое ноября, время подкатывает к полудню. Несмотря на ранний час, маменька уже на ногах, из включенного телевизора льются веселые песни, изредка заглушаемые громовыми криками «ура». Голубой экран ведет трансляцию из разных городов СССР, корреспонденты рассказывают, как простые люди с невероятным энтузиазмом встречают очередную годовщину Великой Октябрьской социалистической революции. Потом появляется отец в компании веселых приятелей, они ходили от Союза писателей на демонстрацию и замерзли, аки степные волки. Нюша вносит в гостиную пироги, на столе посверкивают графины. Радостное предвкушение праздника, светлое воспоминание детства, сладкое ощущение счастья...

У Норы в квартире никогда до сего дня не пахло

пирогами. Ленка ничего не пекла. Я повесил пакет с одеждой на вешалку. Неужели я забыл о каком-то празднике? На дворе февраль, вроде ничем не примечательный месяц. Дня рождения ни у кого нет...

Не успел я расстегнуть пальто, как из кухни вынырнула Муся и бросилась со всех ног ко мне. В один миг домработница сняла с меня верхнюю одежду и подтолкнула к пуфику. Я, не ожидавший тычка, обрушился на него. Муся мгновенно стащила с меня сапоги и надела тапки. Честно говоря, я слегка растерялся. До сих пор женщины никогда не заботились обо мне с подобной страстью, даже неудобно, право слово.

— Вы ступайте, руки помойте, — предложила Муся, — коли с улицы пришли, завсегда в ванную сначала зайтить надо. Еду сейчас подам.

В легком обалдении я проследовал в санузел и замер на пороге. Ванная сияла чистотой. Чьи-то трудолюбивые руки отскребли все до блеска. Справедливости ради следует отметить, что грязи тут не было никогда, Ленка худо-бедно шлепала тряпкой по плитке, но такой сверкающей чистоты не было и в помине. В мыльнице лежал непочатый кусок, от полотенец веяло фиалками. Сюрприз ожидал меня и в гостиной. Муся принесла чайник, и я обнаружил, что чай заварен именно так, как я люблю: не крепко, но и не жидко, он горячий, но не обжигающий и не перестоявший, нет никакого намека на горечь. Самое же сильное впечатление на меня произвели пирожки, горкой лежавшие на блюде.

— Это с капустой, те с мясом, вон те с грибами, рядом — с яблоками, — перечислила Муся.

Я взял сначала с мясом. Слов нет, чтобы описать вам это неземное кушанье. Воздушное тесто, телятина, перемешанная с жареным луком... Я проглотил штук восемь и остановился, когда понял, что сейчас попросту лопну. Нужно пойти к Норе и отчитаться, как прошел день, но сил моих хватило лишь на то, чтобы добраться до постели и рухнуть в нее. Последнее, что машинально отметил мой засыпающий мозг, это невероятный порядок в моей спальне.

Глава 8

Проснулся я от звуков, больше всего напоминающих визг циркулярной пилы. Я не могу спать в духоте, поэтому всегда, даже зимой, оставляю балконную дверь приоткрытой, и сейчас в щель несся то ли вой, то ли плач, громкий, заунывно-надрывный. Часы показывали ровно семь. Чувствуя себя совершенно выспавшимся, я вышел на лоджию и глянул вниз. Перед глазами возникло инфернальное зрелище. «Лендкрузер» Валеры странно подскакивал, трясся и выл. При этом он отчего-то был покрыт разноцветными шевелящимися пятнами. Я без всяких колебаний бросился звонить в дверь к соседу. Выглянула зевающая Надя, поленившаяся накинуть на прозрачную ночную сорочку халат.

— Чего вам? — довольно грубо осведомилась она.

Я деликатно отвел глаза в сторону, чтобы не рассматривать ее аппетитно высокую грудь, и сказал:

— Ваш джип угнать хотят, сигнализация вовсю кричит.

— Валера, — завопила Надя, захлопывая перед моим носом дверь, — говорила тебе, спрячь джипешник в гараж...

Я вернулся к себе и снова вышел на лоджию. Через пару мгновений во двор в спортивных штанах и майке вылетел сосед. В руках он сжимал револьвер.

— Стоять, гады! — вопил он.

На секунду разноцветные пятна замерли, потом брызгами разлетелись в разные стороны. Это оказались дворовые кошки, штук пятьдесят, не меньше.

— Дряни, — орал Валера, — сволочи!

Слегка успокоенный, я вернулся в спальню. Огляделся, открыл шкаф. Вот это порядок! Потом мысли вернулись к казусу с джипом. Слава богу, это не угонщики. Но с какой стати все коты района бросились к «Лендкрузеру» Валеры?

На завтрак нам с Норой подали суфле с сыром, горячие круассаны, фаршированные яйца...

Я съел все и стек на стуле. Нора, тоже жевавшая без остановки, покачала головой:

— Этот Орест Михайлович кудесник! Такое объедение!

— А Муся великолепно гладит рубашки, — воскликнул я, — ни одной складки! Еще она перестирала все мои вещи, вычистила и привела в порядок комнату.

Минут пять мы с Норой пели осанну прислуге, потом хозяйка осеклась и сердито спросила:

— Знаешь, что надо сделать, дабы стать счастливым?

— Нет, — покачал я головой.

— Сначала нужно завести в квартире козу, а потом от нее избавиться, — ухмыльнулась Нора, — вроде все останется по-прежнему, но без козы ты ощутишь полнейший комфорт. Наша коза — Ленка. Ладно, рассказывай.

Я изложил все факты и принес пакет с одеждой.

Нора принялась внимательно изучать шмотки, сначала она взяла шапочку.

— Точь-в-точь как белая, ни малейшей разницы, просто цвет другой. Теперь поглядим на юбочку.

Я молча слушал хозяйку, а та вертела в руках плиссированную юбку.

— На очень молодую женщину шито! Или для подростка, на карнавал, что вероятнее всего.

— Почему вы так решили? — заинтересовался я.

— Ну, во-первых, длина. Супер-мини. Такую носят лишь совсем юные особы. А потом, материал дешевый, копеечный, эта вещь выдержит лишь одну стирку.

— Не скажите, — решил я поспорить с Норой, — на днях по телевизору я видел певицу. Сначала я решил, что она в коротких шортах, но потом сообразил: широкий пояс на ее талии — юбка. Между прочим, той певичке к сорока подкатывает!

— Ваня, — оборвала меня Нора, — давай забудем про шоу-бизнес! И обхват талии у юбчонки крошечный. Теперь кофточка.

Я покосился на сигареты. Нора смолит в квартире, причем курит она только «Беломор». Для меня остается загадкой: где хозяйка берет эту отраву? Но я стесняюсь дымить при Элеоноре, всегда выхожу с куревом на балкон.

— Не идиотничай, — вдруг буркнула Нора, — пепельница на столе.

Я встал, вынул из кармана пачку сигарет, щелкнул зажигалкой... Иногда мне кажется, что Нора телепат, ну каким образом она догадалась о моем желании покурить?

— Ваня! — с возмущением воскликнула хозяйка. — Нет, как ты мог!

— Вы же сами разрешили мне закурить, — быстро ответил я.

— Да не об этом речь! Как ты мог ничего не заметить?!

Я осмотрел белую блузочку.

— Ну, кофта с пуговицами маленького размера.

— Смотри внимательней!

— Больше ничего примечательного в ней нет!

— Нет, ты безглазый!

Я обиделся.

Нора повернула ко мне блузку спинкой.

— А это что?

Я прищурился. Иногда моя хозяйка бывает несправедлива. Ведь она показывала мне переднюю часть, а сама заметила что-то примечательное на спинке.

— Ваня!

— Похоже на пятнышко, — предположил я.

— А ну возьми в руки!

Я взял и увидел крохотную дырочку.

Нора бросила кофту на стол.

— Так, здесь у нее, наверное, были лопатки, чуть ниже левой, пальца на два... Метили в сердце.

Я непонимающе уставился на Нору.

— Никак не сообразишь? — прищурилась она. — Ох, Ваня, говорила тебе сто раз, не пей по утрам тормозную жидкость! Это след от пули. Хозяйку белого наряда пристрелили, отвезли в морг, а одежду бросили, ясно?

Я с недоверием покосился на блузку.

— Вы ошибаетесь, крови совсем нет, рубашка чистая.

Нора поморщилась.

— Это только в сериале «Бандитский Петербург»

из убитого человека начинает бить фонтан ярко-алого цвета. В жизни бывает и так, что пуля застряла в теле, а рана оказалась «чистой».

— Но эта одежда выглядит постиранной...

— Нет!!!

— Но...

— Ваня, — нахмурилась Нора, — берешь ноги в руки и едешь назад в морг, находишь бабку по имени Сима и вытряхиваешь из нее все! Далее по плану: осмотр места аварии, визит в институт УПИ. Ясно?

— Более чем, — выдавил я из себя и пошлепал в прихожую.

Здесь меня ждал новый сюрприз. Во-первых, мои сапоги были идеально начищены, пальто отглажено, во-вторых, стоило мне приблизиться к вешалке, как из кухни раздался топот, и грузная Муся прирысила к входной двери. Не успел я вымолвить и слова, как домработница, усадив меня на пуфик, принялась натаскивать на меня обувь.

— Сам обуюсь, — я попытался оказать сопротивление.

Муся подняла огорченное лицо.

— Не угодила вам? Нерасторопная я!

— Нет, нет, все чудесно, просто...

Но повеселевшая Муся не дала мне вымолвить и словечка.

— Накидывайте пальтишечко, — засуетилась она, — ща щеточкой по плечикам пройду. Дайте пуговички застегну, теперь шапочку.

— Я ее не ношу!

— Как же! — всплеснула руками Муся. — Февраль метет! Эдак менингит заработать можно!

— Я езжу в машине, понимаете? Внутри работает печка.

— Так до колес еще дойти надо, — не дрогнула Муся и водрузила на мою макушку жуткую ушанку из норки, подаренную мне на Новый год Аллой Резниковой.

Я рванулся к двери, но был остановлен железной рукой Муси.

— А шарфик?

— Он мне не нужен!

— Нельзя без шарфика, — покачала она головой, — зима стоит, еще перчатки прихватите. Счастливой дороги, будьте аккуратны, храни вас Господь в пути!

Вспотевший в слишком теплой одежде, я был доведен ею до лифта. Когда двери начали закрываться, Муся озабоченно воскликнула:

— Иван Павлович, я вам во все кармашки по чистому носовому платочку пихнула, а то у вас только один был, несвежий уже.

Не приученный к такой заботе, я вышел на улицу и сделал то, чего не совершал с самого детства. Стащил с головы шапку, с шеи шарф, а с рук перчатки. Я с трудом переношу жару, предпочту лучше замерзнуть, чем вспотеть. Когда няня заматывала у меня на шее шарф и отправляла в школу, я, завернув за угол родного дома, мигом избавлялся от него. Впрочем, вот уже много лет никого не волнует, обул ли Иван Павлович теплые ботинки.

Ветер растрепал мои волосы. Я пошел к гаражу и по дороге столкнулся с Валерой, который, насвистывая, оглядывал свой «Лендкрузер».

— Ничего не замечаешь? — спросил меня сосед.

— Вроде нет, а что случилось?

— Кошки, заразы, облюбовали машину, всю уделали снаружи, — скривился Валера, — что их сюда притянуло! Утром рано спихнул кошаков, лег спать, а они, дряни, снова тут как тут. Вышел во двор, мама родная! На крыше, на капоте, повсюду расселись и орут, как земснаряд. В чем дело? Ума не приложу!

И он начал расхаживать вокруг машины, недоуменно покачивая головой. Я спустился в гараж, на мой взгляд, ничего странного в этой ситуации нет. Кошки хитрые создания, им просто не хочется сидеть на ледяной земле, вот и избрали «Лендкрузер» в качестве дивана.

До деревенской больницы я добрался относительно быстро, хотя ехал на «Мерседесе» Норы медленней, чем на джипе Валеры. Коридор морга вновь оказался пуст. Я толкнул знакомую дверь и приготовился увидеть новую компанию, весело проводящую служебное время. Но за столом сидела лишь одна старуха в довольно чистом халате, трезвая и очень неприветливая.

— Вы баба Сима? — заулыбался я.

— Ну...

— Здравствуйте.

— Чаво надоть?

— Видите ли...

— Говори живей!

— Тут вчера одежда лежала... белая юбочка, кофточка, один сапог...

— Твоя, что ль?

— Нет, нет, но...

— А коли не твоя, так о чем толковать?

— О том и речь, — воскликнул я, — подскажите мне, кому она принадлежит.

— Одежа?

— Да.

— Чья?

— Та, что лежала в чулане.

— Тама нет ничего.

— Правильно, но вчера была.

— Вчера же не я работала.

— Знаю, но юбка с кофтой появились в ваше прежнее дежурство!

— Не помню!

Чтобы освежить бабкину память, я выудил портмоне. Помяв в руках сторублевку, санитарка сменила гнев на милость.

— Ничем тебе не помогу. Не знаю, с кого одежонка. Ушла я корпус мыть, вернулась — она лежит. Я ее не тронула. Это Зинкин доход.

— Что? — не понял я.

Баба Сима засмеялась:

— Со мной в одну смену Зинка работает, санитарка, она с одежды живет.

— Каким образом?

— Ну отдадут ей родственники с покойника шмотки, она их выстирает, отгладит и на рынке продаст, если вид имеют, а если рваные совсем, порченые, тогда за копейки отдаст.

— Неужели люди покупают неизвестно кем ношенные тряпки? — изумился я. — Ни за что бы не польстился на такие.

Баба Сима ощупала меня с головы до ног блеклыми глазками.

— Еще как берут! В деревнях многодетных полно! Спиногрызов нечего в хорошее одевать, вмиг уделают. Вот свадьбу сыграют, и пусть сами об одеже думают. Ступай к Зинке, она одна шмотками занимается, я брезгую.

Не успел я раскрыть рот, как бабка заколотила по батарее палкой.

— Ща Зинка придет, — пообещала она.

И действительно, не прошло пары минут, как в комнату боком вошла женщина неопределенного возраста. Серые сальные волосы, бледное лицо, сизые губы, нос картошкой, бровей практически нет, глаза непонятного оттенка, похожие на потухшие, пыльные фонарики. Зина была болезненно худой, длинный халат болтался на ней, как мешок на лыжной палке.

— Звали? — робко обратилась она к старухе.

— С энтим потолкуй, — велела баба Сима, — только сначала денежку с него возьми. Пока не заплатит, не болтай.

Проинструктировав Зину, баба Сима подхватила эмалированное ведро и ушла. Мы остались вдвоем. Я открыл кошелек, добыл очередные сто рублей и сунул их в узкую ладошку санитарки.

— Вам покойника причесать? — тихо осведомилась Зина. — Я могу и накрасить, только вашим гримом, своего не имею.

— Зина, — строго спросил я, — вы торгуете одеждой умерших людей?

Санитарка опустилась на стул.

— Ничего плохое я не делаю, беру лишь то, что люди дают. Я не воровка. Им не нужно, а мне в самый раз, зарплата же копеечная.

— Я совершенно не осуждаю вас, — улыбнулся я, — каждый хочет выжить. Вы мне скажите, тут в чуланчике валялась одежонка: белая юбочка, кофточка, сапог... Это чье?

Зина пожала плечами:

— Не знаю.

Я выудил еще одну ассигнацию.

— А если подумать?

Санитарка тяжело вздохнула:

— Мне такую не давали. Сама удивилась, когда ее увидела. Но раз она чужая — не тронула, оставила лежать.

— Она с утра валялась?

Зина помолчала и шепнула:

— Нет.

— А когда появилась?

— Не знаю. Я в чулан весь день не заглядывала, вечером решила на топчанчик прилечь, глядь... лежит!

Ее глаза смотрели честно, но в голосе прозвучала некоторая натянутость, и я воскликнул:

— Зина, только не обманывайте меня, дело слишком серьезно!

Лицо санитарки слегка порозовело.

— Так ей-богу...

— Зина!!! Вы стирали кофту! Почему?

Женщина стала красной, ее рот по-детски открылся, и она спросила:

— А вы откуда узнали?

— Немедленно отвечайте, где раздобыли одежду! — рявкнул я. — Иначе придется давать показания в милиции, а там с вами по-другому побеседуют.

— Да, да, — суетливо затрясла головой Зина, — я все расскажу, только не бейте!

— Никто вас и пальцем не тронет, выкладывайте!

— Так одежда в мешке валялась, велели его в контейнер бросить, а я увидела и прихватила, — зачастила Зина, — им же без надобности, а мне хороша. Не крала я, сами сунули, Настасья Михайловна попросила, там хорошо платят, много. А мне че? Трудно? Вовсе нет. Чего не помочь, коли столько дали! Пятьсот рублей! Ну я и сбегла с работы, никто и не заметил!

Я не понял ничего из ее слов, расстегнул пальто, потом снял его, сел на стул и приказал:

— Теперь спокойно, по порядку излагайте цепь событий. Кто вам дал? Что? Кем вы приходитесь этой Настасье Михайловне? Если сейчас внятно все объясните, получите тысячу, вот она!

Зина охнула:

— Тысячу? Целую? Мне?

— Вам, при условии, что я пойму, о чем речь.

— Сейчас, сейчас, слушайте, — начала Зина, — по порядку от печки начну.

Я постарался вникнуть в ее не слишком связную речь. И через некоторое время сообразил, что к чему.

Зина живет в деревеньке Нистратово, питается с огорода, имеет тяжело больную мать и не отказывается ни от какой работы. Но образования у Зины нет, поэтому бегать ей всю жизнь с ведром и тряпкой за копейки.

Пару лет назад на окраине Нистратова вырос небольшой коттеджный поселок, вернее, всего три дома, обнесенные глухим, высоким забором. Нистратовцы на все лады крыли богатеев. Тяжелые машины, груженные кирпичом и блоками, разворотили дорогу. А когда местные мужики решили ночью сходить на стройку поживиться, их встретила охрана, без долгих колебаний повышибавшая горе-разбойникам зубы.

Но через год дорогу починили, залили асфальтом, в дома потянулись фуры с мебелью, и нистратовские бабы обрадовались. Ну не станут же денежные мешки сами стирать, гладить и носиться по этажам с пылесосами, ясное дело, захотят прислугу нанять. В Нистратове даже заспорили, как брать жалованье: в рублях или в долларах. Но время шло, а никто не обращался в деревню за поиском поломоек. Тогда самая бойкая из женщин, Катя Ершова, сама пошла в поселок.

Вернулась она мрачнее тучи и сообщила соседкам:

— У ворот будка стоит, в ней два охранника, чистые звери с виду.

Секьюрити не пустили Катюху во двор.

— Ступай себе, — велели они, — у хозяев полно прислуги. Кто же вас, лапотных, в такой дом возьмет. Переколотите дорогую посуду, мебель поцарапаете. У нас горничные выученные, по-английски разговаривают, не чета вам.

Глава 9

Зина была, наверное, единственной бабой в Нистратове, которая совершенно не надеялась попасть на работу к богатым людям. Понимала, что те, кто платит большие деньги, хотят видеть на своей кухне человека, который умеет готовить что-то необыкновенное, а не простые щи, да и убирать дворец надо, наверное, не так, как мыли свои избы-развалюхи деревенские бабы. Но именно Зине в конце концов повезло.

Как-то раз она пришла в местный магазинчик, купила банку рыбных консервов и стала отсчитывать железные рубли. Продавщица Нинка недовольно заворчала:

— На паперти, что ль, стояла? Где вы только эту

дрянь берете? Понасобирали копеек, мне, между прочим, все потом в банк сдавать.

Зина, втянув голову в плечи, мусолила мелочь. Зная противный характер Нинки, она испугалась, что та откажется брать монеты. Руки у Зины затряслись, рубли раскатились по полу, она бросилась их подбирать, и тут в сельпо вошла шикарно одетая дама. На ней была шубка из натурального меха, роскошные кожаные сапоги, в руках незнакомка держала красивую, явно дорогую сумку. В воздухе разлился аромат французских духов.

— Хлеб свежий? — резко спросила женщина. — Он московский, надеюсь?

Нинка, только что презрительно морщившаяся при виде Зины, опрометью бросилась к полке, где лежали батоны.

— Не сомневайтесь, — зачастила она, — с хлебозаводу час назад привезли.

Когда дама, купив сайку, ушла, Зинка спросила:

— Кто ж это такая?

— А из коттеджей, — ответила Нинка, — иногда за хлебом приходит, забывает в Москве купить и сюда идет, не хочет, чтоб хозяева ругались.

— Чьи хозяева? — не поняла Зина.

Нинка хмыкнула.

— Этой куклы разодетой. Ты думаешь, она кто?

— Ну, — затруднилась с ответом Зина, — не знаю... Хозяйка, вон в какой шубе ходит!

— Простота наивная, — захихикала Нинка, — она твоя товарка.

— Почему?

— Да потому, что тоже полы моет, — окончательно развеселилась Нинка, — домработницей служит, ясно?

Зина вышла на улицу в легком обалдении. Поломойка, а так одета! Сколько же она получает? Ясно, что не пятьсот рублей в месяц, как Зина! Везет же некоторым, а тут в кармане последняя десятка, не на что матери купить лекарство.

Вздыхая, Зина шла по дороге и вдруг увидела в снегу кошелек, красивый, кожаный, дорогой. Зиночка подняла его, раскрыла и ахнула. Все три отделения были набиты деньгами: российскими рублями и американскими долларами. Зина сразу поняла, кто потерял состояние: баба в шубе. В их деревне никто не владел такими сокровищами, а если даже и была у местных богатеев подобная сумма, то ходить с ней по улицам они не станут, спрячут в избе или сарае от беды подальше.

Ноги понесли Зину к коттеджам. Она показала охранникам находку, те, покачав головами, велели ей подождать, и спустя пару минут перед Зиной вновь оказалась дама в мехах.

Оглядев оробевшую селянку, она демонстративно пересчитала бумажки и с легким недоумением констатировала:

— Все на месте, до копейки.

Затем экономка вытащила пятьсот рублей и сунула их Зине.

— Бери.

— Спасибо, — пробормотала та, — дай вам Бог здоровья.

Потом, решив, что приключение закончилось, Зина повернулась, хотела было уйти, но ее остановил окрик:

— Ступай со мной.

Женщина привела ее в роскошно обставленную кухню и устроила ей форменный допрос. Зина покорно отвечала на вопросы. Работает в больнице, мужа и детей не имеет, ухаживает за парализованной мамой... В конце концов лицо дамы посветлело, и она заявила:

— Меня зовут Анастасия Михайловна. Станешь приходить сюда каждый день, в девять вечера.

Зина кивнула.

— Надеюсь, — продолжала Анастасия Михайловна, — никому ни о чем не будешь рассказывать!

Вот так Зина оказалась при новой службе. Хозяев она никогда не видела, внутрь дома ее не пустили ни разу. Анастасия Михайловна давала ей работу лишь на кухне: почистить серебро, вымыть тамбур и лестницу черного хода, надраить санузел, расположенный возле кухни, протереть в ней окна и подоконники. Раз в неделю приходилось вынимать из всех шкафов посуду, полировать полки и запихивать кастрюли назад. Нудная, тягомотная работа, частенько Зина орудовала до полуночи. Но она была счастлива. Каждый раз после того, как она заканчивала уборку, Анастасия Михайловна давала ей сто рублей, громадные деньги за такую ерунду. В больнице Зина за куда меньшую сумму должна была пахать намного больше. Впрочем, потом в коттедже ей начали платить сто двадцать рублей. К хозяевам частенько прибывали гости, и Зина находила на заднем крылечке пакеты, набитые бутылками, коробками из-под тортов, конфет и всяческих деликатесов.

— В контейнер не бросай, — предостерегала ее Анастасия Михайловна, — снеси на вашу свалку. Незачем наш мусорник забивать.

Зина кивала и перла мешки на деревенскую помойку. Жители Нистратова, особо не мучаясь, сваливали отходы в овраг, за деревней. Раз в году туда

прибывала машина, и парни в оранжевых комбине-
зонах, отчаянно матерясь, перекидывали лопатами в
кузов мусор.

В коттеджном же поселке отбросы укладывали в
тщательно закрывающийся железный ящик. Мусор-
щик прибывал раз в неделю и менял полный контейнер на пустой, но частенько машина не приезжала,
короб стоял переполненный, Анастасия Михайловна злилась, наверняка ее ругали хозяева, вот Зина
один раз и предложила:

— Вы положьте грязь в мешки, я их на нашу свалку отопру!

Анастасия Михайловна обрадовалась, и с тех пор
основная часть мусора на Зиночкином горбу переез-
жала в овраг. Зина была очень довольна, во-первых,
к ее зарплате прибавилось двадцать рублей, во-вторых, в мешках, которые выставляла на задний двор
Анастасия Михайловна, попадались чудные вещи.
Зина всегда вытряхивала содержимое пакетов на
краю оврага и тщательно рылась в нем. Безалаберность и глупость богатых людей ее поражали. Зине
частенько попадались продукты: целые упаковки
йогуртов, паштетов, соков, отправленные в утиль
лишь потому, что им истек срок годности. Посмеи-
ваясь, Зина забирала еду с собой, она-то знала, что
все даты на пакетах ерунда. Они с мамой едят такое
и очень довольны. А вещи! Если бы вы только знали,
какие хорошие, нерваные и абсолютно не сношен-
ные тряпки выбрасывали порой богатеи. То, что не
подходило ей по размеру, Зина стирала и продавала
на рынке.

В общем, жизнь налаживалась... Кончилось все
так же, как и началось, совершенно внезапно. Вчера

Зина, как всегда, явилась к Анастасии Михайловне и наткнулась на охранника, который мрачно сказал:

— Не бегай больше сюда, уехали хозяева!

— Куда? — испугалась Зина.

— Тебе какое дело? — обозлился секьюрити. — Вали отсюда.

Зина замолчала и затеребила рукав халата.

— Ладно, — кивнул я, — с коттеджами понятно! Откуда одежда, что в чулане валялась?

— Так я из мешка ее вытянула, — пояснила Зина, — мне в последний раз так свезло! Цельный пакет шмоток! Я с дежурства к Анастасии Михайловне удрала, я завсегда так делала, ночью в больнице работы нет, только водку пить. Она мне мусор сунула, я пошуровала — там одни тряпки, ну приволокла сюда. Разобрали мы их с бабой Симой, много хорошего нашли: кофты, джинсы, свитер... Она мне за все триста рублей дала! Триста! Для внучки купила! А юбочку бросили, она из очень плохого материала, мигом посечется, да и маленькая очень, у бабы Симы внучка здоровенная! Кофточка мне сначала ничего показалась, только на ней пятна были. Я ее в туалете и постирала, гляжу — на спине дырка. Ну вообще никуда не годится! Пятна, правда, отошли...

— Не помните, — перебил я ее, — какие они были?

— Пятна как пятна, — пожала тщедушными плечами Зина.

— Ну они бывают разные: от травы, вина, фруктов.

— Не, на кровь похожие, — сообщила Зина, —

бурые такие. Я в больницах на белье насмотрелась! Знаете, чего вам посоветую? Никогда кровь горячей водой не застирывайте, ни в жисть не отойдет! Только холодной и хозяйственным мыльцем пошмурыгайте, вмиг словно новое станет! От пятен-то я избавилась, а дырка прям такая противная. Пришлось кофточку бросить!

— Там еще сапог лежал...

— И куда он мне один? — хихикнула Зина. — Люди по два носят.

— И шапочка.

— Ну уж дрянь так дрянь, — вздохнула Зина, — не пойми чего. Я ее на голову попыталась нацепить, чуть со смеху не умерла, сейчас, правда, многие странное носят. Только зима на дворе стоит, мороз, к чему тряпочная тюбетейка? Швырнула в чуланчике, надо было их в мусор пихнуть, да я забыла про шмотки.

— Расскажите мне, где эти коттеджи стоят, — попросил я.

— По дороге вперед ехайте, — зачастила Зина, явно обрадованная тому, что наш разговор заканчивается, — у кладбища налево, вверх, в горку...

Получив детальное описание дороги, я сел в «Мерседес» и порулил к загородным особнякам. Снегопад прекратился, неожиданно выглянуло солнце, и я невольно залюбовался пейзажем. Все-таки русской душе приятна зима. Как это там... «Мороз и солнце, день чудесный, еще ты дремлешь, друг прелестный...» Я не слишком люблю Пушкина и не очень понимаю, почему он считается отцом-основателем русской поэзии. До Александра Сергеевича были не менее, на мой взгляд, великие стихотворцы — Жуковский, Державин. Кстати, последнего потомок Ганнибала считал своим учителем...

Внезапно шоссе закончилось. «Мерс» уперся в железные ворота. Я вышел и, с наслаждением слушая, как под ногами хрустит девственно чистый снег, подошел к калитке, поднял руку к звонку и тут только сообразил, что стою возле особняка Андрея Павловича, того самого приятного парня, к которому меня привез несчастный, сумасшедший Кирилл...

В памяти мигом всплыла картина. Вот я сижу в уютном кабинете, входит женщина с подносом.

— Настя, — обращается к ней Андрей.

Настя! Анастасия Михайловна. Это, наверное, была она. Внезапно камера, установленная на столбе, с тихим шуршанием повернулась, и откуда-то сбоку прозвучал хриплый голос:

— Вы к кому?

— Андрей Павлович дома? — громко спросил я.

Калитка отворилась, в проеме замаячил крепкий мужчина, одетый, несмотря на мороз, лишь в одну черную форменную одежду. Он окинул быстрым взглядом меня, сверкающий «Мерседес» и любезно ответил:

— Они уехали...

— Куда?

— За границу, — вежливо пояснил секьюрити.

— Все? В доме никого нет?

Парень покачал головой.

— Пусто, только охрана осталась.

— А Настя? Собственно говоря, мне она нужна.

Охранник спокойно ответил:

— Не в курсе я, куда прислуга подевалась, не мое это дело. Здание на продажу выставлено, хозяева сюда больше не вернутся, другие люди в доме жить будут.

Я растерялся.

— Но я был совсем недавно у Андрея в гостях. Он приглашал меня весной на шашлычок, говорил, его жена люля-кебаб фантастически готовит... Как же так, а? С чего бы вдруг они поднялись и уехали?

Секьюрити, не теряя любезности, терпеливо сказал:

— Так у Андрея Павловича жены нет. И мне хозяин о своих планах не докладывает. Наше дело маленькое, велено у ворот сидеть и внутрь только представителя риелторского агентства с потенциальными покупателями пускать. А куда кто отправился да почему — не нашего ума дело. Хотите, телефон агентства дам?

— Спасибо, не надо, — пробормотал я, — лучше скажите, у Андрея Павловича вы давно работаете?

— Второй год.

— Не знаете, кто из его домашних любит одеваться необычно или, может, кто из постоянных гостей чудит?

Охранник явно удивился:

— Вы о чем?

— Не видели на ком-нибудь такую дурацкую шапочку, белую или черную, в виде пирамиды, вернее, конуса?

Секьюрити потряс головой.

— Нет, я в дом не хожу, только на кухню, обедать. Вы о поварихе спрашиваете? Здесь повариха всегда в колпаке ходила.

Я подавил тяжелый вздох, сел в «Мерседес» и поехал к месту аварии. Расспрашивать сторожа абсолютно бессмысленное занятие, парень прав, его дело стеречь ворота, о планах хозяев он не осведомлен. Но почему он сказал, что у Андрея нет жены, неужели он не знает, что в доме есть хозяйка?

Оказавшись вновь около кювета, куда нырнула «десятка», я стал озираться по сторонам и минут через десять констатировал: Ирина, если это, конечно, была она, появилась неизвестно откуда. По обе стороны шоссе тянулся довольно густой лес. Ближайший населенный пункт Нистратово находится километрах в пяти отсюда. Даже учитывая алкогольное или наркотическое опьянение, Ира не сумела бы добраться сюда, одетая лишь в вещички, сшитые, похоже, из марли, замерзла бы в пути, мороз в ту ночь стоял нешуточный.

Так и не придумав ничего толкового, я походил туда-сюда по обочине, покурил и решил ехать в институт УПИ, искать близких подружек Ирины. Зная, что впереди слева находится глубокий, ничем не огражденный карьер, я предельно осторожно вписался в поворот. Слава богу, тормоза у «Мерседеса» работали исправно, но все равно мое сердце тревожно забилось, а по спине поползли мурашки. Наконец опасное место осталось позади, я расслабился, поднажал на газ и примерно через километр увидел ярко-красную машину «Ауди-ТТ», припаркованную на обочине. Возле нее, отчаянно размахивая руками, подпрыгивала девушка в джинсах и коротеньком полушубке. Естественно, я притормозил.

Девица бросилась ко мне:

— Слава богу! Совсем я замерзла! Стою тут больше часа, и никого.

— По этой дороге редко ездят, — пояснил я, вылезая из «Мерседеса», — что случилось?

Незнакомка вцепилась в мой рукав.

— Не знаю! Ехала себе спокойно, потом, бац, встала...

Я глянул в ее лицо. Незнакомке было отнюдь не восемнадцать и не двадцать, а скорее за тридцать лет, но я не любитель Лолит. Согласен, молодое тело привлекательно, свежая мордашка радует взор, но, когда вы вылезаете из кровати, с дамой приходится разговаривать. А о чем мне беседовать с нимфеткой? О сортах жвачки? Или обсуждать новые платья ее подружки? Наверное, я покажусь вам странным, но девочки, не достигшие тридцатилетия, не вызывают у меня никаких чувств, кроме отеческих. Мне не так давно попались под руку воспоминания известного ловеласа Казановы, поверьте, он понимал прекрасный пол, как никто другой, и я вычитал в них гениальную фразу: «Мужчина интересен будущим, а женщина прошлым». Все мои любовницы в последнее время — это дамы, чей возраст крутится вокруг сорока. Впрочем, вы не дадите им больше тридцати: хорошая косметика, правильно подобранная одежда, высококлассный стоматолог, массаж и фитнес способны сотворить чудеса. Но я никогда, даже в юности, не влюблялся с первого взгляда, наверное, я слишком рационален и рассудочен для этого. Чтобы почувствовать к партнерше душевное расположение, я должен хоть немного узнать ее, причем, поймите меня правильно, речь идет не о постели. Впрочем, я отношусь к редкой категории мужчин, которым, чтобы получить удовольствие, надо иметь дело лишь с любимой женщиной. Просто так плюхнуться в койку, ради спортивного азарта, как это проделывает Леня, мой приятель, не успевающий даже спросить имени у очередной девицы, не мой стиль. Я не животное, а человек, существо тонкой организации, мой нижний этаж управляется верхним. Увы, у большинства мужиков дело обстоит с точностью до наоборот. Едва внизу намечаются какие-то шевеления, из головы мигом выдувает все мысли, кроме одной. Кстати, умные женщины, хорошо знающие мужчин, пользуются этой особенностью и делают нас несчастными. Сексуальный рычаг самый действенный, нажимая на него, хитрая дама добьется всего. Каких только глупостей не совершаем мы! Разбиваем семьи, бросаем детей, теряем службу, друзей, деньги, а все ради особы, которая дала тебе понять: лучшего мужчины в ее жизни не случалось. И ведь потом наступает отрезвление, но, увы, в большинстве случаев бывает поздно. И когда я задумываюсь, отчего мои приятели почти все несчастливы в браке, то прихожу к единственному выводу: мужчины и женщины просто не умеют разговаривать, они не понимают друг друга.

Ну, допустим, муж говорит:

«Я хочу есть!»

В этом случае он ничего больше не имеет в виду, просто он не прочь подкрепиться, и все тут. Но отчего же жена Лени, услыхав эту фразу, всегда восклицает:

«Ты намекаешь на то, что я плохая хозяйка, не способная приготовить обед?»

Бог мой, вовсе нет. Ленька просто проголодался, зачем искать второе дно там, где его нет? Впрочем, я не стану спорить, иногда мы кривим душой. Если моя дама сердца, стоя в примерочной кабине, демонстрирует мне тридцать пятое по счету платье и озабоченно спрашивает: «Милый, тебе нравится?» — я, вспотевший от духоты и обалдевший от количества народа, снующего перед глазами, галантно отвечаю: «По-моему, тебе обязательно надо купить его, сидит изумительно!»

На самом же деле в данный момент в моей голове бьется такая мысль: «Бери любой из этих дурацких нарядов, и пошли скорей отсюда». Но ведь не скажешь этого вслух.

Если моя подруга, собираясь пойти на суаре[1], два часа перебирает вешалки в своем шкафу и вертится передо мной, задавая глубокомысленный вопрос: «Какое мне больше к лицу: голубое или розовое?» — я, в большинстве случаев тычу не глядя пальцем в шмотку и с улыбкой говорю: «Вот это чудесный костюм».

Ну, посудите сами, не могу же я сказать даме правду? Ведь на самом деле я думаю совсем иное: «Скорей одевайся, хватит рыться в тряпках, они все одинаковые».

Интересная ситуация может возникнуть и после посещения парикмахерской. Страшно довольная собой глупышка крутит головой и довольно вопрошает:

«Как тебе моя новая прическа?»

Естественно, реакция на это может быть лишь одна:

«Дорогая, волосы твои прекрасно уложены, ты выглядишь моложе своей младшей дочери».

И на самом деле вы потрясены. Просто с ума сойти! Потратить кучу времени и денег, а в результате прическа осталась без изменений! Но вот ведь па-

---

[1] Суаре — вечеринка.

радокс: когда несчастный супруг без всякой задней мысли сообщает о своем проснувшемся аппетите, его с возмущением начинают упрекать в лицемерии, а когда женщина слышит явную ложь о платьях и прическе — она принимает все за чистую монету. Ей-богу, милые прелестницы непостижимы.

Глава 10

— Боже, — продолжала радоваться незнакомка, — как мне повезло, что вы мужчина!

Я улыбнулся:

— Мне тоже.

Девушка засмеялась:

— Я в том смысле, что женщины не разбираются в моторах, и вы сейчас сумеете починить мою «Ауди», ведь так, да?

В ее прелестных темно-карих глазах светилась детская уверенность. Ну скажите, можно ли в этой ситуации ответить чистую правду: «Простите, но я понимаю в механизмах, как слон в балете!»

И вообще я не люблю расписываться в собственном бессилии, поэтому сказал:

— Откройте капот.

Она мигом выполнила приказ.

— Соня. Меня зовут Соней, — пропела она.

— Иван Павлович, — машинально представился я и обозлился на себя — если она Соня, то я Ваня.

Очень недовольный собственной глупостью, я уставился на непонятные железки под капотом «Ауди», потом с умным видом покачал головой.

— Да... тут непростая работа.

— Что случилось? — заинтересовалась Соня.

— Э... э... — протянул я, пытаясь вспомнить название хоть одной из частей автомобиля, — предохранитель сгорел! Без него я никак починить не сумею, нужен новый.

— Прицепите меня на трос, — предложила Соня, — и дотащите до ближайшего сервиса.

Я заколебался. Ездить на сцепке совсем не так просто, как кажется. Я за рулем «Мерседеса», если Соня не справится с управлением, ее «Ауди» разворотит багажник дорогущей иномарки Норы. Не все мужчины способны правильно реагировать, тащась на тросе, а уж дама и подавно.

Был со мной однажды смешной случай. Ехал я поздно вечером по проспекту и увидел мужика с ребенком на руках, голосовавшего на обочине. Я знаю, что не следует никого никогда подсаживать, но иногда чувства срабатывают быстрее разума, поэтому я притормозил. Мужик начал слезно умолять меня дотащить на тросе его «шестерку».

— Понимаете, — бубнил он, — жена в больницу попала, ребенка к теще везу, тут недалеко, всего-то три улицы проехать. И вот заглох! Помогите!

Делать нечего, к тому же малыш, хотевший, очевидно, есть и спать одновременно, отчаянно рыдал. Отец сунул заливающегося плачем ребенка на заднее сиденье, мы приладили трос, я сел в свою машину и двинул в путь.

Сначала все шло нормально, потом впереди загорелся красный светофор, я начал притормаживать и понял, что сзади никто не собирается гасить скорость. Хорошо время было позднее, ни автомобилей, ни пешеходов на перекрестке не оказалось, и я сделал то, чего не делаю никогда: пролетел участок на запрещающий сигнал. Аналогичная ситуация повторилась и на следующей улице. Я постоянно смотрел в зеркало и чувствовал, что очень хочу убить шофера-идиота. Наконец кое-как, на максимально маленькой скорости, я докатил до нужного моста, припарковался... «Шестерка» как ни в чем не бывало проехала дальше, заднюю часть моих «Жигулей» занесло. Все, тут мое терпение лопнуло. Я выскочил на улицу, увидел, что неработающая машина стоит почти посередине переулка, подбежал к ней, рванул дверцу и онемел: на водительском месте было пусто. Сзади мирно спал малыш.

Минут пять я приходил в себя, потом испугался. Мужчина не назвал мне ни своего имени, ни фамилии, ни точного адреса. Сообщил лишь название улицы да попросил притормозить у булочной.

Ребенку нет еще и года. Господи, что же мне делать? Некоторое время я пребывал в панике, потом в голову пришла мысль, от которой по спине забегали мурашки размером с жирную мышь: мне подкинули младенца! Испытывая полнейший ужас — я, если честно, побаиваюсь маленьких детей, они выглядят такими крохотными, хрупкими, — я вообще перестал что-либо соображать. Потом все же взял себя в руки и решил вызвать милицию, но не успел вытащить мобильный, как вдали показался бегущий мужик, отец карапуза. Весь потный, красный, он подлетел ко мне и, задыхаясь, проговорил:

— Господи, вы так быстро умчались, я даже не успел сесть в свою машину.

Никогда в жизни ни до, ни после этого случая у меня не возникало желания стукнуть человека по носу. Испытал я это чувство всего один раз в жизни и до сих пор жалею, что сдержался!..

Очевидно, на моем лице отразилось сомнение,

потому что Соня молитвенно сложила ладони и пропела:

— Ну Иван Павлович, миленький, неужели вы бросите меня тут одну, на пустынной дороге.

Я вздохнул и пошел искать в багажнике трос. Иногда мне кажется, что хорошее воспитание мешает мне жить. Многие из моих приятелей, спокойно ответив: «Это твоя проблема, детка», — уехали бы по своим делам. Я же, заложник воспитания, начал прилаживать стальной канат к «Ауди».

Впрочем, все оказалось не так уж и плохо. Соня отлично управлялась с автомобилем, и никаких проблем на пути к авторемонтной мастерской не возникло. Оказавшись около ворот сервиса, Соня воскликнула:

— Как мне вас благодарить? Ведь не деньгами же!

Я улыбнулся.

— Я рад был помочь такой прелестной особе.

Соня подошла ко мне, встала на цыпочки и по-детски клюнула в щеку. От нее пахло незнакомыми, острыми, явно дорогими духами.

— Большое спасибо! — с чувством воскликнула она.

— Не за что, мне было по дороге.

— Не все способны помочь человеку, попавшему в беду.

— Добрых людей намного больше, чем злых, — ответил я и хотел уже уехать, но тут Соня попросила:

— Иван Павлович, запишите мой телефон.

Я вынул сначала блокнот, а потом свою визитную карточку. Я не принадлежу к тем людям, которые заводят знакомства на улицах, но ведь глупо говорить об этом, когда дама интересуется вашими координатами.

Соня спрятала визитку в сумочку.

— Я врач, и, говорят, неплохой. Позвоните мне, если вдруг вам понадобится помощь.

— Спасибо, — кивнул я и отправился в институт УПИ.

Группу, в которой числилась Ирина Медведева, я нашел при помощи куратора учебной части. Полная женщина без возраста с плохо уложенной головой, услыхав, что Семен Юрьевич нанял для поисков пропавшей дочери частного детектива, с чувством воскликнула:

— Бедная девочка, мы очень переживали, когда узнали о случившемся.

— Иру любили в институте?

— Хорошая девочка, аккуратная студентка без академических задолженностей, — инспекторша стала перечислять положительные качества пропавшей девушки, — участвовала в театральном кружке, активно сотрудничала в научном обществе...

Вскоре мне стало понятно, что она не может ничего сказать об Ире как о человеке. Я понял, что Медведева хорошо училась, могла претендовать на место в аспирантуре, но и все. Была ли она доброй или злой, имела ли любовника, отчего расстраивалась и над чем плакала, так и осталось не выясненным, и я отправился к ее одногруппникам в надежде на то, что они лучше знают свою подругу.

Поплутав по коридорам и поговорив со студентами, я выяснил, что три Ирины однокашницы, Стася, Карина и Алена, сидят сейчас в столовой.

Я спустился в подвальное помещение и обнаружил там за столиком девиц, раскрашенных до невозможности. Впрочем, одеты они тоже были нелепо. На одной красовалась рваная рубашка из денима.

Края лохмотьев скрепляли английские булавки в количестве штук ста, не меньше. Другая щеголяла в пуловере, который непостижимым образом держался на ее груди, плеч у него не было. Третья была во вполне пристойной, ничем не примечательной нежно-голубой водолазке, зато в ушах у нее болталась связка сережек разной длины, в ноздре сверкал камушек, а в брови висело колечко.

— Можно нарушить вашу беседу? — осведомился я.

Девицы замерли, потом «булавочная» спросила:

— Вы кто?

— Частный детектив Иван Павлович Подушкин.

— Вау, Стаська, — воскликнула голоплечая, — прям как в кино!

Стася недовольно поморщилась:

— Помолчи, Кара!

Мне сразу стало понятно, кто в стае главный.

— От нас вы чего хотите? — бойко поинтересовалась Стася.

Я рассказал про визит в агентство Семена Юрьевича.

— Так чем же мы помочь можем? — удивилась Стася.

Карина, разинув рот, смотрела на меня. Алена сидела молча.

— Скажите, что за человек была Ира? — поинтересовался я.

— Почему «была», — моментально отреагировала Карина, — вы полагаете, что ее убили?

— Ну, оснований для таких утверждений пока нет, — покривил я душой, припоминая белую кофточку с маленькой дырочкой на спине.

— Нормальная, — пожала плечами Стася, — как все!

— Богатая только, — с легкой завистью протянула Карина, — каждый день в новом приходила.

— Училась она хорошо, — прибавила Стася, — на одни пятерки, хитрюга.

— Почему хитрюга? — удивился я.

Стася прищурилась.

— Сначала мы думали, она преподам платит. Тут кое-кто за экзамены и зачеты долларешники берет, но потом мы сообразили: хитрая она.

— Точно, — подхватила Карина, — так подольститься ко всем умела, даже к Акуле подлезла и пять баллов получила.

— Ага, — кивнула Стася, — между прочим, Акула всем твердит, что ее предмет на «отлично» знает лишь господь бог, на четверочку она сама, а мы уж в лучшем случае на тройку.

— Когда Ирка пятерку огребла, — перебила ее Карина, — весь институт сбежался.

— Может быть, ваша подруга просто хорошо выучила материал? — предположил я.

Девчонки засмеялись.

— Да как ни зубри, — покачала головой Стася, — хоть лопни, все равно Акула завалит!

— Каким же образом Ире удалось умаслить злобную преподавательницу? — удивился я.

Карина покачала головой:

— Говорим же, хитрая она очень! Акула книги собирает, старинные. Вот Ирка ей и наврала, что тоже библиофилкой является. Все бегала к этой Бабе Яге на кафедру, таскала какие-то грязные, порванные брошюрки, и результат? Сдала экзамен без проблем,

Акула ее и не спрашивала как следует. Медведева билет взяла, а эта змея заулыбалась и говорит:

«Вы, Ирочка, конечно, все знаете, я абсолютно в этом уверена».

Мы прямо онемели все, как услышали.

— Вполне вероятно, что Ирина и в самом деле увлекалась старопечатными изданиями, — подначил я их.

Девушки снова захихикали.

— А Лесе Семеновне, которая по своим внукам сохнет, — заявила Карина, — она постоянно твердила, что мечтает родить девять детей, дескать, ее жизненное призвание семья и куча отпрысков. Леся Семеновна умилялась, всем Ирку в пример ставила и пятерки ей лепила.

— Только Ольга Марковна ее терпеть не могла, — вдруг тихо сказала молчавшая до сих пор Алена.

— Точно! — воскликнула Стася. — Но Марковна уволилась, а с другими у нашей сладенькой проблем не возникло.

— Кто такая Ольга Марковна? — насторожился я.

— «Немка», — отмахнулась Стася, — в том смысле, что немецкий язык преподает.

— А кто был самой близкой подругой Медведевой?

— А никто, — отрезала Карина, — она со всеми общалась.

— Только ребята про нее ничего не знали, — закончила Стася, — не откровенничала она.

— Мальчики за ней ухаживали?

— Пытались, — кивнула Стася, — но она со всеми ровно держалась, никого не выделяла.

— Вот к ней приставать и перестали, — затараторила Карина, — какой смысл? Замуж она не собиралась.

— Зачем ей муж с таким папой? — не преминула высунуть змеиное жало Стася.

Внезапно Алена глубоко вздохнула, я глянул на нее, она, отчего-то покраснев, отвела глаза в сторону.

— Очень вас прошу, — тихо вымолвил я, — попытайтесь вспомнить, вдруг Ирина называла имена каких-то своих друзей или любовников. Понимаете, она, может быть, жива, вдруг ее мучают, бьют...

— Да ничегошеньки мы не знаем! — сердито заявила Стася.

Карина кивнула.

— Хотели бы вам помочь, да как!

Алена опять промолчала. Я встал.

— Очень жаль. Не посоветуете, с кем еще можно поговорить?

Стася скривилась:

— Ну... в библиотеке Ритка Козлова сидит, может, ей чего известно.

— Это вряд ли, — безапелляционно заявила Карина, — хотя сходите, если делать нечего.

Я не выдержал и сурово поинтересовался:

— Чем же вас обидела Ирина, если вы не хотите дать ей малейшего шанса на спасение?

Стася и Карина захлопали слипшимися от туши ресницами.

— Мы к ней хорошо относились, — попыталась оправдаться Стася.

— Ага, — подвякнула Карина, — очень хорошо, только дружить с ней не хотели.

Глава 11

Я пошел по коридору, разыскивая дверь с табличкой «Библиотека». Неожиданно чья-то рука легко дернула меня за пиджак, и тихий голос произнес:

— Простите...

Я обернулся и увидел Алену.

— Простите, — повторила она, — вы уверены, что сведения о любовных приключениях Иры помогут вам отыскать ее?

— Естественно.

Алена покраснела.

— Понимаете... в общем... не ходите к Ритке, она совсем не в... я... ну... это...

— Вы что-то знаете?

Алена кивнула:

— Где здесь можно побеседовать? — обрадовался я.

— Лучше в кафе, — шепнула Алена, — тут рядышком, в соседнем доме.

Я сопроводил Алену в низкосортную забегаловку, усадил за шаткий столик с липкой пластмассовой столешницей и поманил сонную официантку. Та нехотя приблизилась к нам и швырнула меню: тонкий листок бумаги, засунутый в файловую папку.

— Мне капуччино, — тихо попросила Алена.

— И мне, — из солидарности кивнул я.

Естественно, я не собирался даже пробовать бурду, которую сейчас принесут из кухни. Подавальщица приволокла чашки, над которым колыхалась белая с коричневым пена, бросила на стол две жуткие алюминиевые ложки и отошла к стойке.

Алена взяла салфетку и принялась тщательно протирать ложку. Я подавил улыбку. Привычка бывшего советского человека. Откуда она у девушки, сознательный возраст которой совпал с перестройкой? Это мы, питавшиеся в общепите, в столовых при учебных заведениях, НИИ, заводах и фабриках, всегда, прежде чем приступить к еде, тщательно полировали липкие, плохо вымытые ложки и вилки. Вот ножи практически не подвергались такой обработке. Но не потому, что их подавали чистыми, их просто в столовых отродясь не было. Конечно, можно было пойти на кухню, выпросить там ножик, но основной массе народа это было ни к чему, да и посудомойки, как правило, рявкали:

— Нет ножей, вас много, а он один.

Нора в свое время рассказала мне совершенно изумительную историю, основную роль в которой сыграла привычка протирать приборы салфетками.

В те далекие советские годы она работала на одном предприятии и была отправлена с делегацией не куда-нибудь, а во Францию. Неделя пролетела как сказочный сон. На обмен опытом Норе было наплевать, французы великолепно понимали, что русским больше хочется пошляться по Парижу, чем сидеть в зале и слушать заунывные доклады. Поэтому программа была составлена соответственно: до двух часов тягомотные заседания, а потом упоительные экскурсии и сладострастные набеги в магазин «Тати». В последний день принимающая сторона закатила банкет в фешенебельном ресторане.

Наши расселись за столами и, дружно схватив салфетки, начали протирать приборы. Армия халдеев замерла, а метрдотель перепугался. Русским подали грязные ножи с вилками?! Политическая ситуация тогда была непростой, и этот факт мог послужить толчком к осложнению отношений между странами. Мэтр мигнул, и официанты моментально, без конца кланяясь, поменяли приборы. На беду, переводчик, сопровождавший нашу делегацию в последний день, слегка расслабился и опоздал на прием.

Увидав новые вилки, наши опять схватились за салфетки, и ситуация повторилась.

Ничего не понимающий мэтр щелкнул пальцами, последовал новый виток «церемонии». В общем, когда в зале появился запыхавшийся переводчик, атмосфера на банкете была накалена до последней степени. Наши, изрядно проголодавшись, безумно злились оттого, что у них время от времени отнимают протертые приборы и приносят непонятно почему другие. А французы кипели от негодования: так их заведение никто и никогда не оскорблял.

Алена отхлебнула капуччино.

— Вы попробуйте, — сказала она, — тут хороший кофе варят.

Я машинально поднес чашку к губам и ощутил жуткий вкус напитка, не имеющего с капуччино ничего общего. Но, сами понимаете, даже в такой забегаловке не принято плевать на пол, поэтому мне пришлось, сделав над собой изрядное усилие, проглотить гадость. Я вдруг обозлился и довольно резко сказал:

— Если вам есть что рассказать об Ирине, то начинайте!

Алена аккуратно промокнула пухлые губки салфеткой:

— Видите ли... она ну как бы это... попроще объяснить...

— Говорите прямо.

Алена опять покраснела.

— Это не моя тайна, я узнала об этом совершенно случайно и никому не рассказывала. Но сейчас я подумала, что Ольга Марковна могла и того... ее... Ну не сама, конечно, теперь киллеров нанимают!

— Алена, — сурово нахмурился я, — ну-ка, давайте связно и по порядку. Имейте в виду, Семен Юрьевич пообещал за сведения о дочери большую награду.

Алена снова покраснела.

— Мне, конечно, нужны деньги, как всем, — сказала она, — но я не хочу зарабатывать их подобным образом. Просто я подумала, что мой рассказ поможет вам отыскать Иру, вдруг она еще жива...

— Говорите же! — поторопил я ее. — Хватит мямлить!

Алена судорожно вздохнула и завела рассказ. Осенью прошлого года, а точнее, в начале ноября она долго занималась в библиотеке, предстояло сдавать реферат по философии. В районе восьми вечера Алена сдала книжки и побежала к метро. В вестибюле ее ожидало не слишком приятное открытие: в сумке не было кошелька, Алена расстроилась. Во-первых, жаль стало красивое кожаное портмоне, полученное от старшего брата в подарок на день рождения. Во-вторых, в нем лежали проездной билет и пара дисконтных карточек, а в-третьих, деньги. Правда, сумма в кошелечке была маленькая.

Сначала она, как водится, захлюпала носом. Но потом ее осенило. Перед уходом она заглядывала на кафедру иностранных языков, чтобы отдать преподавательнице Ольге Марковне тетрадь на проверку. Для того, чтобы достать ее, Алена вытряхнула всю сумку на стол. Естественно, конспект нашелся в самом низу. Кошелек мог остаться на кафедре.

Обрадованная Алена птицей полетела назад. В институте уже практически никого не было, шаги девушки гулко звучали в длинных извилистых коридорах старого здания. Алена добежала до кафедры, дернула ручку и обрадовалась: дверь оказалась незапертой. Очевидно, Ольга Марковна задержалась на работе, проверяя конспекты своих студентов.

Алена ворвалась в просторное помещение, поежилась от холодного ветра, невесть почему гулявшего по комнате, глянула машинально в сторону окна и завопила:

— Ой, что вы делаете!

Стоявшая в проеме распахнутого окна Ольга Марковна повернула голову. Алена вздрогнула. Лицо «немки» было иссиня-бледным, огромные глаза ярко выделялись на его фоне, губы, наоборот, по цвету слились со щеками. Вид у преподавательницы был безумный и одновременно жалкий.

Плохо понимая, что происходит, Алена бросилась вперед, стащила Ольгу Марковну с подоконника, захлопнула окно и сердито спросила:

— Вы с ума сошли, да? Так и выпасть можно, с пятого этажа слетите, ни одной целой косточки не останется.

Внезапно Ольга Марковна рухнула в кресло, уронила голову на руки и зарыдала, да так отчаянно, что у Алены защемило сердце.

Оглядевшись вокруг, она заметила на столе заведующей кафедрой свой кошелек и бутылку с минералкой, подошла, взяла боржоми и наткнулась на листок бумаги. Там была одна-единственная фраза, написанная четким, «учительским» почерком: «В моей смерти прошу никого не винить».

Бутылка выпала у Алены из рук.

— Офигели, да? — по-детски воскликнула она. — Разве можно себя жизни лишать!

Внезапно Ольга Марковна перестала рыдать.

— У меня нет выхода, — глухо сказала она, — зачем ты сейчас тут оказалась? Знаешь, как трудно было решиться влезть на этот подоконник... Что мне теперь делать?

— Лучше домой езжайте, — воскликнула Алена, — давайте я вас до метро провожу.

— Нет, — закричала Ольга Марковна, — никогда! Там Роман!

И, зарыдав, она стала рассказывать. Алена чуткая девушка, ей сразу стало понятно, что преподавательнице нужно дать возможность выплеснуть наболевшее. Очень скоро Алена поняла, в чем дело. Как это ни банально, но речь шла о любви.

Романом звали мужа Ольги Марковны. Он был моложе жены на пять лет и, несмотря на возраст, уже защитил докторскую диссертацию. С Ольгой Марковной они были женаты восемь лет и жили относительно счастливо. Оля обожала красивого, талантливого супруга, гордилась его научными достижениями и вся раздувалась от гордости, когда слышала от кого-нибудь: «Ну Роман далеко пойдет, быть ему академиком и ректором».

Единственным пятном в счастливой семейной жизни была свекровь Анна Павловна. Она с первого дня не приняла невестку. Матери не нравилось в любимой сына все: возраст, рост, вес...

— На кой тебе сдалась тощая дылда, выше тебя на голову и старше в два раза? — патетически восклицала она.

— Мамочка, — увещевал скандалистку сын, — Оле всего на пять лет больше, чем мне, и она выше меня лишь на два сантиметра!

Анна Павловна поджимала губы и оставалась при своем мнении. За восемь лет совместной жизни она не сказала невестке ни одного приветливого слова, ни разу не похвалила ее, не сделала даже дежурного комплимента. Зато малейшие промахи Ольги служили поводом для ее злобных замечаний. Когда Оля, случайно поставив горячую сковородку мимо подставки, сожгла пластик на столе, Анна Павловна мгновенно позвонила Роману на работу и зарыдала:

— Горим! Кошмар! Твоя жена устроила пожар!

Если Оля вешала на балконе выстиранные вещи, то ее белье и блузки частенько оказывались на грязном полу.

Еще Анна Павловна любила причитать при виде любого ребенка:

— Да, хочется мне внуков понянчить, но не видать мне этой радости. Какие уж тут дети, если у невестки климакс!

Услыхав это заявление, Роман вскипел и сказал:

— Мама, не пори чушь! Оле тридцать три года!

— И что? — не сдалась Анна Павловна. — Климакс может и в двадцать пять наступить. Больная она вся, вон какая худая, страх смотреть. Ты бы поосторожней, сыночка, а то еще подцепишь заразу.

Представляете теперь, как удивилась Ольга, когда летом дорогая «мама» вдруг стала проявлять о ней заботу. Все разговоры о возрасте, болезнях, уродстве, глупости и профессиональной непригодности невестки были прекращены. Ольга терялась в догадках, что случилось со вздорной бабой? Отчего она больше не морщится при виде Оли? Недоумение рассеялось осенью. Как-то раз, воспользовавшись отсутствием Романа, Анна Павловна вошла в комнату к Ольге и с порога заявила:

— Я знаю, ты меня ненавидишь!

— Что вы, — принялась отбиваться невестка.

— Не лги, — рявкнула свекровь, — только из двух зол выбирают меньшее, поэтому я и пришла поговорить с тобой. Как это ни странно, но я к тебе привыкла, знаю, чего от тебя ожидать, а к этой...

— Вы о чем? — поразилась Ольга.

Анна Павловна с явной жалостью взглянула на нее.

— Ты и впрямь дура. Ну-ка отвечай, сколько времени Роман с тобой не спит?

Ольга вспыхнула огнем.

— Это наше дело.

— Нет уж, — отбрила ее свекровь, — теперь и мое тоже.

— Он очень устает, — Оля попыталась оправдать холодность супруга, — да и мне секс не слишком нужен.

— Девка у него есть, — рявкнула старуха, — прошмандовка, молодая да ранняя. От такой добра не жди! На ходу подметки отрежет и выбросит, сучка!

— Вы с ума сошли, — прошептала Оля, — хотите меня до инфаркта довести, да?

Анна Павловна хмыкнула:

— Роману все равно судьба женатым быть, так пусть уж лучше с тобой горюет, чем с этой, прости господи. Ты глаза разуй, кулема. Где он сейчас, по-твоему?

— В библиотеке, — пролепетала Оля.

— В какой? — не отставала свекровь.

— В научной.

— Поезжай, проверь.

— Но...

— Отправляйся, говорю, — настаивала Анна Павловна.

— Но что скажет Рома, — отбивалась Оля, — он спросит, зачем я приехала...

— Не спросит, — брякнула свекровь.

— Почему?

— Его там нет! Впрочем, если я ошибаюсь, тогда скажи, что мне стало плохо с сердцем, вот, дескать, я и приказала привести сына домой.

С этими словами Анна Павловна буквально выпихнула Ольгу на улицу. Та добралась до библиотеки, обошла все закоулки и не нашла мужа, более того, тетка, сидевшая на выдаче книг, равнодушно сообщила, что Романа она тут давно не видела.

В самом скверном настроении Ольга вернулась домой, а когда около одиннадцати вечера в квартире появился муж, бодро потребовавший ужин, она тихо поинтересовалась:

— Где ты был?

— Странный вопрос, Олюнчик, — ответил тот, с жадностью поедая котлету, — естественно, в библиотеке.

И он начал подробно рассказывать, какую интересную книгу читал весь день, как она нужна для его исследования...

В конце концов Ольга не выдержала и ляпнула:

— Я была в библиотеке и тебя там не нашла!

Роман осекся и спросил:

— Что тебя понесло в институт? Ведь занятий у тебя сегодня нет.

— У Анны Павловны заболело сердце, и она меня отправила за тобой, — пояснила Оля.

— Куда отправила? — переспросил Роман.

— В библиотеку.

— Какую?

— Нашу, научную.

Роман улыбнулся.

— Правильно, там меня не было.

— Где же ты был?

— В Ленинке, в профессорском зале.

— Но утром ты заявил: «Я еду в институт».

— Точно, первую половину дня я там работал, потом узнал, что нужной книги нет, и уехал.

Оля предпочла поверить мужу, она выкинула из памяти слова институтской библиотекарши о том, что Рома давно не ходит в читальный зал.

Впрочем, Роман теперь по вечерам стал сидеть дома и вновь начал проявлять к жене сексуальный интерес. Анна Павловна ходила по квартире с губами, сжатыми в нитку, и бурчала:

— Дура, ох какая дура.

Казалось, гроза пронеслась над семьей, так и не разразившись, но сегодня утром грянул гром.

Роман зашел около полудня на кафедру к Оле и сквозь зубы сказал:

— Пошли в курилку.

Оля удивилась, но отправилась с некурящим мужем под лестницу. Там не было ни одной души. Роман толкнул жену, та пошатнулась, чуть не упала и воскликнула:

— Рома, ты с ума сошел?

— Я все знаю, — прошипел он, больно выворачивая ей запястья, — думала скрыть от меня? Ан нет, нашлись люди, открыли мне глаза.

— Ты о чем? — растерялась Ольга.

— О ком! — взвизгнул всегда спокойный, как удав, Рома. — О твоем любовнике, дрянь!

Оля сначала потеряла дар речи, потом вскрикнула:

— Ты заболел! Какие любовники?

Рома вытащил из кармана длинный конверт и начал хлестать им жену по лицу.

— Не ври, не ври, не ври...

У Оли потекла кровь из носа. Решив, что у мужа невесть от чего помутился рассудок, она попыталась убежать, но он пнул ее, заставил сесть на ступеньку и велел:

— Читай! Есть добрые люди, открыли мне глаза.

Оля развернула листок и совсем растерялась. Перед ней лежало письмо, написанное ее собственным почерком.

«Милый, мой единственный, обожаемый! Опять ночь без тебя! Никак не могу заснуть около вконец опостылевшего мне Романа, если бы не его смертельная болезнь, мигом бы ушла к тебе, любимый! Как вспомню наше последнее свидание, так сладко сжимается все внутри, мне достаточно подумать о тебе, чтобы ощутить желание. Милый, дорогой, я тоскую по твоим рукам, хочу снова оказаться в твоих жарких объятиях, утонуть в них, вдохнуть аромат твоего тела. Как ужасно, что мы врозь. Но, надеюсь, доктор прав, Роман скоро умрет, противную Аньку я мигом сживу со свету и квартира станет нашей. Вот тогда начнется по-настоящему счастливая жизнь, с тобой. Твоя Олечка-полечка.

P.S. Помнишь, как говорил Гейне...»

Дальше следовало большое стихотворение великого немецкого поэта.

Глава 12

Ольге показалось, что рухнуло небо. Да, послание написано ее почерком, в этом нет никаких сомнений, но она никогда никому не писала подобных фраз. Потом Гейне! Это был любимый ее поэт, приведенные в письме строфы она знала наизусть и часто цитировала студентам. Кое-как собравшись с мыслями, Оля пролепетала:

— Это не я, честное слово!

Внезапно Роман опустился на ступеньку около жены и равнодушно протянул:

— Вот ты какая! Зря я сердился на маму, она права была! Ты подлая гадина! Врешь любовнику, что муж смертельно болен...

— Это не я, — твердила Оля, — это не я, это не я...

— Что не ты? — вновь начал закипать Роман.

— Писала письмо.

Муж отвесил ей пощечину.

— Не бреши, как будто я твои каракули не знаю! И Гейне! Ты его вечно без всякого повода распеваешь, достала уже!

Ольга продолжала вертеть письмо в руках. В ее душе было черно. Ну как убедить мужа в том, что не она это писала?

Но как странно! Неужели на свете встречаются два человека с одинаковым почерком?

Внезапно преподавательница увидела ошибку, и Оля вскочила на ноги.

— Ага, — в невероятном возбуждении закричала она, — есть доказательство, что это не я сочинила!

Роман дернул ее за руку. Оля с размаха села на ступеньку и довольно сильно ударилась о нее.

— Ну, — зло рявкнул всегда ласковый муж, — говори, что ты придумала!

— Вот, видишь, тут стоит артикль «dem», — ткнула Оля пальцем в строку.

— И что?

— А надо «den». Человек, переписывавший стихи, сделал элементарную, но очень частую ошибку, перепутал падеж, — обрадованно зачастила Оля, — ты же понимаешь, что я, знающая Гейне назубок и преподающая много лет немецкий, никогда не совершу такого промаха!

Роман хмыкнул:

— Хитра! Прямо как заяц следы запутываешь! Специально сделала ошибку, чтобы потом вот так оправдываться!

— Ты мне не веришь, — заплакала Оля.

— Нет!

И тут ее прорвало, она стала кричать, что не виновата, что Роман сам хорош...

Через пару минут на ее лицо обрушилась пощечина, и муж заявил:

— Что позволено Юпитеру, не позволено быку. Все, между нами больше ничего быть не может. Я простил бы тебе что угодно, но не измену. Вещи тебе завтра привезут, куда укажешь, не смей возвращаться в мою квартиру.

Вымолвив это, Роман собрался уходить, Оля воскликнула:

— Но где ты взял это письмо?

— Неважно, — неожиданно спокойно ответил муж.

Ольга еле-еле дотянула до конца рабочего дня. Мысль о самоубийстве пришла ей в голову после обеда. Жизнь теперь не имела никакого смысла.

Собственной квартиры у Оли нет, в ее родных пенатах живет младшая сестра с мужем и тремя детьми. Конечно, она примет Олю, но многочисленной семье и без того тесно в двух комнатах. Однако не пресловутый квартирный вопрос напрягал ее больше всего. Как жить без любимого Романа? Каким образом оправдаться перед ним? Откуда взялось письмо?

Оля просидела на работе до позднего вечера, а потом решилась: влезла на подоконник...

— Ну зачем ты сюда вернулась, — укоряла она Алену, — мне незачем жить, да и негде!

— Пойдемте ко мне, — предложила ей Алена, — сейчас я пока живу одна, отец с матерью за границей работают, брат у жены поселился.

Ольга покорно поехала со своей студенткой. Целую ночь они просидели на кухне, обсуждая ситуацию. К утру Оля перестала думать о самоубийстве и приняла решение бороться за свое счастье.

Перво-наперво она решила узнать, кто является любовницей ее мужа. А то, что у Романа имеется баба, было ей ясно давно.

Преподавательница и студентка подружились. Алена стала помогать подруге, она принялась следить за Романом. Первые два дня тот не вызывал никаких подозрений, маршрут его передвижений всегда был один: дом — институт — библиотека — дом. Но в пятницу вечером, около восьми, он неожиданно приехал на Белорусский вокзал, взял билет до станции Одинцово, сел там на автобус, вышел возле небольшого трехэтажного дома и исчез в подъезде. Алена устроилась в подъезде дома напротив и стала его ждать. Вскоре ей стало ясно: Роман остался ночевать, значит, логово любовницы найдено.

Следующие ее действия были простыми. В подъезде имелось всего шесть квартир. В пяти проживали пенсионеры, бывшие военные. Шестую хозяева сдавали студентке, девушке по имени Катя Короткова. Вооружившись блокнотом, Алена понаблюдала за домиком в субботу и воскресенье, но любовники словно умерли, они не показывались на улице, не бегали за хлебом, не выходили гулять.

Около одиннадцати вечера в воскресенье Алена, решив, что Роман и его дама легли спать, хотела уже ехать в Москву. Но тут дверь подъезда распахнулась, и появились любовники, вместе. Они явно никого не стеснялись, держались за руки. У Алены, когда она рассмотрела лицо женщины, прижимавшейся к Роману, чуть не выпал из рук бинокль. Рядом с молодым доктором наук шла Ирина Медведева.

Рассказав Ольге о том, кто является ее соперницей, Алена попросила:

— Ты только не бросайся на Ирину с кулаками.

— Я умею держать себя в руках, — процедила Ольга.

Но на следующий день «немка», явившись на занятия в группу Алены, вызвала Ирину к доске и устроила той «сражение на Курской дуге», закончившееся окончательным и бесповоротным разгромом студентки Медведевой. Алена только вздрагивала, слушая, как Ольга скрипучим голосом тянет:

— Неверно, Медведева, тут датив, а не аккузатив. Как же вы, проучившись столько лет, ничего не освоили?

После занятий Алена улучила момент и шепнула Оле:

— Ну зачем?

— Что случилось? — прикинулась дурочкой преподавательница. — Ты об Ирине? Но она даже на двойку материал не знает!

Целую неделю Ольга изводила Медведеву и довела на одном семинаре Иру до слез. Но как-то вечером преподавательница явилась домой в мрачном настроении. Алена бросилась ее расспрашивать, и «немка» заплакала. Оказывается, к ней подошел Роман, очень больно, изо всех сил, ущипнул жену за плечо и процедил:

— Если не отвяжешься от Иры, пеняй на себя. Кстати, я подал заявление на развод.

— Это она написала письмо, — рыдала Ольга, — она!

— Ты ошибаешься, — увещевала ее Алена, — Ирина не подлый человек!

— А отбивать чужого мужа, по-твоему, благородно?

Алена вздохнула:

— Наверное, они полюбили друг друга. Но, вспомни, у Иры совсем другой почерк!

Оля зарыдала еще пуще. Она была абсолютно уверена, что автор подлой проделки — Медведева. Очевидно, ее муж закрутил роман с Ириной. Наверное, он и раньше вступал в связь со студентками, только жене об этом не было известно. Когда же Оля прижала ловеласа к стене своим вопросом про библиотеку, тот испугался, развод не входил в планы Казановы. Ольга в качестве покорной, любящей жены устраивала Романа на все сто. Вот он и порвал с любовницей, справедливо полагая, что женщин на его век хватит, не одна, так другая. Ирина решила не сдаваться и подсунула любимому фальшивку, призванную очернить Ольгу. Затея удалась, перед Ольгой маячит развод, а Ирину ждет свадьба.

Но Ольга ошиблась, в ее паспорте так и не появился штамп о разрыве семейных уз. Роман через несколько дней после описанных событий попал под электричку возле станции Одинцово. Почему он оказался на пути, почему не слышал громкого гудка поезда, осталось за кадром. Впрочем, в крови покойного нашли довольно большое количество алкоголя, он был в шапке, закрывающей уши, и следователь прикрыл дело, мотивируя свои действия тем, что это был несчастный случай. Выпил, дескать, мужик немного, реакция притупилась, да еще ушанка, вот он и не услышал электричку.

Анна Павловна пережила сына всего на несколько часов, умерла от сердечного приступа. Оля осталась единоличной хозяйкой квартиры. Она переехала назад. Перед переездом Оля обняла Алену и с чувством произнесла:

— Спасибо за все! Начну жизнь сначала.

— У тебя все впереди! — с жаром воскликнула Алена, от души жалевшая Ольгу. — Только отвяжись от Ирины, хватит ее гробить, это уже странно выглядеть начинает, студенты перешептываются, им интересно, чего вы не поделили.

Оля, державшая в руке сумку с вещами, неожиданно ответила:

— Твоя правда, я больше не стану к ней цепляться, сделаю лучше.

— Как?

— Просто убью ее, — обронила Ольга и ушла.

Вот тут-то Алена испугалась по-настоящему. Когда человек кричит, рыдает и вопит: «Убью, убью, убью», это просто истерика.

А если он равнодушно, походя, заявляет: «Убью», — это говорит о серьезности его намерений.

Алена провертелась в кровати всю ночь, ей было тревожно, на душе скребли даже не кошки, а львы. На следующий день у них в группе отменили немецкий, а в учебной части студентам объяснили, что Ольга Марковна в связи со смертью любимого мужа и дорогой свекрови взяла отпуск.

Больше Алена с Ольгой не встречались. «Немка» уволилась, она ни разу не позвонила девушке, которая протянула ей руку помощи, просто исчезла из ее жизни, попользовалась и бросила. Алена не предпринимала никаких попыток наладить контакт с коварной подругой, она обиделась на Ольгу. Значит, когда ей было плохо, то Алена годилась ей в наперсницы, а стоило ситуации разрешиться, хоть и столь трагичным образом, как милая подруженька мигом отвернулась в сторону. Пусть живет, как может.

А потом исчезла Ирина. И вот с тех пор Алену терзают сомнения: а не причастна ли к таинственной пропаже Медведевой Ольга Марковна?

— Почему же вы не рассказали об этой истории в милиции? — удивился я.

— А нас никто ни о чем не спрашивал, — тихо пояснила Алена, размазывая чайной ложечкой остатки пены капучино, — никто из милиции не приходил, просто Алла Федоровна из учебной части объявила: «Ира Медведева пропала. Сколько раз вам, девочки, говорить: ведите себя осторожно, в городе полно маньяков!»

— Дайте мне телефон Ольги, — попросил я.

Алена насупилась.

— Я его не знаю.

— Да? В самом деле?

— Нет, точно. Вот адрес могу сказать.

Я кивнул:

— Диктуйте!

Алена продиктовала и попросила:

— Пожалуйста, не говорите Ольге, что я вам обо всем рассказала.

— Ладно, — пообещал я, — хотя она сама догадается об источнике информации. Кстати, последний вопрос. Катя Короткова — хороший человек?

— Это кто? — удивилась Алена.

— Вы разве не знаете Катю?

— Какую?

— Сестру Ирины.

— Нет.

— Но она, насколько я понял, тоже учится в УПИ.

— Первый раз слышу, что у Ирины есть сестра.

— Вы же сами пару минут назад сказали, что выяснили: квартиру в Одинцове снимала Катя Короткова.

Алена кивнула:

— Ага. А когда я Ирку увидела, сразу поняла: это ложь, Ира просто назвалась Катей, может, взяла у нее паспорт!

Я купил студентке кофе и, оставив Алену в забегаловке наслаждаться напитком, вернулся в институт.

В учебной части по-прежнему в одиночестве сидела обрюзгшая тетка неопределенного возраста.

— Вы Алла Федоровна? — лучезарно улыбнулся я.

Она кивнула:

— Ну, вам удалось что-нибудь узнать?

Я развел руками:

— Практически ноль. ...Ирина при всей своей

приветливости и общительности была замкнутым человеком.

— Девочки такие беспечные, — покачала головой Алла Федоровна, — учим их, учим, а толку мало! Сколько раз им говорили, не ходите поздно вечером одни, не садитесь в машины к незнакомым, не обнимайтесь с первым встречным на танцульках. Все мимо ушей пропускают. Вот недавно случай был, пришлось нам в милиции разбираться. Галю Малышеву задержали как проститутку. И что выяснилось! Эта абсолютно безголовая двоечница в полночь выскочила с дискотеки и стала голосовать на дороге. Остановилась машина. Галя, она живет у нас в общежитии, сказала мужику: «К УПИ меня», — и села на переднее сиденье.

Скорее всего, Малышева хорошо выпила, потому что задремала. Проснулась она в незнакомом месте от того, что водитель начал ее раздевать. Галя стала сопротивляться, драться, кричать. К счастью, мимо проезжал патруль, внимание которого привлек странно раскачивающийся автомобиль на обочине.

Парочку привезли в отделение. Галя обвинила парня в попытке изнасилования, а тот возмущенно завопил:

— Ты же сама сказала: «Купи меня»!

На этой стадии разбирательства приехала Алла Федоровна, которая призвана спасать студентов из щекотливых ситуаций, и она сразу разобралась, что к чему. Глупая, подвыпившая Галя, выпалила: «К УПИ меня», имея в виду, что ее следует доставить к зданию института.

А водитель истолковал ее слова по-своему: «Купи меня». Отсюда и вся неразбериха, закончившаяся дружным смехом ментов.

— Почему возникают столь нелепые ситуации? — качала головой Алла Федоровна. — На это есть лишь один ответ: из-за глупости девчонок. Разве Галя никогда не слышала о том, что опасно садиться в автомобиль к незнакомому мужчине? Еще хорошо, что так все закончилось! А вот три года назад Женя Ботова тоже после гулянки домой не вернулась. На мать жалко смотреть было, она, пока дочь искала, извелась вся.

— Нашли дочь?

— Да, — грустно кивнула Алла Федоровна, — на стройке, мертвую. Изнасиловали ее и бросили. Женя жизнью заплатила за свою беспечность. Дети ведь уверены: плохое случается с кем угодно, но не с ними, все умрут, а они останутся жить вечно. Молодость! Я думаю, Ирины, как ни жаль это осознавать, больше нет в живых. Сейчас весна придет, снег растает, где-нибудь тело и обнаружится. Очень, очень жаль девочку, такая веселая была, старательная, занятия никогда не пропускала, не то, что другие...

— А сестра ее? — перебил я словоохотливую Аллу Федоровну. — Тоже безалаберная девица?

— Чья сестра? — удивилась инспектор.

— Ирины Медведевой — Катя Короткова.

— А у нее есть сестра?

— Да, — кивнул я, — разве Катя не у вас учится?

— Нет, — покачала головой Алла Федоровна, — в первый раз о ней слышу.

Глава 13

Я сел в «Мерседес» и позвонил Норе.

— Вы не помните случайно, что Семен Юрьевич рассказывал про свою дочь Катю?

— Ничего особенного, — ответила Элеонора.

В трубке послышалось чавканье, и я воскликнул:

— Простите, связь плохая, почти ничего не слышно.

Чавканье исчезло.

— Извини, Ваня, — смущенно сказала Нора, — Орест испек какие-то штучки. С виду похожие на чипсы, тоненькие, жутко вкусные. Я съела, наверное, килограмма два, остановиться не могу.

Я почувствовал спазмы в желудке, очень захотелось есть.

— Ты приезжай домой, — велела Нора, — пообедаешь — и к новым свершениям.

Я улыбнулся, Норина интуиция просто поражает, она понимает настроение собеседника мгновенно. Интересно, с какой стати я проголодался? Обычно я ем не много, а завтрак сегодня был слишком обильным.

Едва я открыл входную дверь, как в нос ударили восхитительные ароматы. Я принюхался: пахло жареным мясом, пирогами и чем-то острым.

Рот мой наполнился слюной.

Из коридора с веником наперевес вылетела Муся.

— Иван Павлович! — запричитала она. — Бедненький! Устал-то как! Весь бледненький, прямо синий, на ногах не стоите.

Она меня толкнула, я, помимо воли, оказался на пуфике. Муся мгновенно стащила с меня ботинки, натянула тапки, сняла пальто. При этом домработница ни на минуту не переставала причитать:

— Виданное ли дело, столько работать! Кофейку небось ни разу не выпили! Идите в ванную, ручки помойте, костюмчик скидавайте, рубашечку тоже, я ее постираю!

Я попытался оказать сопротивление:

— Мне еще по делам ехать.

— Ужас! Этак вы себя убьете! Надо отдыхать побольше.

Она пошла за мной в ванную и стала контролировать процесс омовения рук.

— Мыльцем потрите, теперь щеточкой.

Я молчал, сцепив зубы. Назойливость прислуги начинала меня раздражать.

— Волосы причешите, вихор торчит, — заботливо посоветовала Муся.

Я глянул в зеркало. Действительно, пора в парикмахерскую.

В столовой сверкали приборы. Нора, восседавшая во главе стола, хмыкнула:

— Тебе вымыли руки?

— Муся очень старательная, — осторожно ответил я.

— Угу, — кивнула Элеонора, — прямо оторопь берет.

Но тут домработница внесла суп, и хозяйка замолчала. Борщ был выше всяких похвал, я не очень люблю украинскую кухню, на мой взгляд, она чересчур калорийна, но сегодняшний борщ был волшебно вкусен. К первому подали чесночные пампушки, явно только что из духовки. Я сначала заколебался, не следует есть чеснок, если собираешься потом встречаться с людьми. Но выпечка издавала такой невероятный аромат, что руки сами собой схватили пампушку, покрытую румяной, аппетитной корочкой. Вкус был упоительный. Даже в корчме «Тарас Бульба», куда меня на днях насильно приволок Макс, не подавали ничего подобного.

Впервые мы с Норой молчали за столом. Просто

быстро орудовали ложками. Муся, сложив на огромной груди окорокообразные руки, с умилением наблюдала за нами, изредка говоря:

— Иван Павлович, не торопитесь, никто у вас ничего не отнимет. Если пожелаете, еще супчику налью.

На второе подали мясо. На мой взгляд, нет ничего лучше, чем кусок правильно пожаренной вырезки, без разницы чьей, говяжьей или свиной. Но, к сожалению, даже в дорогих ресторанах ее не всегда готовят хорошо. Чаще всего элементарно не додерживают на огне, и из отбивной вытекает кровь. Поэтому полакомиться вырезкой удается не всегда, но то, что приготовил Орест, было просто классикой жанра. Повар сделал из банального куска говядины неземное лакомство, от которого не отказался бы и сам Зевс.

Я слопал четыре куска. На меня навалилось сонное оцепенение, в голове не осталось ни одной мысли, и я, нарушив все правила приличия, с наслаждением зевнул.

— Вот и ладненько, — одобрила Муся, — после обеда положено отдохнуть, главное, режим, а вы его не соблюдаете, о здоровье совсем не заботитесь, нервы не бережете. Сейчас еще сладкое покушаете, и на боковую. Отчего казак гладок? Поел — и на бок!

— Вы еще что-то на обед сготовили? — слабым голосом осведомилась Нора, стараясь разлепить склеивающиеся веки.

— Конечно, — кивнула Муся, — надо мяско сладким заесть. Сахарные трубочки со взбитыми сливками!

На столе, словно из воздуха, возникло блюдо с нежными пирожными.

— Что-то мне не хочется, — протянула Нора.

— А вот только попробуйте.

— Нет, нет, потом.

— Ну хотя бы крохотный кусочек!

Нора взяла трубочку, отщипнула кончик, отправила в рот и прошептала:

— Вкусно очень. Но, если я сейчас проглочу ее, она у меня через уши вылезет!

— Неужели не понравилось? — чуть не зарыдала Муся.

— Замечательно, — призналась Нора.

— Тогда чего отложили?

— Не лезет, я есть больше просто не могу.

— Неправда, — убивалась Муся, — человек завсегда кушать готов, он же не животное!

Я постарался скрыть улыбку. Однако Муся — философ. Очень тонкое замечание. Представители мира зверей едят только тогда, когда ощущают голод, и, утолив его, не станут есть лишнее. Беспрестанная жратва прерогатива человечества.

— Орест Михайлович, — в полном отчаянии завопила Муся так, что в буфете зазвенели фужеры и рюмки, — сделайте милость, подойдите на секундочку, извиняйте, коли от дел вас отвлекаю.

Дверь беззвучно отворилась, и в щель протиснулось тщедушное тельце супруга домработницы. Вы не поверите, но он был облачен в хрустящий от крахмала халат, на голове гномика торчал такой же кипенно-белый колпак, на ногах красовались одноразовые бахилы, наподобие тех, что выдают сейчас посетителям в дорогих стоматологических клиниках и больницах.

— Орест Михайлович!!! — взвыла паровозной сиреной Муся. — Ваши трубочки невкусными вышли!

Муж озабоченно покачал головой.

— Я все клал как обычно-с. Никаких изменений в рецептуре. Если по поводу моей аккуратности сомневаетесь, то у меня на кухне полнейшая стерильность!

— Трубочки замечательные, — попыталась вразумить парочку Нора, — просто есть сил больше нет.

— Ужасно! — воскликнул Орест Михайлович. — Трубочки не понравились! Хотите «Наполеон»? Я его к ужину приготовил-с! Но извиняйте меня, если не угодил! Муся, неси «Наполеончик».

— Трубочки великолепные! — взвизгнула Нора. — Больше ничего не надо, все! Обед закончен! Убирайте посуду! Какой торт на ужин! Мы больше трапезничать не сядем целую неделю. Так ведь, Ваня?

Я кивнул. Ей-богу, я наелся на год вперед. Муся всхлипнула и прижала к глазам огромный, отлично выглаженный носовой платок. Глаза Ореста Михайловича начали медленно наполняться влагой, одна слезинка поползла по узкому личику повара, потом он заломил руки и заголосил, словно участник хора древнегреческой трагедии:

— О-о-о, позор! Не сумел хозяевам приготовить сладкое, о-о-о!

Я растерялся. Мне иногда приходилось делать замечания поварам. Пару раз в ресторанах, недовольный качеством еды, я выговаривал метрдотелю, который незамедлительно вызвал с кухни шеф-повара, дабы тот сам выслушивал справедливые упреки.

Поймите меня правильно, я не придира, не любитель устраивать скандалы и не зануда. Просто я считаю, что, отдавая приличные деньги за еду, имею право на мало-мальски съедобные закуски. Но ни один из поваров никогда не начинал рыдать в голос, как Орест Михайлович. Меня всегда вышибает из колеи нестандартная реакция человека на обстоятельства. Ну как, скажите на милость, следует поступить сейчас? Обнять Ореста Михайловича? Вытереть ему слезы салфеткой?

— Лучше умереть! — причитал Орест. — Так опростоволоситься, не суметь приготовить нормальное сладкое! Позор мне! Позор! Жизнь закончена! Муся, немедленно беги в аптеку, купи яду, завещание в тумбочке. Все, естественно, остается тебе, только ножи отдай маме.

И он залился плачем. Муся рыдала в платок. Я кинул взгляд на Нору, та сидела с разинутым ртом. Впервые моя хозяйка не знала, что делать. Потом на ее лице появилась решимость, она схватила трубочку и принялась пихать ее в рот, приговаривая:

— Как вкусно! Восхитительно! Ваня, немедленно ешь!

Я заколебался. Конечно, Нора платит мне зарплату, причем очень приличную, и я просто обязан выполнять все указания хозяйки, но то, что касается еды, это личное дело каждого...

Решив подавить мятеж на корабле в зародыше, Элеонора пнула меня ногой:

— Эй, Иван Павлович! Это СТРАШНО ВКУСНО!

Делать было нечего, пришлось проглотить слоеное пирожное. Кое-какое время мы с Норой пели на два голоса:

— Потрясающе!
— Великолепно!
— Восхитительно!!

— Нет слов!!!

— Вкуснее ничего никогда не ели!!!

Плач стих. Орест Михайлович вынул из кармана белый платок, с шумом высморкался и спросил:

— Вам правда нравится?

— Да!!! — заорали мы в один голос. — Видите, мы съели по трубочке.

— Муся, — распорядился Орест Михайлович, — за ядом можешь не ходить. Я пока поживу.

— Скушайте еще по одному пирожному, чтобы мы совсем успокоились, — прогудела Муся.

Мы с Норой осилили вторую порцию. Орест Михайлович ушел, Муся забегала вокруг стола веселая, словно птичка. Впрочем, сравнение стопятидесятикилограммовой туши с пташкой не слишком корректно. Скорей уж Муся напоминает Большой театр, величественное, монументальное здание с колоннадой.

Наконец домработница понесла в кухню грязные тарелки.

Нора простонала:

— Это ужасно, но мне надо лечь.

Я кивнул:

— Конечно, отдохните, потом поговорим о делах, нет никакой спешки.

Нора докатилась до двери, притормозила и неожиданно спросила:

— Они каждый раз будут рыдать, если мы не сможем доесть поданное на стол?

Я улыбнулся.

— Надеюсь, что нет.

Нора хмыкнула и порулила в спальню. Я пошел к себе и плюхнулся было на кровать, но уже через секунду понял, что лежать на животе не могу, на боку и спине тоже, переполненный желудок, раздутый, словно гигантский футбольный мяч, давил на легкие. Впервые в жизни я понял, что выражение «задохнуться от обжорства» не есть красивая фраза. Убедившись, что заснуть, несмотря на полное отсутствие мыслей в голове, не удастся, я сел, потом встал и, взяв ключи от машины, пошел в прихожую. Путь мой лежал мимо кухни. Оттуда доносилось громкое звяканье и пение Муси. Очевидно, домработница мыла посуду. Боясь, что она сейчас выскочит и начнет одевать меня, я прокрался к вешалке, осторожно влез в пальто и, взяв ботинки в руки, двинулся к двери. Придется, во избежание инцидентов, обуваться на площадке у лифта.

И тут с жутким грохотом упала палка с рогулькой, которой мы достаем с верхней полки головные уборы. Я вжал голову в плечи, от души надеясь, что Муся не услышит грохота. В кухне шумно бьет в раковину струя воды...

Но слуху домработницы мог позавидовать даже настороженный тушканчик. Не успела палка свалиться на пол, как Муся вылетела в холл и запричитала:

— Иван Павлович! Куда вы?

— На работу, — попятился я.

— Босиком?

— Нет, конечно, — замямлил я.

Муся быстро усадила меня на пуфик. Я покорно смотрел, как она, ловко шевеля сардельками пальцев, зашнуровывает ботинки. Какой смысл сражаться с мчащимся по рельсам паровозом? Руками многотонную машину ни за что не остановить. Догонит и раздавит!

Ритуал проводов занял минут пятнадцать, я больше не сопротивлялся. Шапочка, шарф, перчатки... Потом Мусе показалось, что мое пальто не слишком чистое, и она принялась истово орудовать щеткой.

Наконец я был выпущен ею на волю под напутственные слова:

— Осторожней, не гоните.

— Хорошо, впрочем, я езжу аккуратно.

— Никого не подвозите.

— Ни в коем случае.

— Если хулиганы пристанут, сразу суйте им, что просят. Жизнь сейчас такая, что за копейку удавят.

— Только приблизится грабитель, я мигом сам разденусь, — с самым серьезным видом пообещал я.

— А вот этого делать не надо! — предостерегающе подняла толстый палец Муся. — Еще замерзнете, просто кошелечек отдайте с часами.

— Без проблем.

— В городе не ешьте, заразу подцепите. Упаси вас бог всякую дрянь покупать!

— Я и не собирался, — сказал я чистую правду и ткнул в кнопку вызова лифта.

Но подъемник не спешил на наш этаж, и Муся продолжила наставления:

— Допоздна не задерживайтесь, сейчас темнеет рано.

Я кивнул.

— Еще... — начала было Муся, но тут передо мной распахнулись дверцы, я влетел в кабину и быстренько нажал на цифру «1».

Ей-богу, прислуга перебарщивает с заботой. Даже мама в детстве, отпуская меня маленького в школу, не давала столь глобальных напутствий. Слава господи, я избавился наконец от домработницы.

Лифт замер, двери разошлись в разные стороны, и я тут же наткнулся глазами на Мусю, красную, запыхавшуюся и растрепанную.

— Уф, — прерывающимся от тяжелого дыхания голосом, заявила она, — слава богу, успела, думала, не догоню!

— Чего тебе надо? — весьма невежливо перешел я с прислугой на «ты».

— Вот, — она стала запихивать мне в карман носовой платок, — свеженький забыли!

— Ты утром положила мне целых четыре штуки!

— Так они небось испачкались! — воскликнула домработница. — Вынете при посторонних, захотите вспотевший лобик вытереть и позору не оберетесь. Красивый, элегантный, не мужчина, а леденец на палочке и... с грязным, мятым платком в кармане.

Всю мою злость как ураганом сдуло. Нет, Муся неподражаема!

— Ну ступайте уже, — легонько подтолкнула меня в спину Муся, — нельзя, одевшись, в тепле париться, выйдете на улицу, и готово! Воспаление легких.

— Сама не стой на холоде раздетой, — я тоже решил проявить заботу и стал мелкими шажками продвигаться к выходу.

— Иван Павлович! — умилилась Муся.

Я, испугавшись, что она сейчас снова зарыдает, вспуганным сайгаком выскочил во двор и, чуть не упав на скользком тротуаре, бросился к «Мерседесу».

— Говорила же, осторожней надо, — несся над улицей бас Муси, — так нет, торопится, ровно на свадьбу опаздывает.

Глава 14

Ольга Марковна жила на краю света. Это был один из самых дальних столичных районов. Так и хотелось спросить у его жителей:

— Простите, время тут у вас московское?

Покрутившись на машине вокруг совершенно одинаковых блочных башен и подивившись, каким образом люди тут находят свои квартиры, я от души пожалел Ольгу Марковну. Занятия в институтах начинаются рано, ей небось приходится вставать ночью, иначе никак не успеть в УПИ к девяти утра. Хоть теперь она работает в другом месте.

Я добрался до нужной двери и позвонил.

— Кто там? — прошелестело из-за створки.

— Будьте любезны, откройте, меня зовут Иван Павлович Подушкин, я не вор, не грабитель и не разбойник. Мне просто надо с вами побеседовать.

В квартире воцарилась тишина. Что ж, понять женщину можно, она живет одна, на улице вечер, а в дверь ни с того ни с сего звонит посторонний мужчина. Многие из вас ни за что не откроют в подобной ситуации, и, кстати говоря, правильно сделают. Но мне просто необходимо побеседовать с «немкой».

— Пожалуйста, — взмолился я, кожей ощущая страх, исходящий от Ольги Марковны, — меня к вам направила Алена.

— Какая? — спросила хозяйка.

— Ваша бывшая студентка, подруга Стаси и Карины, вы жили у нее какое-то время в прошлом году.

Загремела цепочка, залязгал замок, и перед мной возникла высокая фигура. Я окинул Ольгу Марковну взглядом. Увы, большинство женщин не понимает, что худая корова еще не газель. Некоторым дамам на роду написано быть пампушечками, а они изводят себя диетами и добиваются всеми правдами и неправдами стройности, которая уродует их донельзя.

Ольга Марковна была дылдой. Слишком, на мой взгляд, высокая, излишне худая, с физиономией, похожей на морду больного кролика. Плохо постриженные волосы свисали вдоль впалых щек. Красок в лице не было никаких, кроме серой. На ее месте, посмотрев беспристрастным взглядом на себя в зеркало, я бы мигом кинулся за декоративной косметикой. Пару раз я наблюдал за волшебным превращением жабы в нимфу. И понадобилось для этого всего пять-шесть коробочек, тюбиков и флакончиков.

— Что Алене надо? — вяло проблеяла Ольга.

Я изобразил самую сладкую улыбку и протянул ей визитную карточку.

— Разрешите познакомиться, Иван Павлович.

Ольга Марковна, не мигая, уставилась на визитку, потом на меня, затем снова на карточку. Я терпеливо ждал. Я хорошо знаю, что произвожу на окружающих самое приятное впечатление.

— И что вы хотите? — протянула хозяйка.

Я приободрился.

— Можно пройти?

— Ну... ступайте на кухню, — разрешила она.

Я посмотрел на грязный, просто черный пол, потом заметил в углу заношенные клетчатые мужские тапки и принял решение не снимать ботинки. С одной стороны, похоже, что Ольга Марковна не подметала свое жилище с Нового года, с другой — я просто не способен надеть тапки погибшего Романа.

Кухня оказалась еще грязней прихожей. Крохотное пространство было загромождено пустыми бан-

ками, коробочками, мятыми пакетами, и повсюду
висели тряпки. Маленький столик покрывала лип-
кая клеенка в коричневых разводах.

Ольга опустилась на табуретку.

— Говорите.

Я, не дождавшись приглашения садиться, тоже
сел и неожиданно для самого себя выпалил:

— Вы ведь хорошо знали Ирину Медведеву?

— Какую? — без всяких эмоций поинтересовалась Оля.

— Вашу студентку из УПИ.

— Вроде была такая... я плохо помню.

Я покачал головой. Да она великолепная актриса! Ладно, не хочет по-хорошему, пожалеет об этом!

— Ольга Марковна!

Хозяйка подняла бесцветные глаза.

— Что?

— Я сотрудник частного детективного агентства
«Ниро», вот моя лицензия.

Преподавательница молча посмотрела на бумажку и снова не выказала никакой растерянности, испуга или удивления.

— Ну и что?

— Меня наняли расследовать дело о пропаже
Ирины Медведевой.

— Ну и что?

— Следы привели меня к вам.

— Ну и что?

Я обозлился. Однако у дамочки железные нервы,
просто из стальных тросов, и незаурядные способности к лицедейству.

— Ирина Медведева была любовницей вашего
мужа, вы хотели ее убить!

— Ну и что?

— Где тело Иры?

— Какой?

— Медведевой!!! Любовницы вашего мужа!!!

— Какого?

— Романа! — рявкнул я, теряя остатки самообладания.

— У меня нет супруга, — монотонно, словно не слыша собеседника, заявила Ольга.

Я постарался взять себя в руки. Дама хочет показаться ненормальной, дабы избежать возмездия за содеянное, но ничего у нее не получится.

— Сейчас вы вдова, но еще несколько месяцев назад были женой Романа.

— Ну и что?

— Он завел любовницу, Иру!

— Ну и что?

— Вы ее убили?

— Да? Ну и что?

Я почувствовал смертельную усталость. Ей-богу, лучше грузить мешки с камнями, чем беседовать с этой особой. Однако она умна. Вместо того, чтобы врать, возмущаться, отрицать очевидное, прикинулась имбецилкой. Гениальное поведение. Девять человек из десяти, поняв, что имеют дело с умалишенной, встали бы и ушли. Но я упорный и очень сообразительный. Ладно, посмотрим, кто кого переиграет.

— Где спрятано тело?

— Чье?

— Ирины Медведевой.

— Это кто?

— Любовница вашего мужа.

— Какого?

— Романа.

— Ну и что?

— Вы ее убили.

— Ну и что?

— И спрятали труп.

— Где?

— Что?

— Тело?

— Чье?

— Ирины Медведевой.

— Это кто?..

Мы прошли семь раз по кругу, и я вспотел. Ольга же сидела совершенно спокойно. Мне очень не хотелось признавать свое поражение, но стало понятно, что у этой нахалки более крепкая нервная система, чем у Ивана Павловича, и, вероятней всего, мне сейчас придется уходить несолоно хлебавши.

Внезапно хозяйка встала, вынула из шкафа железную банку с малосъедобным печеньем датского производства, открыла крышку и принялась поедать одну печенюшку за другой...

Я с удивлением наблюдал за ней. Одно печенье упало на пол и развалилось на мелкие кусочки. Ольга присела и стала осторожно подбирать крошки. То, что оказывалось в руке, она ничтоже сумняшеся клала в рот и съедала вместе с грязью.

Я растерялся.

— Ольгушка, — донесся из коридора веселый, чуть картавый голосок, — а почему у тебя дверь не заперта? Ай-яй-яй! Нехорошо!

В кухню быстрым шагом вошла молодая женщина с туго набитой сумкой. Увидев меня, она попятилась и воскликнула:

— Вы кто?

Я моментально протянул ей свои документы и

постарался вкратце описать ситуацию. Пока я говорил, Ольга сидела у стола на полу, тупо глядя в стену.

Молодая женщина вдруг сказала:

— Все ясно. Меня зовут Светлана, я сестра Ольги. Вы уже поняли, что она больна?

Я осторожно ответил:

— Сначала мне показалось, что Ольга Марковна прикидывается ненормальной, чтобы избежать разговора со мной, но, когда она вдруг внезапно съела почти всю коробку печенья, я стал сомневаться в ее вменяемости.

— Если подождете пару минут, — сказала Света, — я уложу Оленьку, и мы сможем поговорить.

С этими словами она помогла сестре встать и увела ее.

Я остался на некоторое время на кухне один. Хотелось курить, но вокруг не нашлось ничего, похожего на пепельницу, да и закуривать без разрешения хозяев неприлично.

Наконец Светлана вернулась.

— Хотите чаю? — спросила она.

Я кивнул, на самом деле я не испытывал никакого желания пить чай из не слишком чистых чашек. Впрочем, Светлане небось тоже неохота сервировать стол. Мы с ней оба заложники хорошего воспитания. Света, подавив вздох, начнет готовить чай, я с натянутой улыбкой буду пить отвратительный напиток. Ей-богу, чем дольше я живу, тем больше понимаю, что родители зря стараются привить своим детям отличные манеры. В первую очередь, следует спросить себя:

«Минуточку, а кому в результате станет лучше? Ребенку или окружающим его людям?»

Вот меня, например, вымуштровали таким образом, что все, кто со мной общается, чувствуют себя комфортно. Лишь мне плохо. Я не умею одернуть женщину или расшалившегося ребенка, не способен спорить с людьми пожилого возраста... В результате все, кому не лень, садятся господину Подушкину на шею, а я, осознавая сей факт, не могу поставить их на место, потому что это будет страшно невоспитанно. И кому хорошо? Всем, кроме меня. Мораль: воспитывая ребенка — не переборщите. Если насыпать в стакан полкило сахара, чай превратится в приторный сироп. Так же и с хорошими манерами, во всем нужна мера.

Передо мной возникла плохо вымытая кружка с дымящимся напитком. Светлана села напротив.

— Давно с Ольгой такое? — спросил я, делая вид, что наслаждаюсь чаем.

Светлана тяжело вздохнула:

— Через неделю после гибели Романа Олюшка решила покончить с собой, наелась таблеток и легла в кровать. До сих пор не понимаю, что меня толкнуло в тот день? Почему я поехала к ней?

Увидав незапертую дверь, Светлана насторожилась и бросилась в спальню. Оля лежала на кровати, к счастью, еще живая. В больнице она провела больше месяца, выздоровела, вернее, физически окрепла. Хуже обстояло дело с психикой. Ольга превратилась в полуразумное существо, для которого основным смыслом существования стала еда.

— Я возила ее по лучшим специалистам, — вздыхала Светлана, — все лишь руками разводят. Отчего человек вдруг становится идиотом, никому не ведомо. Говорят, что таблетки, которых наглоталась Ольга, повредили кору головного мозга. Но так это или нет?! Кто знает? Да и какая теперь разница. Это не лечится. Правда, позавчера один профессор, мировое светило, заявил, что, может быть, это реактивный психоз. Какой-нибудь сильный стресс, мощная психологическая встряска способны вернуть прежнюю Олю, но каким образом ее «встряхнуть», он не сказал. Вот так и мучаемся. Одно хорошо: она не агрессивна, вполне может себя обслужить, сама ходит в туалет. Весь день сидит или лежит, похоже, не испытывает никаких эмоций. В общем, это жизнь растения или хомячка. Поел, поспал, поел... Но одну ее спокойно можно оставить. Иногда она мне кажется даже вполне вменяемой.

— И когда Оля попыталась покончить с собой?

Светлана тяжело вздохнула:

— В декабре, как раз в день рождения Романа. Она его жутко любила.

— А он ее?

Света нахмурилась.

— Знаете, в жизни всегда один целует, а другой подставляет щеку. Роман снисходительно позволял моей сестре себя обожать. Образно говоря, брал золотой слиток и отдавал медные монетки на сдачу. Впрочем, я сначала никаких претензий к нему не имела, более того, считала, что он просто совершил геройский поступок, предложив Оле руку.

— Почему?

Света криво улыбнулась:

— Романа воспитывала мама, одна, без мужа. Надо отдать ей должное, сына она вырастила замечательного. Редко встречаются такие дети, просто набор шоколадных конфет, а не мальчик! Школа с золотой медалью, институт с красным дипломом, аспирантура, кандидатскую пошел защищать, а ее засчитали за докторскую. Сделал какое-то потрясающее открытие в математике, в чем его суть, не спрашивайте, я не разбираюсь в этом. Ректор института УПИ его буквально на руках носил. И все понимали: Роман очень далеко пойдет. Это был лучший жених в институте — и вдруг Ольга.

— Чем же ваша сестра была так плоха? — удивился я.

Светлана покачала головой:

— Она хороший человек, положительный, честный, но заурядный. Никаких особых талантов у нее не было. Если Роман — яркая звезда, то Олю можно сравнить с тлеющей свечкой. И потом, Роман был моложе ее и значительно ниже ростом.

— Рост, в конце концов, не главное!

— Это верно, — кивнула Света, — только все вокруг удивлялись. Возле Романа крутились такие девицы! УПИ — престижный вуз, там дочки богачей учатся. Любая бы с радостью кинулась, помани ее Рома пальцем, а он выбрал ничем не примечательную преподавательницу, совсем не богатую и не красивую.

— Любил, наверное, — поддержал я тему, — иному и «Мисс мира» не нужна, своя Дуня милее.

Светлана поджала губы.

— Ну... одно время я тоже так думала, а потом...

— Что?

— Я поняла, что Роме просто удобно с ней. Оля убирала, стирала, готовила...

— Думается, вы не правы, — пробормотал я, — сейчас нет никакой проблемы найти бабу, которая взвалит на свои плечи тяготы домашнего хозяйства. Удовольствие это не слишком дорогое. Намного легче заплатить поломойке, чем ради глаженых рубашек и чистых полов терпеть постылую супругу. Очевидно, Роман просто любил Ольгу.

— Как бы не так! Он ей изменял! — подскочила Света.

— Вы знали про его отношения с Ириной? — удивился я.

— Нет, с Ларисой, — неохотно ответила Света, — с моей подругой, вернее, теперь она мне не подруга, но тогда была ею.

— Вы свели мужа своей сестры с другой женщиной? — удивился я.

— Что за глупость пришла вам в голову! — вспылила Света. — Нет, конечно, это случайно вышло. Хотя поверить в такое трудно.

И она начала рассказ. Я молча ее слушал. В жизни людей большую роль играет Господин Случай. Причем иногда он подбрасывает вам такое, что впору только развести руками, с трудом веря в происшедшее.

Но действительность частенько оказывается намного интересней и невероятней, чем любые литературные произведения.

Один мой знакомый, Олег Саратов, со скандалом развелся с женой. Я, узнав об их разрыве, очень удивился. Семья Олега казалась на редкость крепкой и счастливой. Но потом он, изрядно выпив, рассказал мне, в чем дело.

Олег на самом деле жил с женой хорошо, можно сказать, душа в душу, скандалов у них не бывало. Лиля разумно отпускала мужа погулять на длинном поводке. Она никогда не устраивала истерик по поводу походов супруга в баню с ребятами или поездок на рыбалку.

А еще Лиля вполне прилично зарабатывала, ее,

молодого компьютерщика, ценили на службе и постоянно выдавали ей премии. Поэтому клянчить у Олега рубли на мелкие женские прихоти ей не приходилось. В общем, не жена, а сладкий пряник. Но у нее был все же один недостаток. Лилечка была не слишком сексуальна, первые годы брака она еще худо-бедно шевелилась, но потом стала отбиваться от Олега, прибегая к банальным уловкам: голова болит, устала, как собака, прости, сегодня не тот день!

Олег понял спустя десять лет после свадьбы: жена к нему охладела, и стал потихоньку изменять ей.

Сотни, тысячи мужчин живут подобным образом. Лгут по поводу задержек на работе, командировок и чувствуют себя великолепно. Разводиться они не собираются, большинство очень хорошо понимает: бабы-то все одинаковые... Жена уже известна со всех сторон, принимает тебя таким, какой ты есть, а что за супруга получится из любовницы, еще неизвестно. Да и страсть пройдет, и вновь наступит рутина законных отношений... И вообще супругу на любовницу меняют редко, мы, мужчины, не большие любители принятия радикальных решений.

Вот Олег и бегал налево. Один раз приятели подбили его сходить в публичный дом. Но не простой, жрицами любви там работали приличные, замужние женщины, часто богатые. Стать гетерами их побудила скука и то, что мужья, тотально занятые бизнесмены, не уделяли внимания своим половинам. Впрочем, и от денег, причем очень больших, дамочки не отказывались.

Наврав Лиле про гада начальника, заставившего его в субботу выйти на службу, и услыхав от жены обычную фразу: «Не беда, я с Люськой пойду шляться по магазинам», — Олег отправился к продажным женщинам.

Его провели в шикарно обставленную комнату, где на столе стояло шампанское и фрукты. Олег сел в кресло, дверь открылась, появилась молодая, красивая женщина в прозрачном пеньюаре. Саратов глянул на нее и чуть не умер. Вы уже догадались, в чем дело? Перед ловеласом стояла его собственная жена.

Поэтому рассказ, услышанный от Светы, меня не удивил. Шутка Господина Случая! Впрочем, у русского народа есть свое мнение по поводу таких ситуаций: «Бог шельму метит». Остается лишь восхищаться краткостью и точностью этой поговорки.

Глава 15

Лариса давно прожужжала Свете все уши о том, какой замечательный любовник попался ей на жизненном пути. Умный, талантливый, красивый, нежадный, сексуальный, заботливый. Одна беда, сей алмаз имел жену, женщину некрасивую, тупую, злобную, глупую, уродливую и старую...

— Он живет с ней из жалости, — щебетала Лариса.

Света ухмыльнулась. Как же! Знает она эти песни. Врет любовник, что уже много лет спит с женой в разных комнатах. А потом, бац, и окажется счастливым отцом новорожденного младенца. Но наставлять подругу на путь истинный Светлана не стала. Лариса уже большая, сама разберется, нужен ли ей парень, обремененный семьей.

Потом Лариса принялась жаловаться, что «алмаз» не хочет ее знакомить со своими приятелями, не водит в кино и рестораны, предпочитает встречи дома у любовницы... Света только пожимала плечами, удивляясь Ларисиной глупости. Ясный перец, мужик боится засветиться!

Затем Лариса попросила:

— Светик, приди ко мне сегодня в восемь, якобы случайно. Ну, мол, мимо шла и зарулила без звонка.

— Да зачем?

— Кавалер ко мне явится, — вздохнула Лариса, — не хочет он ни с кем из моих подруг знакомиться, так я назло ему сделаю.

— Может, не надо? — попыталась вразумить ее Света.

— Тебе что, трудно? — возмутилась Лариса.

— Нет, конечно, — ответила Света, которой давно хотелось взглянуть на таинственную личность, сотканную из одних достоинств.

Ровно в указанное время она очутилась в прихожей у Ларисы и под фальшивые сетования подруги: «Ну надо же, я совсем тебя не ждала», — влетела на кухню.

За столом, в шлафроке, сидел... Роман. Он просто окаменел, увидев сестру жены, а Светлана настолько растерялась, что брякнула:

— Рома! Зачем ты надел фиолетовый халат? Тебе этот цвет не к лицу!

Лариса недоуменно переводила взгляд с любимого человека на лучшую подругу. Постояв какое-то время, Светлана ринулась на улицу прямо в домашних тапочках. Объясняться с Романом ей не хотелось.

Часа два она потом бродила по улицам, лихорадочно соображая, как поступить? Рассказать сестре о неожиданной встрече или нет? Так и не приняв решения, она поехала к сестре и у подъезда столкнулась с Ромой.

Разговор вышел мучительным для обеих сторон. Света яростно налетела на зятя, тот стал говорить гадости про Ольгу. Какое-то время они орали друг на друга, потом успокоились, и Рома неожиданно мирно попросил:

— Будь человеком, не рассказывай ничего Ольке!

Света сердито молчала, прикусив нижнюю губу. Она и сама поняла: лучше сестре оставаться в неведении.

— Чего хорошего получится? — тихо бормотал Роман. — Ну накляузничаешь... Мы разведемся, и дальше? Я-то устрою свою жизнь, а Ольга?

— За каким чертом ты тогда на ней женился? — обозлилась Света. — Жил бы холостяком, котовал сколько хотел.

— Так я люблю Ольку, — на полном серьезе заявил ловелас.

Светлана плюнула от злости на тротуар.

— Хороша любовь! Зачем тогда тебе Лариска?

— Одну люблю, — сказал Роман, — а с другой сплю. Я Олюшку никогда ни на кого не променяю. Она мне со всех сторон подходит, кроме одной.

— Какой же? — продолжала злиться Света.

Рома ухмыльнулся.

— Я мужчина в расцвете сил, понимаешь? А Ольга раз в месяц в лучшем случае меня к себе в койку пускает.

— «Мужчина в расцвете сил», — прошипела Света, — Карлсон, блин, выбирай: либо Оля, либо эта сука Лариса!

— Все, все, — поднял вверх руки донжуан, — вопросов нет, я иду домой.

Светлана не нарушила своего обещания, она ничего не рассказала Оле, но постаралась с тех пор как можно реже бывать у сестры. Очень не хотелось ей видеть наглую, сытую морду Романа. С Ларисой она тут же прервала отношения. Встретились они лишь на похоронах Ромы.

Света, ни на шаг не отходившая от обезумевшей от горя сестры, была неприятно поражена, заметив в толпе прощающихся Ларису. Вообще говоря, похороны получились шикарные, если уместно употребить в этом случае сей эпитет. Пришел весь преподавательский состав УПИ, большинство студентов, их родители. Романа любили за веселый нрав, полное отсутствие вредности, уважали его талант и знания. Было море букетов, шеренги венков, звучали прочувствованные речи, большинство присутствующих рыдало, но Свету дико раздражала Лариса. Она, правда, вела себя скромно, в первые ряды не лезла, тихо плакала в углу, никоим образом не демонстрируя, что у нее с покойным существовали особые отношения. Потом гигантская людская очередь потянулась к гробу. Наступила минута последнего прощания.

И тут нервы Светланы не выдержали. Перепоручив сидевшую в полуобмороке Ольгу жене ректора, Света подскочила к Ларисе и злобно прошипела:

— Не смей даже приближаться к покойному!

Лариса подняла на бывшую подругу заплаканные глаза:

— Прости. Я не знала, что он — муж Ольги, мы же с твоей сестрой близко не общались. Я очень любила Романа.

Слезы покатились по ее ненакрашенному лицу, но Свету они не разжалобили.

— Уходи, тебе тут нечего делать.

— Ладно, — кивнула Лариса, — сейчас я уеду, только ты не ту гонишь! Видишь, вон там девка стоит?

Света проследила за пальцем Лары и увидела стайку студенток.

— В мини-юбке, в зеленой, — прошептала Лариса, — ее зовут Ирина Медведева. Вот уж стерва так стерва! С ней Роман последнее время жил, она его с Олей развела, хитрая сука! Ты бы лучше ее шуганула. В конце концов Рома из-за нее погиб.

— Теперь уже все равно, с кем он жил, — не успокоилась Света, — убирайся.

— Пойми, я любила Рому.

— Уходи, не позорь нашу семью.

— Это Ирка вас позорит!

— С ней я потом разберусь, уметайся.

— Я ее убью! — внезапно выкрикнула Лариса, сжимая кулаки. — Убью за все, что она сделала!

Она пошла было в сторону студенток, но Света вцепилась ей в плечо:

— Совсем офигела? Задумала из похорон цирковое представление устроить! Лучше и не начинай, только рот откроешь, я тебя поколочу!

Лариса остановилась.

— Ладно, — протянула она, — будь по-твоему. Но я Ирину непременно убью!

— Делай с ней что хочешь, — пробормотала Света, выталкивая Ларису на улицу, — но не сегодня и не здесь!

Я молча выслушал этот грустный рассказ. Однако Роман — просто роковой мужчина. Интересно, что в нем было такое, если женщины из-за него теряли разум? Я со всеми своими дамами, основная масса которых благополучно пребывает замужем, расставался мирно и тихо. С большинством из них продолжаю поддерживать хорошие отношения. А тут просто какая-то Италия, чувства в клочья...

— Теперь понимаете, что Оля не причастна к исчезновению Иры? — мрачно осведомилась Света, сидя над чашкой остывшего чая. — Когда Медведева исчезла, Ольга лежала в психиатрической клинике, практически невменяемая. Она забыла про Медведеву, да и Романа, кажется, тоже. Вы лучше к Ларисе сходите. Мы с ней много лет дружили, и я знаю, что Лара дико злопамятная. Если ее кто обидит, она через сто лет вспомнит и отомстит.

— Давайте ее координаты, — согласился я.

Света достала из сумочки записную книжку.

— Только не рассказывайте ей о нашем разговоре.

Я кивнул.

— Хорошо, хотя я не понимаю, чего вам бояться.

Светлана дернула плечами.

— Просто я не хочу, чтобы Лара мне трезвонила и выясняла отношения.

В машине я вытащил мобильный. Надо же, день кажется бесконечным. Я считал, что уже давно пробило полночь, а на часах всего восемь вечера. Наверное, это из-за того, что я весь день пробегал по городу.

Внезапно мобильный, который я держал в руках, резко зазвенел. На дисплее высветился номер Николетты. Первым моим желанием было не отвечать. Но потом я со вздохом нажал на кнопку:

— Слушаю.

Те, кто не первый раз встречается со мной, великолепно знакомы с Николеттой[1].

Совершенно очевидно, что она не оставит меня в покое и станет названивать безостановочно. Маменька человек упорный, идущий к своей цели напролом, и если ей взбрело в голову поговорить с сыном, то уж будьте уверены, Николетта достанет меня даже со дна Кармадонского ущелья.

— Ваня, — зачирикала маменька, — нет, какое безобразие! Ты слышишь меня? Почему не отвечаешь? Ваня, я возмущена! Безобразие! Отчего ты молчишь? Алло, алло! Ваня!

— Я тут.

— Что за глупая манера молчать!

— Извини, — вздохнул я, хотя следовало возразить: «Ты же мне не дала и слова вымолвить, тарахтела, как бешеная погремушка».

— Ваня!

— Да.

— Ваня!!!

— Николетта, подойди к другому телефону, — посоветовал я, — тот, который у тебя в спальне, не очень хорошо работает. А еще будет замечательно, если ты выключишь телевизор, его звук не позволяет тебе услышать меня.

— Глупости! Это у тебя идиотский аппарат.

— Моя трубка новая.

— Ерунда! Купил дешевку, от нее, конечно, никакого толку, — злилась Николетта, — сколько раз я тебе говорила: вещи должны быть дорогими! Вот я всегда приобретаю лучшее и качественное.

---

[1] См. книги Дарьи Донцовой «Букет прекрасных дам», «Брильянт мутной воды», «Инстинкт Бабы Яги», «13 несчастий Геракла». Изд-во «Эксмо».

Я молча ждал, пока этот фонтан слов иссякнет. Николетта на самом деле имеет привычку, войдя в магазин, незамедлительно ткнуть пальчиком в предмет, украшенный ценником с рядами нолей. Все мало-мальски доступное по цене вызывает у нее презрительную гримасу. Даже если дешевая вещь оказалась хорошей, маменька останется недовольной. На Новый год моя бывшая няня, Нюша, служащая теперь у Николетты домработницей, преподнесла ей банный халат китайского производства.

— Где ты его взяла? — прищурилась Николетта, брезгливо тыча в одеяние.

— На рынке, — сообщила бесхитростная Нюша, — гляньте, какая красота. Цвет ваш любимый, персиковый, и недорого совсем отдала.

— Мерси тебе за сувенирчик, — скривилась маменька и сунула вполне, на мой взгляд, симпатичный халатик в самый дальний угол.

Так бы он и провисел в забвении, но тут Николетта, в очередной раз сказавшись больной, вызвала своего доктора. Пока тот торопился через все пробки, умирающая решила откушать кофейку и велела Нюше подать поднос в постель. Чашка опрокинулась на Николетту, маменька завопила, и пришлось вытаскивать на свет божий «ужасно дешевое, омерзительно простецкое» одеяние. Сами понимаете, что погибающая от страшной, неизлечимой болезни дама должна встречать терапевта в безукоризненном пеньюаре при духах и бриллиантах.

После того раза Николетта стала надевать подвергнутый вначале остракизму халат. Она даже полюбила его. Я один раз не удержался и решил уколоть маменьку. Увидав ее облаченной в подарок Нюши, я не выдержал и сказал:

— Оказывается, и дешевая вещь может прийтись ко двору.

Маменька нахмурилась:

— Материал хороший, форму после стирки не теряет, цвет не тускнеет, телу приятно... Одного не пойму, в чем же тут подвох?

— О каком подвохе ты толкуешь? — удивился я.

— Ну не может отличная вещь стоит копейки, — с возмущением воскликнула Николетта, — небось продавщица ошиблась! Взяла с Нюши деньги за один халат, а завернула другой, дорогой! Либо в нем есть скрытый дефект!

Сами понимаете, Николетту переубедить невозможно, не следует даже начинать.

— Ваня, — злилась маменька, — ты где?

— Тут

— Где тут?

— Ну... в одном районе.

— Ты забыл, что я еду на днях в Карловы Вары? — взвизгнула маменька.

Я подавил усмешку. Естественно, нет, более того, я купил Николетте путевку на месяц, потому что, если говорить откровенно, собрался отдохнуть от нее. Пока маменька станет вкушать воды и прогуливаться по улочкам всемирно известного курорта, я на время обрету покой и даже смогу распоряжаться собой по своему усмотрению. А то сейчас едва я устроюсь с книгой на диване, как в телефонной трубке раздается приказ: «Ваня, к ноге», и мне приходится мчаться к маменьке, придумавшей себе новую забаву. Интересно, чего она хочет от меня на сей раз?

— Мне необходима новая обувь! — заявила Николетта.

Я мысленно подсчитал свои финансы. Да, негусто. Но аргумент об отсутствии денег не для Николетты.

Услышав: «Извини, у меня сейчас плохо с наличностью», — она скривится и скажет: «Мужчина не должен посвящать женщину в свои финансовые дела, какая мне печаль, где ты добудешь средства. Я же не могу ходить босой!»

Последняя фраза была бы справедливой для кого угодно, кроме Николетты. У нее в шкафу выстроились на специальных полочках дивизионы туфель, батальоны ботинок, роты сапог...

— Ты уже закончил работу? — наседала на меня Николетта.

Я глянул на часы. Так, начало девятого. Скоро все магазины закроются.

— Да, — смело ответил я, — еду домой после тяжелой изнурительной работы. Я очень плохо спал эту ночь. Хочу пораньше лечь.

— Приезжай ко мне!

— Зачем?

— Ваня, мне нужны туфли! Срочно! Мне скоро уезжать!

— Но, Николетта...

— Что? Вечно ты споришь, — взлетела на струе злобы маменька, — сил моих больше нет! Прошу тебя об одолжении раз в десять лет и всегда, постоянно, каждый день, слышу «нет»!

Ну и как вам такое заявление? Полное отсутствие логики! Коли просишь об одолжении раз в десятилетие, каким образом можешь слышать ежедневно: «Нет»? Тут у Николетты концы с концами не сошлись.

— Сейчас начало девятого, — попытался я воззвать к ее разуму, — универмаги закроются, мы не успеем!

— А вот и нет! — торжествующе возвестила Николетта. — Теперь многие люди днем работают, а за покупками могут отправиться лишь ночью! Например, «Рококо» сутками торгует, туда и поедем. Жду! Приезжай!

И она швырнула трубку. Я тяжело вздохнул. «Рококо!» Я совершенно забыл про гигантский, многоэтажный монстр, воздвигнутый хозяйственным Лужковым почти в самом центре.

Тихо чертыхаясь сквозь зубы, я подъехал к дому маменьки и погудел. Тут же ожил мобильный.

— Вава! — возмущенно воскликнула Николетта.

Я невольно дернулся. Терпеть не могу свою детскую кличку, хотя сейчас, после некоторых событий, отношусь к ней более лояльно, чем прежде[1]. Николетта же, когда жаждет выказать недовольство сыном, припоминает это дурацкое прозвище:

— Вава! Это ты гудишь?

— Да, я уже приехал.

— Безобразие!

— Но ты же сама велела мне поторопиться, если ты еще не одета, то я спокойно...

— Я не об этом! Бестактно вызывать меня бибиканьем, словно девчонку из рабочего предместья!

В ухо полетели гудки. Я уставился на ни в чем не повинный телефон. Ну отчего мне так и хочется вышвырнуть его в окно? Спокойно, Иван Павлович, спокойно. Сейчас ты, потратив свои деньги и превысив кредит на карточке, приобретешь Николетте все

---

[1] См. книгу Дарьи Донцовой «Букет прекрасных дам». Изд-во «Эксмо».

ботинки вкупе с сапогами и наконец получишь возможность поехать домой, читать Плутарха.

Дверь подъезда грохнула, во двор выскочили две вертлявые фигурки, замотанные в норку, и, бодро цокая каблучками, двинулись к «Мерседесу». Я испытал приступ хандры. Маменька решила устроить шопинг вместе со своей заклятой подруженькой Кокой. Ну, держись, Ваняша, сейчас тебе мало не покажется!

Глава 16

В «Рококо» мы прибыли через полчаса, еще минут десять кокетки спорили, в какую лавчонку направить свои стопы.

— Только в «Гуччи», — настаивала Кока.

— Фу... в «Гуччи» вся улица ходит, — скривилась Николетта, — надо в «Тодсе».

— Кошмар! — закатила глаза Кока. — Обувь для старух! Лучше к «Ферре».

— Гадость! Начнем с «Балдинини».

— О-о-о! Я всегда знала, что у тебя со вкусом проблемы, еще предложи в «Саламандру» заглянуть. Вот что, послушай меня, идем в «Ти Джей коллекшен».

— С ума сойти! — всплеснула ручками Николетта, и я невольно отметил, что маменька нацепила на правую длань три кольца, а на левую целых четыре. — Да в эту коллекшен одни подростки заглядывают. Ты ничего не понимаешь в современной моде.

— А ты в качестве! — не осталась в долгу Кока.

Тут милые подружки задохнулись от нахлынувших на них ласковых чувств друг к другу и временно захлопнули напомаженные ротики. Я воспользовался тревожным затишьем.

— Вон видите, там огромный салон. В нем, кажется, представлены все перечисленные вами марки. Просто походите от полки к полке, глядишь, что-нибудь и понравится.

— Ладно, — смилостивилась Николетта, — пошли.

Мы вошли в огромный зал, набитый самой разнообразной обувью, и я ощутил легкий приступ тошноты. Ноги сами собой понесли меня к диванам, установленным в центре зала. Посижу пока спокойно.

— Я пойду слева направо, — взвизгнула маменька.

— Лучше справа налево, — мигом заспорила Кока.

— Ну и ступай себе, — обозлилась Николетта.

Кока пошла направо, к ней поспешили две продавщицы. Маменька недовольно прикусила нижнюю губку, потом прощебетала:

— Ваня!

Я было сделал вид, что крайне увлечен разглядыванием журнала, но в зале, очевидно, из-за того, что дело катило к ночи, было всего три продавщицы. Две бросились к Коке, около маменьки оказалась лишь одна девушка, и Николетта, страдающая от недостатка внимания, решила приставить меня к себе.

— Ваня!!!

Пришлось встать и подойти к ней.

— Не смей никуда убегать, — прошипела Николетта и пошла вдоль полок.

Мы с девушкой потащились за ней. Маменька

резво бежала между стеллажами, изредка вскрикивая:

— Ужас! Гадость! Безвкусица!

Мы «нарезали» таким образом три круга, и наконец девушка-консультант не выдержала:

— Если вы объясните мне примерно, какую обувь желаете, я попытаюсь вам помочь.

Николетта глянула на девчонку, как солдат на вошь.

— Любезная, — пропела она, — мне надо такое... Ну, в общем, этакое! Понятно?

— Элегантное или повседневное?

— Ну, — завела маменька, — обувь, подходящую мне, ясно?

Девушка кивнула и сняла с полки ботиночек черного цвета, на абсолютно плоской подошве, модный во все времена. Подобную обувь носили в 60, 70, 80, 90-х и будут носить в 2010, 2020, 2030-е... Беспроигрышный старушечий вариант, удобный, как кроссовки, мечта многих пенсионерок, давно простившихся с мыслями о модных покупках.

— Вот, — защебетала девушка, — очень подходящие для вашего возраста. Во-первых, устойчивые, во-вторых, практичные, цвет — черный, в-третьих, теплые, ноги мерзнуть не станут, в-четвертых, они дешевые, прямо суперцена, в-пятых, у них очень хорошее качество. У нас последняя пара осталась, другие на смерть давно разобрали.

Я вжал голову в плечи, сейчас Николетта, превратившись в торнадо, растопчет несчастную дурочку, посмевшую намекнуть на отнюдь не девичий возраст покупательницы. Но Николетта неожиданно мирно спросила:

— На что разобрали?

— На смерть, — спокойно повторила глупышка, — ну такие берут, чтобы покойник в гробу прилично выглядел!

— Мне пока рано в могилу, — процедила сквозь зубы маменька, — и вообще...

Тут девица, явно не обладавшая умом и сообразительностью, совершенно случайно сказала фразу, которая спасла ее от жуткого скандала:

— Если хотите модную вещь, вон те поглядите, — она ткнула пальцем в самый верхний ряд, где стояли узконосые сапожки. — Уж извините, мне их никак не достать, можно вашего мужа попросить?

С этими словами девушка повернулась ко мне:

— Вас не затруднит сапожки снять? У вашей супруги какой размер?

Лицо Николетты разгладилось, в глазах погас мстительный огонь, на губах заиграла радостная улыбка. Заявление продавщицы очень ей понравилось, а особую ценность ему придавала наивность говорящей. Глупышка была не способна специально сделать лицемерный комплимент, она на самом деле приняла меня за молодого альфонса, существующего при старенькой богачке.

Я расслабился. Убийство в торговом зале откладывается.

— Душенька, — пропела Николетта, — сейчас я вам объясню. Я бы хотела лодочки, не черные, с острым носом и закругленным мыском, высотой до середины голени, на шнуровке, но без всяких шнурков, естественно, самой лучшей фирмы, цена не имеет никакого значения, главное, отменное качество.

Я уставился на маменьку. Она издевается? Мстит

таким образом несчастной, вынужденной работать по ночам дурочке за «смертные» ботинки?

Но торгашка отреагировала совершенно спокойно:

— А каблук?

— Хорошо бы на шпильке, — мечтательно протянула маменька, — но чтобы на плоской подошве.

Я затряс головой. Сейчас девчонка сообразит наконец, что обувь не может быть одновременно на каблуке и без оного.

Продавщица пробежала глазами по полкам и уверенно что-то сняла. Я принялся разглядывать небольшой сапожок. Колодка была выполнена в виде классической лодочки, острый мыс которой заканчивался легким закруглением. До щиколотки они были кожаными, дальше шел деним, и лодочка превращалась в невысокий сапожок. Посередине конструкции виднелась шнуровка, но при более детальном изучении выяснялось, что она фальшивая. На самом деле это была молния. Сапог украшал длинный острый каблук, но одновременно и толстая, слегка утрированная платформа.

Николетта взвизгнула и принялась мерить. Я же старательно пытался скрыть удивление. Кто бы мог подумать, что на свете существует такая обувь: лодочка, но до середины голени, с острым и закругленным мысом, со шнуровкой без шнурков и одновременно с каблуком и без оного?

— Беру! — заявила Николетта. — Страшно удобные! Прямо в них и уйду.

— Пятнадцать тысяч, — пискнула продавщица.

Николетта отмахнулась от нее.

— Теперь сумочку к ним подберем. Прямоугольную, но круглую. На длинном ремешке, таком коротком, чтобы и в руках ее держать, с карманом для мобильного, только не внутри, и с тремя внутренними отделениями, но чтобы в сумке было всего лишь одно!

У меня снова закружилась голова. Но продавщица поняла Николетту и принесла сумку. И мне вновь с удивлением пришлось признать, что подобное изделие существует в природе. Ремень у него на кнопках, потому легко меняет длину, кармашек для мобильника висит на ремешке, два отделения открываются снаружи, третье внутри, а при помощи небольших, хитро пришитых тесемочек прямоугольная сумочка легко трансформируется в круглую.

— Классно, — заверещала Николетта, — как раз то, что нужно.

— Двадцать тысяч, — заявила девчонка.

Я покорился судьбе. Больше тысячи долларов за туфельки и сумочку! Ничего, Николетта скоро отчалит в Карловы Вары, ее не будет почти месяц. Лично мне ничего покупать не надо, Нора оплачивает мне даже бензин. Будем считать, что сейчас покупаю себе свободу, разве жалко заплатить за нее? Хотя жаба душит меня все сильней и сильней. Ох, нехорошо быть жадным, ох, нехорошо... Аутотренинг не удался, едва я начал приходить в себя, как по залу пролетел резкий голос Коки:

— Смотри, что мне дали!

Я машинально повернул голову и увидел, что морщинистая ручонка Коки, украшенная кольцами с раритетными изумрудами, с безупречно сделанными гелиевыми коготками, держит кошелечек, расшитый ярким бисером, дешевую поделку, такие обожают девочки-подростки.

— Это мой подарок! — гордо сказала Кока.

В глазах маменьки заполыхала обида, она повернулась к продавщице:

— А мне что дадут?

— Ничего, — та мотнула кудлатой головой.

— Почему? — возмутилась маменька. — Коке вручили презент! Чем же она лучше меня, а?

— Ваша знакомая сделала покупок на сорок тысяч, — объяснила торговка, — а у вас лишь на тридцать пять вышло! Эксклюзивные подарки дают лишь тем, кто оплатил чек на сумму свыше сорока тысяч.

— Но я тоже хочу такой кошелек! — капризно топнула ножкой Николетта.

— Ты же можешь потратить столько, сколько я, — подлила масла в огонь Кока.

Николетта побагровела:

— Глупости!

Ее глаза заметались по полкам. Я наклонился к продавщице и шепнул:

— Сколько стоит это портмоне?

— Сто рублей, — последовал тихий, быстрый ответ, — не покупайте его, жуткая дрянь.

Я полез за деньгами, но тут Николетта, издав крик команчей, бросилась к витрине:

— Дайте вон те, коричневые с пуговкой, они как раз пять тысяч стоят!

— Какой размер?

— Сорок.

— Но сапожки брали тридцать восьмого размера, — удивилась девица.

— Правильно, у меня он и есть.

— Зачем же те сороковые хотите?

— Домработнице отдам, — призналась Николетта, — я тоже могу сорок тысяч потратить, даже больше! И кошелек мне тоже дадут!

Я сел на диван. В этом вся Николетта. Ради глупой безделицы ценой в сто рублей, абсолютно не нужной ей вещи, которая будет мгновенно зашвырнута на полку и забыта там, маменька готова потратить еще пять тысяч. И у нее нет никаких сомнений, что я все оплачу.

Пока продавщицы выписывали чек и упаковывали коробки, маменька с Кокой встали у прилавка с табличкой «Модные аксессуары». Кока выбрала себе перчатки, маменька захотела две пары, Кока тогда взяла еще и ремешок. Николетта надулась, но потом радостно вскрикнула:

— Дайте мне ключницу!

— А мне футлярчик для губной помады.

— Визитницу!

— Еще мне фляжку.

— Сигаретницу!

— Ты же не куришь, — я решил вмешаться в шопинг, — ну скажи на милость, к чему тебе она?

— Ваня! Я хочу!

— Ужасно зависеть от кого-то материально, — щебетала Кока, выуживая из портмоне карточку VISA, — я сама себе хозяйка!

А вот это чистейшей воды неправда. Коке посчастливилось удачно выдать дочь замуж. Вернее, сначала, узнав, что ее нежная кошечка, воспитанная гувернантками и играющая на рояле Лорочка, собирается связать свою судьбу с простым инженером, мастером буровых установок, Кока чуть не сошла с ума и попыталась сделать все, чтобы расстроить намечающуюся свадьбу. Но Лора оказалась девушкой с железным характером. Окажись я в подобной ситуации, мигом прогнулся бы под Николетту, а Лора просто ушла к любимому, уехала с ним в Тюмень.

— Моя дочь живет на буровой вышке, — билась в истерике Кока, — мой зять ходит в грязной робе! За что мне это испытание? Господи! За что?

Но через несколько лет, уже после перестройки, Лора вернулась в Москву очень богатой женщиной. Каким-то образом нищий инженер сумел стать хозяином нефтяного бизнеса. Сейчас он в буквальном смысле качает свое материальное состояние из скважины. А Кока, мигом прикусив раздвоенный язык, полюбила зятя изо всех сил. Он, не желая иметь ничего общего со зловредной тещей, поступил просто. Вместо того чтобы выгнать ее из своего дома и поставить жене ультиматум, чтобы ее мамаши при нем в доме не было, он разрулил ситуацию по-своему.

Купил старухе «Мерседес», нанял шофера и вручил кредитную карту. Теперь Кока швыряется деньгами и катается на авто по кофейням. Правда, один раз, в самом начале, едва получив карту VISA, Кока попыталась закатить Лоре скандал на вечную тему: «Ты меня не уважаешь, вот другие дети к своим родителям иначе относятся». Она, как всегда, довела Лору до слез и, очень довольная результатом своих действий, отправилась вечером в ресторан.

Когда пришел час расплачиваться, метрдотель вернул ей карточку.

— Простите, но ваш счет блокирован.

— Как? Почему? — принялась возмущаться Кока. — Не может быть! Там полно денег!

В полном негодовании она позвонила зятю. Что ей сказал муж Лоры, я не знаю, но после этого случая мать более никогда не устраивала дочери скандалов, а счет больше не блокировался.

— Еще сигаретницу, — каменным тоном повторила маменька, — вместе вон с той лампочкой.

— Она не продается, — ответила продавщица, — это элемент декора магазина!

Кока и Николетта принялись хищно оглядываться по сторонам.

— Ладно, — сдалась первой Кока, — поехали домой! А то Ваня с таким кислым лицом маячит, словно уксуса хлебнул. Да, Николетта, просить детей об одолжении последнее дело, обязательно дадут понять, как им трудно и неудобно с матерью. Ночь ведь, времени полно, но нет, он сидит как на иголках! Вот поэтому у меня шофер! Впрочем, хочешь, давай отправим Ваню домой, а сами вернемся на моей машине?

— Нет, — проронила Николетта, — тут очень душно, у меня голова заболела.

— Я совсем забыла, — ухмыльнулась Кока, — ты же сама денег не имеешь, за тебя сын расплачивается.

Маменька побагровела и огромным усилием воли сдержалась. На обратной дороге она мрачно молчала, а я понимал: это затишье перед бурей.

Когда я внес ее покупки в прихожую, Николетта заявила:

— Вава! Изволь завтра же открыть для меня VISA!

Я решил опустить ее с небес на землю.

— Николетта, у меня нет такого количества денег, как у мужа Лоры. Он вор!

— И что? — захлопала ресницами маменька.

— Я не краду ископаемые богатства родины.

— И очень жаль! — заявила Николетта. — Мог бы тоже подсуетиться. Видишь, мать вынуждена во всем себе отказывать.

Она пнула носком нового сапожка груду пакетов и выпалила:

— Боже, как тяжело жить нищей! Просто из окна выброситься хочется!

Я пошел вниз, ощущая себя дровосеком, который весь день в суровом одиночестве пилил многометровые деревья, а потом складывал их в штабеля.

На следующий день, после излишне обильного завтрака, на который подали одну закуску и два горячих блюда, Нора велела мне:

— Значит, так! Немедленно отправляйся к этой Ларисе! Надо...

Закончить фразу она не успела, потому что затрезвонил ее личный мобильный.

— Слушаю, — рявкнула Нора, — говорите. А, Олег! Да, я тебя искала! Ну-ка объясни мне на милость, зачем ты послал к нам сумасшедшего? Как какого? Кирилла, с автомойки! Натуральный псих с диагнозом! Ладно, потолкуем после. Хорошо!

Она отсоединилась и буркнула:

— Езжай к Ларисе.

Но я сначала позвонил ей и услышал звонкий детский дискант.

— А мама на работе.

— Будь другом, подскажи ее телефон.

— Я девочка, — протренькал голосок.

— Хорошо, но все равно, как позвонить твоей маме на службу?

— Сейчас, двести пятьдесят...

Я предпринял еще одну попытку соединиться с дамой и услышал вежливо-равнодушное:

— Гала Хаус, здравствуйте.

— Будьте любезны Ларису.

— Которую?

Пришлось снова звонить ей домой и уточнить фамилию. Следующая попытка отыскать Ларису на службе оказалась более удачной. Услыхав просьбу позвать Журкину, секретарь сразу переключила меня на нужную комнату, и я услышал глуховатое сопрано:

— Слушаю.

— Лариса?

— К вашим услугам.

— Вы сейчас никуда не уйдете?

— Мы работаем до шести.

— Мне необходимо с вами поговорить, подскажите ваш адрес.

— Пишите, — без всякого удивления ответила Лариса, — паспорт обязательно с собой прихватите, у нас пропускная система.

Я взял документ, вышел во двор и наткнулся на Валеру, который, чертыхаясь, ходил вокруг «Лендкрузера».

— Опять теща просит в деревню мебель везти? — улыбнулся я. — Что на этот раз? Никелированная кровать с шишечками, шифоньер производства девятьсот тринадцатого года или кожаный диван с полочкой для семи слоников?

Валера ругнулся.

— Да не! Кошки, заразы! Ну с какой стати они на мой джипешник лезут? Словно им тут медом намазано. Орут, когтями царапают, по крыше и капоту катаются, всю машину изгадили!

— Вы ее в гараж ставьте, — посоветовал я, — ведь у вас есть место в подземном паркинге.

— Меня оттуда выперли, — покачал головой сосед.

— За что? — изумился я. — Не имеют права. Оплата парковки включена у нас в квартплату.

— Так кошки, заразы! — заорал Валера. — Они и

туда пролезли! Как только попали? Небось через вентиляцию просочились, эти дряни везде протиснутся! Орали всю ночь, визжали! Их охрана гоняла, гоняла, а толку? Стрелять уже хотели. Чуть притихнут и снова. Вот и выкатили «Лендкрузер» наружу. Да оно и понятно! Ну не чертовщина ли, а? Рядом ваш «мерс» стоял и «Гелентваген» Федора из двенадцатой квартиры, чуть поодаль «Миникупер», Константин из пятнадцатой своей дочери-раздолбайке купил, все надеется: за руль сядет и пить бросит, но ни одна сволочь хвостатая на другую машину не посмотрела. Все на моем «Лендкрузере» кучковались. А вонища! Даже на мойке скривились и тройную оплату попросили.

И он снова забегал вокруг «Лендкрузера», качая головой.

Я сел в машину. Кто ж разберет, что за мысли бродят в ушастых кошачьих головах? Может, они решили объявить войну концерну «Тойота»?

Глава 17

Лариса, похоже, сидела в приемной, она работала то ли секретарем, то ли помощницей начальника. Во всяком случае, за ее спиной виднелась дверь.

— Присаживайтесь, — велела она, указывая на красивое кожаное кресло цвета кофе с молоком.

Не знаю, какой была до болезни Ольга, но Лариса сейчас выглядела намного лучше законной жены Романа. Волосы ее, модно подстриженные, золотились под светом лампы, на лицо был нанесен легкий макияж. Образ уверенной в себе, хорошо зарабатывающей служащей дополняли деловой костюм и дорогая авторучка. Нет, она, пожалуй, не секретарь.

— Что желаете? Сначала, наверное, следует составить предварительный план, — начала Лариса.

На всякий случай я кивнул. Предварительное расписание действий никогда не помешает.

— Что у вас?

Я хотел уже приступить к сути проблемы, но Лариса не дала мне раскрыть рта:

— Продукты? Одежда? Книги? Мы способны провести пиар-кампанию в любой отрасли.

Понятно, я попал в рекламное агентство, коим сейчас не счесть числа. Лично мне кажется, что хороший товар раскупят и так, а рекламщики существуют лишь затем, чтобы получать деньги. Впрочем, разок польстившись на речи одного уважаемого мною актера, я купил пакет сока и был глубоко разочарован. Лицедей с выражением полнейшего восторга на лице пил красную жидкость, потом жадно хватал пакет, наливал еще один стакан, тряс картонную упаковку и, закатывая лживые глазки, произносил:

— Сок «Мечта» — моя мечта со мной!

Проделывал он все действия просто в экстазе, и я, словно маленький ребенок, купился. Не поленился сходить в супермаркет, принес домой яркую упаковку, нацедил сока в стакан, отхлебнул и... моментально выплюнул кислятину, отчего-то сильно пахнущую мокрой собакой. Теперь я отношусь к рекламе с некоторым подозрением. Мне кажется, что натуральное сливочное масло вкуснее маргарина, хотя последний, судя по бесконечным телероликам, любят сами боги. Еще я не вижу разницы в сортах кетчупа, он весь делается из некондиционных помидоров, и никакие герои популярного сериала, трясущие бутылочками с ярко-красным содержимым, не убедят меня в обратном!

Я улыбнулся Ларисе:

— У нас детективное агентство «Ниро».

Она кивнула:

— Прекрасно. Есть над чем поработать.

— Мы занимаемся лишь эксклюзивными делами.

— Это резко сужает целевую аудиторию, хотя можно попробовать построить рекламную кампанию на исключительности услуг.

— Сейчас мы разыскиваем тело Ирины Медведевой.

Лариса отложила в сторонку дорогую ручку, секунду помолчала и спросила другим тоном:

— Вы о чем говорите?

— Об Ирине Медведевой, — повторил я, — любовнице Романа, вашей сопернице. Он ведь, бросив вас, закрутил с ней шашни, или я ошибаюсь?

Нижняя губа Ларисы предательски задрожала.

— Я не слишком хорошо пока понимаю суть вашей проблемы, — она решила прикинуться дурочкой, — вы хотите использовать идеи этой... э... Ирины... э... как ее фамилия... Э?

— Вряд ли стоит сейчас ломать комедию, — сурово сказал я, — меня сюда отправила Светлана, сестра Ольги, бедной, лишившейся разума вдовы Романа. Вас совесть никогда не мучает?

Лариса открыла было рот, но тут дверь распахнулась, и в помещение вошла девушка лет двадцати, она плюхнулась за соседний стол и стала с самым серьезным видом перекладывать бумажки. Лариса осеклась. Некоторое время она растерянно глядела на меня, потом неожиданно сказала:

— Простите, в этой комнате нельзя курить даже клиентам.

Я моментально понял ее, встал со стула и церемонно ответил:

— Я готов идти в любое место, где это позволительно делать.

Мы молча вышли в коридор, спустились на первый этаж и направились по невероятно длинному коридору, даже, скорее, галерее в другое здание.

— Далеко у вас курилка, — улыбнулся я, — пока туда-сюда сбегаешь, пол рабочего дня пройдет. Хотя, может, оно и к лучшему.

Лариса, ничего не отвечая, толкнула последнюю дверь, и мы очутились в чулане, где стояли ведра, швабры и пылесос.

В углу виднелись два колченогих, ободранных стула.

— Придется нам тут беседовать, — резко сказала Лариса, — в кабинете Ленка сидит с ушами-локаторами, в курилке никогда пусто не бывает, в буфете тоже, а вы, думается, не очень заинтересованы в разглашении тайны.

Я ухмыльнулся.

— Похоже, и вас не устраивают судачащие на ваш счет языки, разве нет? Наши желания совпали, ни вы, ни мы не хотим излишней огласки. Знаете, где тело Ирины Медведевой?

Лариса дернулась:

— Она убита?

— Ну не притворяйтесь, небось вы сами и наняли киллера, — схамил я.

— Я ничего не знаю.

— Лариса, вы жили с Романом?

— Ну, было такое.

— Потом он вас бросил, решил вернуться к жене...

— Глупости, — вскипела она, — я сама от него ушла, когда поняла полнейшую бесперспективность наших отношений.

— Светлана мне все рассказала, — прервал я ее лукавые речи, — не стоит врать.

Лариса внезапно всхлипнула:

— Ах! Ужасно! Я так любила Романа, а он!.. Избавился от меня, словно очистил бананчик, слопал, а кожуру выбросил, разве так можно...

Слова забили из нее фонтаном. Я, отбрасывая «охи», «ахи», сетования на бессердечность мужчин и стоны о тяжелой женской доле, постарался вычленить из потока фраз ключевые, так сказать, получить сухой остаток. Самое интересное, что мне это удалось.

Лариса втайне надеялась на брак с Ромой. Он казался ей положительным, к тому же был ученый, очень серьезный человек. Такой не станет водить женщину за нос. Но оказалось, что Лариса сильно ошибалась в любимом и преувеличивала свое влияние на парня.

После визита Светланы Роман пропал недели на две, Лариса обзвонилась ему на мобильный, но аппарат упорно отвечал:

— Абонент временно недоступен...

В конце концов Лариса заявилась в УПИ и нагло прошла на кафедру Романа, где застала любовника. Он испуганно сказал:

— Ступай в кафе, я сейчас приду.

Лариса вошла в сомнительную забегаловку, расположенную по соседству с институтом, и стала ждать. Рома появился лишь через час и сразу огорошил любовницу:

— Прости, между нами все кончено, давай останемся друзьями!

— Это как? — подскочила Лариса.

— Ну, — ухмыльнулся Роман, — станем друг друга с праздниками поздравлять, пару раз в году. Я решил вернуться к жене. Знаешь, развестись с ней я не могу, хоть и не люблю ее давно. Мама ее обожает, а против воли родительницы я не пойду. Вот я и подумал, что непорядочно поступаю по отношению к тебе, морочу голову. Ну какие у нас перспективы, а? Что нас впереди ждет? Возраст у тебя критический, пора свою судьбу устраивать. В твоих же интересах, чтобы я ушел...

Я внимательно слушал Ларису, которая, вспомнив о своем унижении, сейчас заново остро переживала тот частично уже забытый разговор.

Нет, этот Роман не имел права называться Казановой. Истинный донжуан умеет не только закрутить роман с приглянувшейся ему женщиной, но спокойно разорвать отношения. Не всем доступен в этом деле высший пилотаж, как говорится, не трудно увести чужую жену, трудно вернуть ее обратно. Профессиональный ловелас сделает так, что поднадоевшая ему обоже сама его бросит. Есть много способов дать женщине понять, что при ее исключительности мужчина, находящийся сейчас рядом с ней, далеко не лучший вариант. Кое-кто симулирует тяжелую болезнь. Вы и представить себе не можете, сколько женщин, боясь остаться с инвалидом, удирают, заслышав слова про неведомую инфекцию, которая точит кавалера изнутри. Кое-кто сообщает о своем разорении. Корыстных дам тоже много, поэтому порой кавалеру достаточно появиться на «шестерке» вместо хорошей иномарки, чтобы пассии и след простыл.

Если женщина оказалась порядочной, да и на богатство ей плевать, ситуация оказывается более сложной, но все равно разрешимой, начинайте демонстрировать свой отвратительный характер. Делайте любовнице бесконечные замечания, критикуйте ее манеру одеваться, говорить, в присутствии посторонних нагло восклицайте:

— Уж тебе-то лучше помолчать, когда умные люди разговаривают.

Еще рекомендую простонать в присутствии лучшей подруги вашей пассии:

— Твой целлюлит отвратителен, господи, ну и разожралась же ты! Страх смотреть! Вот Лена, она как статуэтка, попроси у нее рецепт диеты.

Редкая особа выдержит такой прессинг больше месяца. Обычно любовь заканчивается намного раньше. Разбив вашу любимую чашку, дама удаляется, не слыша звуков фанфар, которые поют у вас в душе.

Финита ля комедиа, что и требовалось получить! Вы свободны как ветер и не испытываете никаких моральных угрызений. Не вы бросили бедняжку, а она вас. Вот теперь пусть мучается, раздумывая на тему, правильно ли поступила и не слишком ли поторопилась? Отныне это не ваша забота.

Скажете, что нелегко притворяться? Ну без труда не вытащишь и рыбку из пруда. Впрочем, есть еще один способ. Вы знакомите свою пассию с другим мужчиной, причем не забываете сначала спеть пару куплетов такого содержания:

— Сегодня пойдем в ресторан вместе с Николаем. Ему, бедняге, жутко не повезло. Прикинь, он богат, холост, не имеет родителей и был десять лет влюблен в одну дуру, которая его на днях бросила. Теперь он мучается, переживает... Надо его развлечь.

Практически не найдется ни одной женщины, которая не станет в этой ситуации оказывать знаки внимания несчастному холостяку. Ваше дело стушеваться и под благовидным предлогом исчезнуть. Потом, конечно, ваша бывшая любовница узнает: у Николая не загородный особняк, а халупа на шести сотках, дома сидит злобно настроенная ко всему окружающему миру мамочка, он выплачивает алименты на трех детей. Все это случится потом, уже после того, как вам объявят:

— Извини, дорогой, давай останемся друзьями.

Что делать, если на вашем жизненном пути возникает бескорыстное существо, соглашающееся таскать за вами костыли, жить в землянке, пропускать мимо ушей все ваши ехидные замечания, и при этом в упор не видит богатых холостяков?

Немедленно, отбросив все дела, волоките это чудо в загс. Подобный экземпляр встречается один на миллиард, вы счастливчик, наткнулись на иголку в стоге сена, на многокаратный бриллиант. Остальным так не повезло.

Кое-кто может посчитать мои советы циничными, но вы уже приняли решение о разрыве, вопрос лишь в том, в какой форме его претворить в жизнь. Кстати, женщина, сама надумавшая уйти от кавалера, удаляется с гордо поднятой головой. Да и вы при этом избежите возможных неприятностей. Вот Роман дал Ларисе от ворот поворот, а что вышло?

— У кого критический возраст? — взвилась Лариса. — Мне тридцати нет!

— Так не восемнадцать же, — справедливо напомнил ей Роман, — стареешь потихоньку. Пойми, я о тебе забочусь, люблю тебя, вот и волнуюсь о твоей дальнейшей судьбе... И не приходи больше в институт.

Когда он убежал, Лариса залилась слезами. Но, пока она ехала до дома, отчаяние трансформировалось в конце концов в дикую злобу. Лариса, несмотря на то, что воспитывает в одиночку ребенка от первого брака, женщина вполне обеспеченная. Бывший супруг платит ей приличные алименты, зарплата у Журкиной отличная, удачно выполненные заказы приносят немалый заработок. Ларисе очень захотелось отомстить Роману, просто до зубовного скрежета. Сначала она решила действовать примитивно. Набрала домашний номер коварного любовника и, услыхав бодрое «алло», сказанное высоким, молодым голосом, выпалила:

— Ты бы получше смотрела за своим мужем, тюха! Сидишь дома, жопу на диване полируешь, а Ромочка кобелирует, носится по бабам!

— Мой сын, — прервал ее обличительную речь звонкий голос, — имеет право делать все, что он захочет. У хорошей жены муж не загуляет.

Лариса с удивлением уставилась на трубку, из которой понеслись частые гудки. Значит, она нарвалась на мать Романа. Ну кто бы мог подумать, что у свекрови Ольги тембр голоса двадцатилетней девушки.

Решив повторить попытку, Лариса вновь набрала номер телефона Романа около полуночи. Она предположила, что бабка, обладательница бодрого голосочка, в это время уже видит десятый сон.

Сначала из трубки слышались равномерные гудки, потом что-то щелкнуло, и гудки возобновились, но они приобрели иную тональность.

Лариса быстренько отсоединилась. Роман установил у себя определитель номера, и звонить в его квартиру стало опасно.

Но ее злоба настойчиво искала выхода. Лариса не из тех людей, которые станут тихо переживать в уголке. Нет, ей изо всех сил хотелось напакостить Роману. Чтобы хоть как-то успокоиться, она съездила на Центральный телеграф и отправила на домашний адрес Романа телеграмму. «Милый встречай пятнадцатого поезд Рига — Москва еду тебе навсегда нашим сыном твоя любимая Ленка». Потом она смоталась к Роме во двор, ночью вошла в его подъезд и сунула в почтовый ящик собачью какашку, специально принесенную с собой.

Но никакого удовлетворения эти действия ей не принесли, все это было как-то мелко, глупо, а Ларисе хотелось полного унижения Романа, она решила развести его с Ольгой, хоть немного, да потрепать нервы тому, кто столь легко избавился от нее.

Потом ей в голову пришла, казалось бы, замечательная идея. Нужно подстеречь Ольгу и открыть ей глаза на муженька. Лариса решила признаться Ольге в любовной связи с Романом. Оля, естественно, устроит мужу Варфоломеевскую ночь. Лариса чуть не умерла от счастья, когда представила, какой бенц Ольга закатит мужу. Впрочем, радость ее скоро исчезла. Лариса обрела способность соображать и поняла, что Оля скорей всего просто ей не поверит, нужны доказательства, но где их взять? Хитрый Роман не оставлял любовнице записок, не снимался с ней на фото, не ходил в гостиницу, короче, никаких следов адюльтера не было. Единственным человеком, видевшим Романа на кухне у Ларисы в халате, была Света. Но вряд ли она станет сейчас на сторону подруги. После того памятного визита Света ни разу не позвонила Ларисе.

Несколько дней Лариса грызла по ночам от бессилия подушку, а потом, несколько успокоившись, пораскинула мозгами.

Роман — кобель, в этом нет сомнений. Ольге он давно изменяет, следовательно, и сейчас завел себе какую-нибудь бабу. Ларису он бросил из-за того, что не захотел скандала. Но жить только с Ольгой не станет, жена не привлекает его как женщина. И что из этого следует? У Романа новая любовница! Дело за малым. Надо узнать имя этой обоже и натравить их с Ольгой друг на друга!

Идея показалась Ларисе просто великолепной! Жена и теперешняя любовница передерутся, а Лариса, стоя в стороне, будет наблюдать за потасовкой, потирая лапки. Она решила и впредь ссорить баб Романа. Если он заведет новую любовницу, Ларисочка снова стукнет Ольге. В результате развод, дележка квартиры, скандал...

В ту ночь Лариса так и не заснула. А утром рванула в детективное агентство «Шерлок» и наняла сыщика следить за Романом.

— Мне нужны доказательства его измены, — втолковывала она лениво зевающему мужику, который взялся выполнять задание, — фотографии, хорошие, четкие, ясно?

— Ты деньги в кассу внеси, — велел сыщик, — и будет тебе все: фото в цвете, картина маслом и какава с чаем.

Лариса отдала нехилую сумму и испытала удовлетворение. Час расплаты неотвратимо приближался.

Глава 18

Через неделю Лариса получила отчет и сначала была немало обрадована. Она оказалась права, у Романа была связь с вертихвосткой, которую звали Ириной Медведевой. Детектив постарался изо всех сил и узнал про новую пассию кучу информации.

У Иры есть мать, бедная женщина, не способная прокормить дочь. Поэтому Ирина живет не с ней, а с отцом, который хорошо обеспечен. Ни в чем себе не отказывает, одевается в Третьяковском проезде. Единственное, чего нет у Медведевой, — это машины. По непонятной причине богатый папенька не купил дочурке авто, и Ирочка разъезжает на «бомбистах», метро она принципиально не пользуется. Нахалка абсолютно не стеснена в средствах. Детектив стал свидетелем того, как девица, отправившись покупать себе перчатки, вошла в азарт и приобрела массу вещей, на первый взгляд совершенно не нужных и баснословно дорогих.

Встречалась парочка на съемной квартире, в городе Одинцово. Почему они сняли жилплощадь в области, было непонятно, но, с другой стороны, это и неважно.

Сыщик не подвел, сделал кучу фотографий, часть из них была весьма пикантной.

Разглядывая откровенные снимки, Лариса удивилась:

— Такое ощущение, что вы свечку над ними держали.

Мужичонка ухмыльнулся:

— Могу дать вам бесплатный совет. Если у вас роман с женатым мужиком и вы не хотите, чтобы об этом кто-нибудь узнал, всегда задергивайте в спальне шторы. Сейчас продается отличная оптика, позволяющая делать замечательно четкие снимки практически с любого расстояния.

Лариса пришла в полный восторг. Дело было за малым — отправить фото Ольге. Но тут неожиданно возникла небольшая проблема. Как это сделать? Послать по почте, написав на конверте: «Ольге лично, посторонним не вскрывать»? Но если послание получит ее свекровь или муж? Где гарантия, что они не полюбопытствуют и не засунут нос внутрь? Нет, нужно вручить конверт с компроматом прямо в руки жене Романа.

И Лариса опять обратилась в «Шерлок» с просьбой о помощи. Там ей сказали, что никакой проблемы нет.

Лариса обрадовалась и целую неделю составляла злобно-ехидное письмо, которое должно было, с одной стороны, унизить Ольгу, опустить ее ниже плинтуса, размазать по стенке, смешать с удобрениями, превратить в грязь, с другой — обозлить ее, вывести из себя. Ей хотелось, чтобы Ольга страдала, как она сама.

Сами понимаете, какой трудной оказалась задача, и Лариса изорвала целую пачку отличной финской бумаги, составляя и отбрасывая различные варианты сопроводительной записки.

Наконец муки творчества завершились. Лара принесла пакет в «Шерлок» и стала предвкушать победу. Но тут возникла новая проблема. А как Лариса узнает, что Ольга страдает? Как выяснить, что она сделала с мужем?

Лариса поколебалась денек и решила съездить в УПИ. В конце концов никто не мог ей запретить посещение этого института. Роман наткнется на бывшую любовницу в коридоре и возмутится, а она скажет, что приехала туда по делам службы: мол, УПИ заказал рекламный слоган.

А потом, когда Рома успокоится, хитрая Лариса предложит ему пойти в ресторан и вытянет из него все о его семейных неприятностях! Может, ей даже повезет увидеть его и заплаканную Ольгу, она-то тоже преподает в институте.

Сказано — сделано. Чтобы дать Роману понять, какой роскошной женщины он лишился, Лариса провела день в салоне красоты, а вечером, изумительно причесанная, безупречно намакияженная и одетая с иголочки, она заявилась в УПИ. Лариса хорошо знала, что по вторникам Роман заканчивает лекции в девятнадцать ноль-ноль.

В половине седьмого она с горящими от возбуждения щеками вошла в вестибюль просторного здания. Первое, на что наткнулся взгляд, был большой плакат с фотографией Романа в траурной рамке. «Ректорат с прискорбием извещает о трагической гибели...» — дальше Лариса прочитать не смогла, схватила за руку пробегавшую мимо студентку и, заикаясь, поинтересовалась:

— Это как? Это что? Роман умер?

— Вот жуть-то! — отозвалась девчонка. — Никто и не ждал такого, похороны завтра, в десять утра, автобусы от УПИ пойдут! А еще его мама скончалась. Говорят, ей позвонили из милиции, сообщили о смерти сына, а она сразу упала и каюк! Мгновенно сердце разорвалось, от стресса.

— А жена Романа? — воскликнула Лариса.

Студентка пожала плечами:

— Вот про нее я ничего не знаю, но, думается, ей тоже несладко пришлось! Двоих сразу хоронить надо!

Лариса поехала домой. В ее душе боролись разные чувства. С одной стороны, она тяжело пережила смерть Романа, с другой — была раздосадована тем фактом, что не сумела отомстить ему, с третьей, испытывая немотивированную ненависть к Ольге, радовалась горю, которое свалилось на законную жену Романа...

Лариса явилась на похороны, посмотрела на сидевшую в трансе вдову и неожиданно почувствовала глубокое удовлетворение. Судьба отомстила Оле по полной программе. Лариса теперь может спать спокойно!

Она замолчала. Я же постарался ничем не выдать своих истинных чувств. Однако под безукоризненно интеллигентной внешностью некоторых дам скрываются чудовища.

— Но с чего вы взъелись на Ольгу? — вырвалось у меня. — Что же она сделала вам плохого?

Неожиданно Лариса покраснела:

— Она... она, все из-за нее! Если бы Роман не был женат...

— Но он обзавелся супругой до знакомства с вами, — попытался я вразумить обезумевшую бабу.

— Ну и что? — потеряв самообладание, завопила она. — Кабы не Ольга, Роман женился бы на мне.

Я подавил тяжелый вздох. В некоторых случаях любые аргументы бесполезны, а слова бессмысленны. В Ларисе говорит неуправляемая ревность.

— Надеюсь, вы успели позвонить в «Шерлок»,

чтобы отменить высылку пакета с фотографиями, — осведомился я.

— Нет, — с вызовом ответила Лариса, и я еще раз поразился ее злобности, — я забыла про письмо!

— Но какой смысл был в его отправке после кончины Романа? — не сдержался я.

— И что? Пусть Ольга знает, что он ее всю жизнь обманывал, не одной же мне плакать! — взвизгнула Лариса.

Я уставился на нее. Так вот почему Ольга наглоталась таблеток, она получила бандероль с фотографиями и анонимным письмом.

— Вы знаете, что Ольга едва не отправилась на тот свет, а теперь живет как растение?

— Так ей и надо, — с торжеством заявила Лариса, — в другой раз подумает, за кого замуж выходить!

Я просто онемел, услыхав последнее заявление. С такой женщиной я сталкиваюсь впервые!

— Но Роман бросил вас не из-за жены!

— Именно из-за нее, скандала побоялся!

— Он, наверное, параллельно с вами крутил любовь с Ириной Медведевой. Отчего же вы не стали мстить ей?

Лариса совершенно спокойно ответила:

— Ирка-то была временным увлечением. Таких Ирок у него могло быть еще вагон с тележкой. Она мне не соперница была. Я за ней слежку приставила лишь для того, чтобы Ольге насолить.

Я понял наконец бесполезность своего разговора с Ларисой. Да, похоже, Ирина Медведева ее совершенно не волновала, все черные чувства и помыслы обиженной дамочки были направлены на жену.

— Но вы на похоронах показали Светлане Ирину! — цеплялся я за последнюю надежду.

— Да! — снова возмутилась Лариса. — Между прочим, Ольга, которая только по недоразумению называлась супругой Романа, сидела у гроба, ее все утешали, а я глотала слезы в темном углу! А я тоже любила Романа и могла считаться его настоящей супругой. Соболезнования должны были приносить мне, мне, а не этой дылде, ясно? Так еще Светка, нахалка, стала меня выгонять. Меня! Да какое право она имела! Меня! Я чуть не лопнула от злости, когда поняла, что Ирина стоит себе спокойненько и никто ее не трогает, а меня вон гонят! Ну я и открыла Светке глаза. Пусть знает правду! Так им и надо!

У меня возникло острое желание вымыть руки, а еще лучше залезть под душ и потереться как следует мочалкой.

Нора спокойно выслушала мой отчет и спросила:
— Тебя ничего не удивило?
— Только то, что женщина может быть такой злобной! — вырвалось у меня.
— Ну мужчины тоже случаются немотивированно агрессивные, — не осталась в долгу Нора. — Могу привести примеры из литературы, да взять хотя бы Яго, который подставил Дездемону. Очень приятный субъект, не так ли?
Я промолчал, хотя следовало возразить: «Бог с ним, с Яго, вы вспомните Леди Макбет!»
Нора отъехала от стола, подрулила к окну и поинтересовалась:
— А больше ничего тебя не смутило?
— Нет, мне кажется, что мы идем по ложному следу. Лариса ненавидела Ольгу и мечтала доставить неприятности жене Романа. Ирина ее интересовала

лишь как орудие мести, слежка была предпринята ею ради того, чтобы послать фотографии Ольге. А уж с кем Роман будет запечатлен на них, Ларисе было безразлично. Против Иры она, как ни странно, не имела ничего...

— Это ясно, — отмахнулась от меня Нора, — однако ты невнимателен. Ну-ка, слушай, что сказала в самом начале разговора Лариса...

Палец хозяйки ткнул в кнопочку, и крохотный диктофончик, который я постоянно во время всех бесед держу включенным в кармане, начал транслировать злобный голос Ларисы:

— У Иры есть мать, бедная женщина, не способная прокормить дочь, поэтому девушка живет с отцом, очень обеспеченным человеком...

— Погодите, погодите, — забормотал я, — но ведь Семен Юрьевич сказал, что мать Ирины умерла, решив перед кончиной открыть дочери тайну ее рождения...

— Значит, он нам соврал, — мрачно буркнула Нора, — впрочем, он еще сказал, что его вторая дочь, Катерина, учится в УПИ, якобы сестры ходили в один институт. И что выяснилось? В этом учебном заведении о такой студентке никто и слыхом не слыхивал...

Раздался звонок.

— Иду, иду, — послышался из коридора голос Муси, потом пол затрясся.

Домработница спешила открыть входную дверь.

— А вот и Семен Юрьевич, — ухмыльнулась Нора, — сейчас зададим ему пару вопросов. Я позвала его еще вчера, чтобы уточнить про Катю, а сегодня спрошу еще и про мать Иры.

Коротков плюхнулся в кресло и, слегка задыхаясь, спросил:

— Нашли?

— Пока нет, — без тени улыбки на лице заявила Элеонора.

— Тогда за каким чертом вы меня от дел оторвали? — обозлился клиент. — Мне недосуг просто так через весь город носиться!

— У нас возникли к вам кое-какие вопросы, — не дрогнула Нора.

— По телефону выяснить можно было, — рявкнул Семен Юрьевич и глянул на свои часы.

На лице Норы появилась самая сладкая улыбка, со стороны могло показаться, что она испытывает смущение, но я, очень хорошо знающий свою хозяйку, поежился. Элеонора обозлилась до последней степени и сейчас начнет делать из Семена Юрьевича форшмак.

— Много времени мы у вас не отнимем, — пропела Элеонора, — очевидно, мой секретарь в прошлый раз что-то напутал в записях...

— Если служащий идиот, — не успокаивался Семен Юрьевич, — его следует выгнать и нанять другого.

— Всенепременно воспользуюсь вашим советом, — кивнула Элеонора, — скажите, где училась Ирина?

— Сыщики фиговы, — поморщился Сергей Юрьевич, — столько времени прошло, а вы только сейчас до института дойти решили? В УПИ!

— Ага, — хмыкнула Нора, — но у вас имеется и вторая дочь, Катя.

— И что?

— Где получает образование Катерина?

— Там же.

— Тогда как вы объясните тот факт, что никто в учебной части — ни один преподаватель, ни один из студентов — ни разу не видел в коридорах этого в высшей степени престижного учебного заведения девушку по имени Екатерина Короткова?

Семен Юрьевич замер, словно налетел на стену, но потом моментально нашелся:

— Какое вам дело до Кати? Она к этой истории не имеет никакого отношения!

— Так она учится в УПИ?

— Да, — обозлился Семен Юрьевич, — у Катерины проблемы со здоровьем, поэтому она осваивает знания заочно! Ее на самом деле мало кто в институте знает, только Регина Львовна, инспектор, в ведении которого находятся заочники. Ей-богу, я не понимаю вашего интереса к Кате!

— Нам бы очень хотелось поговорить с ней, — протянула Нора, — вполне вероятно, что сестры не имели друг от друга тайн.

— Я уже упоминал, что Катя в Германии!

— Да, да, я совсем забыла, — прикинулась идиоткой Нора, — напомните мне, когда девочка уехала?

— Через неделю после исчезновения Иры, в декабре.

— А ваша жена...

Семен Юрьевич посинел.

— Моя жена тут вообще ни при чем! Незачем о ней толковать.

— Замечательно, тогда последний вопрос.

— Ну, задавайте его живей, у меня времени нет!

— Мать Ирины умерла?

— Каким местом вы меня в прошлый раз слушали? — взвыл Семен Юрьевич. — Вера скончалась! Ирина пришла ко мне после похорон матери.

— Вспомнила, — хлопнула себя ладонью по лбу Нора, — да, действительно, с моей стороны было глупо забыть ваш обстоятельный рассказ. А Ира показала вам какие-нибудь документы, подтверждающие кончину матери?

— Да, свидетельство о смерти.

— Вы его читали?

— Да что случилось?

— Ничего, — ласково улыбнулась Нора, — а в какой больнице находится Катя?

— Она в Германии!!!

— Это я уже поняла. Если вы назовете город и название медицинского центра, Иван Павлович слетает туда и побеседует с Катей, для нас очень важны ее показания, вероятнее всего, в них ключ к тайне.

Семен Юрьевич замолчал, потом почти спокойно ответил:

— Наизусть я не помню.

— Но дома-то у вас записано?

— Не уверен.

— Ладно, — Нора решила зайти с другого конца. — Дайте мне номер мобильного телефона вашей жены. Она-то точно знает адрес места, где лежит Катя.

— Дурацкая затея! — завопил Семен Юрьевич. — К Катерине никого не пустят! Она после операции! Ясно? Ищите Иру! А не сумеете найти, я вас так ославлю, что больше ни одного клиента у вас не будет!

Он вскочил и бросился к двери. Мы с Норой остались в кабинете.

— Значит, так, Ваня, — подвела итог разговора Нора, — ты должен быстро решить пару проблем, впрочем, кое-какими я займусь сама. Интересно, почему милейший Семен Юрьевич так упорно прячет Катерину? Что она такое знает, а?

— Может, не стоит усложнять ситуацию? — засомневался я. — Вполне вероятно, что отец просто не хочет волновать больную девочку...

— Завтра прямо с утра ты отправишься снова в УПИ и попробуешь очень осторожно, не в лоб, порасспросить эту инспекторшу заочного отделения Регину Львовну, — прервала меня Нора.

— Вряд ли отец, который безуспешно разыскивает пропавшую дочь, станет скрывать свидетеля, способного пролить свет на темную историю, — не успокаивался я.

Нора вытащила из пачки папиросу, помяла ее в пальцах и тихо сказала:

— Что мы знаем о Семене Юрьевиче и Ирине?

— Ну...

— Только то, что он нам сам рассказал, — закончила хозяйка, — а вдруг он слукавил?

— В каком смысле?

— В прямом! Вдруг он разыскивает Ирину вовсе не для того, чтобы со слезами радости на глазах прижать ее к сердцу?

— Зачем же еще отец хочет увидеть пропавшую дочь!

— Чтобы наказать ее!

— Да за что?

— Это — интересный вопрос, — кивнула Нора, — я не знаю, пока не знаю!

Ее взгляд пробежал по комнате и уперся в темноту за окном. Я тоже невольно оглядел кабинет, заметил на столике раскрытый томик Рекса Стаута и улыбнулся:

— Нора, вам следует читать меньше детективов, а то у вас начинается профессиональная болезнь сыщиков.

— Какая? — машинально поинтересовалась хозяйка.

— В каждой мелочи искать преступление века. На самом деле все обстоит очень просто. Ирина вечером собралась на дискотеку, поймала машину, за рулем оказался насильник.

— Ваня, твоя версия не выдерживает никакой критики, — спокойно сказала Нора, — насильник бы просто убил девушку, а ее труп спрятал. Но держать Ирину взаперти несколько месяцев?! И этот нелепый наряд?

— Всякое бывает, — упорствовал я, — потом она могла убежать...

— Ужин подан, — сунула голову в кабинет Муся, — пожалуйте к столу.

Глава 19

Мы с Норой переместились в столовую, и Муся захлопотала вокруг нас. Конечно, я понимал, что прислуга должна быть исполнительной, но всепоглощающее желание Муси угодить способно было довести до обморока.

Вечером я решил принять ванну, но не успел погрузиться в теплую воду, как в дверь принялась колотить Муся:

— Иван Павлович, пустите меня!

— Подожди немного, я скоро выйду.

— Нет, впустите меня сейчас.

— Да зачем?

— А кто же вам спинку потрет? Небось сами не достанете!

Предложение Муси настолько ошеломило меня, что я брякнул:

— Но я голый!

— Ну и что, ясное дело, не в костюме отмокаете!

Шокированный ее предложением, я открыл во всю мощь струю из крана и сделал вид, что не слышу ее истошных воплей.

Когда я вышел, домработница обиженно заявила:

— Между прочим, я умею и маникюр с педикюром делать!

Я представил себе, как Муся красит мне на ногах ногти в кроваво-красный цвет, и едва сдержал смех.

— И ничего веселого тут нет, — разобиделась Муся. — Вон у вас голова мокрая, так и до простуды недалеко, ну-ка садитесь, я уложу вас феном. Да вы не сомневайтесь, я это тоже умею!

Не успел я охнуть, как Муся усадила меня на стул, намазала мои волосы какой-то липкой дрянью, затем стала вертеть феном, приговаривая:

— Вы и так красавец, а сейчас еще лучше станете, прямо картинка!

Мучение продолжалось минут пятнадцать, закончилось оно опрыскиванием моей несчастной шевелюры струей резко пахнувшего лака.

— Теперь смотрите! — гордо воскликнула доморощенная стилистка.

Я покосился в зеркало и еле сдержался, чтобы не воскликнуть: чудовищно! Голова моя выглядела ужасно, волосы, зачесанные назад и обильно смазанные жирной, блестящей субстанцией, сделали меня похожим на лакея из трактира. Не хватало только белого полотенца, перекинутого через руку, и подобострастной улыбочки.

— Ну как? — Муся жаждала восхищения.

— Нет слов, — честно ответил я и пощупал волосы. Они слиплись намертво.

Очень довольная собой, Муся потопала в кухню, а я ночью, убедившись, что она спит, вымыл в раковине голову. Было очень неудобно лезть под кран. Но я побоялся включить душ. Хоть Мусин храп и раскатывался по всей квартире, но вдруг она услышит шум воды?

Муся навела свой порядок и в моем шкафу. Нижнее белье теперь было сложено стопочками, носки собраны парами и скатаны в аккуратные комочки, в ботинки она вставила специальные распорки, пиджаки висели на вешалках, брюки в держалках...

Я до недавнего времени считал себя аккуратным человеком, но теперь понимал: на фоне Муси я просто неряха. Кстати, брюки мне скоро придется покупать новые. Пока еду нам готовил Орест Михайлович, я прибавил несколько килограммов, впрочем, Нора тоже растолстела, и ей это вовсе не нравится.

На столе испускала аромат кулебяка.

Муся почему-то молчала, отпилила от нее по гигантскому куску, положила нам на тарелки и полила выпечку сверху соусом.

— Это что? — спросила Нора, вонзая вилку в яство. — М... м...

Я последовал ее примеру и чуть не проглотил язык, сегодня Орест Михайлович превзошел себя. Тесто... Простите, я не сумею подобрать нужных эпитетов. Думается, вам не удастся никогда попробовать ничего подобного. Ей-богу, этот пирог не стыдно было бы подать на ужин английской королеве, папе римскому или председателю международного клуба гурманов.

— Ну и как? — поинтересовалась Муся.

Вилка выпала у меня из рук. Впрочем, у Норы тоже. Да и было чему удивляться! Одна Муся возилась сейчас у буфета, другая — бочком протиснулась в столовую.

— Ты кто? — подскочила Нора.

— Не признали меня? Я Муся.

— А там тогда кто? — весьма невоспитанно осведомился я.

Туша, хлопотавшая у буфета, обернулась, я вздрогнул. На меня приветливо смотрела незнакомая пожилая женщина.

— Это Зиночка! — воскликнула Муся. — Орест Михайлович, сделайте одолжение, загляните в столовую, извиняйте, что отвлекаю!

Появился облаченный в звенящий от крахмала халат повар и объяснил:

— Позвольте вам представить Зиночку, мою маму. Они специально приехали-с, чтобы для вас кулебяку испечь и тортик сделать. Зиночка готовит лучше всех в Москве.

— Да, — с жаром подтвердила Муся. — Зиночку знатные люди для себя печь зовут, вот, например...

— Муся, — укоризненно покачал головой Орест, — язык твой враг твой.

Жена моментально захлопнула рот. А я в который раз удивился, каким образом крохотный Орест Михайлович ухитряется держать в ежовых рукавицах жену, которая рядом с ним выглядит как слон на фоне таракана.

— Я-то вам никак угодить не могу, — вздохнул Орест, — вы всегда от сладкого отказываетесь, но уж от Зиночкиного торта не отвернетесь. Муся, подавай.

Домработница стремительно метнулась на кухню. А я испугался. После тяжелой кулебяки, обильно политой жирным соусом, ни о каком сладком и речи быть не могло.

В столовую вплыл торт. Выглядел он устрашающе. Огромный квадрат светло-желтого цвета, посыпанный сверху сахарной пудрой.

— Нам надо весь съесть? — с ужасом спросила Нора.

Первый раз за долгие годы работы я услышал в ее голосе страх. До сего момента хозяйка казалась мне личностью, сделанной из стали, и вот надо же, вид обычного бисквита поверг ее в ужас.

Орест Михайлович ласково улыбнулся:

— А что тут есть-то? Это Зиночкин «Наполеон», настоящий, из ста тончайших коржей, пропитанных кремом, рецепт которого мама держит в тайне...

— Да, — словно из бочки прогудела Зиночка, — вот умирать стану и после исповеди тебе, Орест, одному тайну открою.

Я переводил взгляд с Зины на Мусю. Ох, недаром говорят, что любой мужчина инстинктивно ищет жену, похожую на его мать. Оресту это удалось в полной мере. Муся и Зина просто близнецы, огромные горы, с добродушно улыбчивыми лицами. Внезапно мне стало не по себе. Надеюсь, что эта народная мудрость срабатывает не на все сто, мне совсем не хочется связать свою судьбу с особой, повторяющей Николетту. Нет уж, лучше остаться холостяком. Двух мамаш я просто не способен выдержать!

— Тут никаких калорий нет, — спокойно увещевала нас Зиночка, ловко нарезая торт, — я одни натуральные продукты положила, никаких, упаси господи, консервантов или искусственных красителей. Не сомневайтесь, только масла два кило, яичек три десятка, сливочки тридцатипятипроцентные, мука, ванилин, сахар...

— Совершенно диетическое изделие, — встрял Орест Михайлович, — такое всем можно кушать без всякого вреда!

— От хорошей еды хуже не станет, — запела Муся, — ужин-то сегодня легкий, одна кулебяка. Уважьте Зиночку, она специально прикатила «Наполеончик» испечь.

— Такой торт очень уж Ясикогаве нравился, — улыбалась Зиночка.

— А он кто? — поинтересовался я, наблюдая, как огромный кусище возникает прямо перед моим носом.

— Ясикогава? Очень известный у них в Японии человек, — пояснила Зиночка, — богатый и знатный. Приехал к нам завод свой строить. Вот и мотался туда-сюда, квартира у него тута была. Все мне подарки из Токио привозил, кукол всяких, халаты шелковые, маленькие только очень, там у них с нормальными размерами плохо, все такое крохотное... Хороший был человек, жаль, умер внезапно, откушал моего «Наполеончика», и все!

— Как «все»? — в один голос воскликнули мы с Норой.

— Сердце у него не выдержало, — грустно пояснила Зина, — да вы ешьте, ешьте, я для вас специально старалась.

Я почувствовал себя бараном, которого стая волков уносит в свое логово. Бедный незнакомый мне японец Ясикогава, скорей всего, пал жертвой обжорства. Жители Страны восходящего солнца едят мало, мелкими порциями, в основном морепродукты, рис и сырые овощи. Тяжелый, жирный «Наполеон», в котором «всего-то» навсего два кило масла вкупе с несколькими десятками яиц и натуральными сливками оказался бедолаге не по зубам, вернее, не по нутру...

Честно говоря, пробовать кондитерский шедевр мне категорически расхотелось. Но альтернативы-то нет!

В прихожей зазвенел звонок, прислуга мигом испарилась. Мы с Норой уставились друг на друга.

— Это Олег Семенов, — предположила Нора, — он должен был прийти. Ваня, как ты думаешь, они заставят нас съесть эту гору теста целиком? В мои планы не входит окочуриться от излишнего количества пищи. Кстати, я катастрофически толстею!

— Сейчас войдет Олег, надо его угостить тортом, — предложил я.

— Точно, — кивнула Нора, — скормим ему это кремовое безумие, будет знать, как сюда сумасшедших отправлять!

Дверь распахнулась, и в столовую вбежал наш сосед Валерий.

— Вы ведь детективы? — с порога завопил он.

— Присаживайтесь, — сказала Нора, — угощайтесь.

— Не до сладкого мне!

— Все равно попробуйте, — настаивала Элеонора, решившая во что бы то ни стало избавиться от «диетического» шедевра. — Ваня, положи гостю кусок побольше.

— Я хочу вас нанять, — пробормотал с полным

ртом Валера, — расследуйте один странный факт. Вкусно-то как! Офигеть можно! Где такой купили?

— Зиночка испекла, — вздохнул я, — мама Ореста Михайловича, повара.

— Классно готовит, — воскликнул Валера, азартно расправляясь с куском, — давно хочу прислугу нормальную нанять. Наша-то Танька, корова, ничего по-нормальному сделать не может... Зиночка, говорите? Можно еще кусочек слопать?

— Ешьте на здоровье, — обрадовалась Нора, — кладите побольше. Может, вам с собой еще дать?

— Неудобно как-то, — пробормотал Валера, мигом расправляясь со второй порцией. — Хотя я очень сладкое люблю, прямо как баба. Пацаны на зоне переживали, что курева мало и водки, а меня ломало по другому поводу, я сгущеночку во сне видел, мармелад, прямо стыдно кому сказать было! Чего же я от вас хотел, а? Во, такая вкуснотища, что и забыл, зачем пришлепал!

Валера потянулся за третьим куском.

— Вы собирались поручить нам какое-то дело, — напомнил я.

— Точно, — хлопнул себя по лбу сосед, — значитца, так. Узнайте, отчего на мой джип лезут кошки!

Я поперхнулся, а Нора, вздернув вверх брови, посоветовала:

— Может, вам лучше обратиться с этим вопросом к Куклачеву? Он у нас считается лучшим специалистом по этим животным.

Валера кивнул:

— Ага! Я уже звонил! Ихний театр на гастролях, только к маю вернется, а за это время от «Лендкрузера» ничего не останется. Так что вам придется браться за дело.

— Боюсь, это не в нашей компетенции, — осторожно стала отнекиваться Нора, — обратитесь в ветеринарную академию, там небось есть люди, изучающие кошачью психологию.

— Присоветовали мне они, — вздохнул Валера, доедая «Наполеон», — возьмите, говорят, винтовку и пристрелите кошек. Вот уж профессора! Одних прибьешь — другие налетят, да и не могу я животных убивать, грех это — бессловесную тварь жизни лишать! Беритесь за дело! Я заплачу! Сколько хотите...

И тут в прихожей снова ожил звонок. Из коридора послышался топот Муси, потом бас Олега Семенова:

— Да я сам ботинки расшнурую.

Валера прищурился:

— Так беретесь? Я не уйду, пока вы не согласитесь.

— Хорошо, — кивнула Нора, — попробуем.

— Сколько? — деловито осведомился сосед.

— Бесплатно, мы по-соседски поможем, — вздохнула Нора, явно хотевшая побыстрей избавиться от Валеры.

— Мне как-то неудобно без денег.

— Ерунда! Впрочем, если хотите сделать нам приятное, унесите с собой остатки торта.

Валера перевел взгляд с меня на Нору и назад.

Потом взял тарелку, встал, дошел до двери и наконец высказался от души:

— Странные вы, ей-богу!

Нора, страшно обрадованная тем, что «Наполеон» уносят, заулыбалась:

— Все в порядке, мы живем в одном доме, должны помогать друг другу!

— Ладно, — кивнул Валера, — вы мне хорошее дело сделаете, а я вам подарок принесу.

На том и порешили. Сосед ушел, прихватив с собой остатки кремового безумия. Не успела его кряжистая фигура пропасть из виду, как на пороге появился щуплый Олег Семенов. Нора нахмурилась.

— Ну, здравствуй, бизнесмен!

Олег сел к столу и осторожно спросил:

— Вы на меня сердитесь?

Я очень хорошо понимал, почему парень испытывает тревогу. Олег не так давно открыл собственное дело, пока оно вертится без проблем и даже начало приносить своему хозяину кое-какой, правда, маленький, зато стабильный доход. Раньше Олег был одним из сотрудников корпорации Норы, и она здорово помогла Семенову, когда тот решил пуститься в самостоятельное плавание по волнам частного предпринимательства. Более того, прибыль Олега сейчас сильно зависит от отношения к нему Элеоноры. Если хозяйка обозлится и предпримет кое-какие шаги, Олег мгновенно обанкротится. Вот почему он тут же прилетел к нам, услыхав по телефону в голосе Норы недовольные нотки.

— Ты зачем нам сумасшедших подсовываешь? — поинтересовалась Нора, вытаскивая папиросу.

— Я? — опешил Олег. — Мне бы такое и в голову не пришло!

— Где ты взял этого Кирилла Потворова? — продолжала сердиться Элеонора. — Парень совсем плох.

Семенов удивился еще больше:

— Кирюха? Вовсе нет!

— Откуда ты его знаешь?

— Так мы в одном дворе всю жизнь жили, пока я новую квартиру не купил! И в школу вместе ходили, и в автомеханический техникум, только потом Кирюха ремонтом машин занялся, а я к вам ушел. У него сервис был.

— Значит, он не мойщик машин? — вырвалось у меня.

— Ну при сервисе мойка была, — пояснил Олег, — там у Кирюхи парни работали. Он хохлов нанимать любил, им копейки платить можно, а пашут они, как звери. Кирюха очень расчетливый был!

— Почему был? — спросил я. — Сейчас-то он где?

— На кладбище, — вздохнул Олег, — вот бедняга!

— Как он туда попал? — удивился я. — Разорился? И теперь служит могильщиком?

Олег покачал головой:

— Умер Кирюха.

— Когда? — воскликнули мы с Норой в один голос.

Но ответа не услышали, потому что дверь приотворилась, в столовую заглянула Муся и спросила:

— Можно вам свежего чайку подать?

— Скройся, — рявкнула Нора, — не мешай!

Муся засопела.

— Неси свой чай, — смилостивилась хозяйка, — только молча! Издашь хоть звук — уволю!

Муся мигом исчезла. Нора подъехала к Олегу и схватила его за плечо:

— А ну, быстро рассказывай, что случилось с Кириллом?

Семенов пожал плечами:

— Я подробностей не знаю!

Нора отпустила его, подрулила к журнальному столику, ткнула окурок в пепельницу и прошептала:

— Выкладывай все! Начни от печки. С чего тебе взбрела в голову идея прислать Кирилла сюда, а?

Олег захлопал глазами, открыл было рот, но тут в столовую торжественно вплыла Муся. Абсолютно молча она водрузила на буфет чайник, потом поставила перед нами чистые чашки, собрала грязную посуду и махнула рукой. Дверь вновь открылась и явила нам Зиночку, которая совершенно беззвучно стала приближаться к столу. Все действие напоминало пантомиму, которую разыгрывают два бегемота, старающиеся выглядеть крохотными и изящными. Ей-богу, ситуация могла показаться смешной, кабы не одно обстоятельство. Зиночка держала в руках большое блюдо, на котором покоился огромный, абсолютно целый «Наполеон». Нора сначала выпучила глаза, а потом, ткнув пальцем в кондитерский шедевр, рявкнула:

— Это что?

Зиночка водрузила башню из слоеного теста передо мной и исчезла со скоростью зайца, за которым бежит лиса.

— Это что? — продолжала вопрошать Нора.

Муся, сопя, принялась разливать чай.

— А ну отвечай! — окончательно вышла из себя хозяйка.

Муся растопырила руки и стала крутить ими в разные стороны.

— Говори нормально! — вспылила Нора.

— Так вы запретили же, — протянула Муся.

— Теперь разрешаю! Это что?

— Тортик.

— Откуда?

— Зиночка испекла.

— Но мы его съели!

— А это второй.

— Она два приготовила?!

— Да.

— Зачем???

— Так очень вкусно, — бодро сказала Муся, — у Зиночки клиенты завсегда по два тортика заказывают. Вот она и подумала вам услужить, раз уж мы с Орестом Михайловичем у вас работаем, то и Зиночка тут. Кушайте, наслаждайтесь, нам главное, чтобы вы радовались, тут только диетические продукты...

— Знаем, — весьма невежливо оборвала Мусю Нора, — ступай на кухню и не появляйся ни под каким видом, пока не позову.

— Кто же вас чайком напоит? — засопела Муся.

— Сами справимся.

— Давайте тортик разрежу...

— Уходи!

— Я еще вареньица принести не успела.

Нора стала наливаться багрянцем. Муся медленно двинулась к двери. Элеонора буравила ее тяжелым взглядом. Домработница всхлипнула, обернулась, потом поднесла к глазам фартук и плаксиво протянула:

— Нет, мне просто жить не хочется!

— Хорошо, — сдалась Нора, — режь «Наполеон», клади всем по куску и ступай на кухню.

Муся вспугнутой кошкой метнулась назад к столу. Когда она с абсолютно счастливым лицом наконец-то покинула столовую, Нора ткнула пальцем в сторону ополовиненного «Наполеона» и заявила:

— Так, теперь по порядку рассказывай про Кирилла, иначе съешь все, что лежит на блюде.

Глава 20

Олег редко теперь приезжает в свой старый двор, собственно говоря, делать ему там нечего. Но в тот день его пригласил на день рождения Женя Лакмусов, его бывший одноклассник. У него Олег и встретил Кирилла. Сначала они выпили, потом закусили, потом опять опрокинули рюмки... Компания подобралась разношерстная, почти все, кроме Кирилла и Олега, явились с женами. Семенов, единственный из однокашников, остался холостым, а Кирилл никогда не приводил на мероприятия свою супругу.

— Почему? — перебила его Нора.

Олег замялся:

— Стеснялся.

Нора усмехнулась:

— Что же, его жена настолько не умела себя вести? Сморкалась в скатерть? Или, напившись, начинала приставать к присутствующим мужчинам?

Олег повертел в руках чайную ложечку.

— Да нет! Тут в другом дело.

— В чем же? Говори живей, — поторопила его Элеонора.

— Она умственно неполноценная, дебилка, хотя с виду вполне ничего, даже красивая.

Нора уставилась на Олега. Было видно, что хозяйка удивлена.

— Зачем же он на ней женился? — выговорила

она наконец. — Неужели ему нормальных девушек не хватило?

Олег принялся размешивать чай.

— Я сам вначале не поверил, когда узнал. Думал, Кирюха снова мне наврал. У него фантазия работала бесперебойно, просто фонтан бил! Представьте, классе во втором он мне на полном серьезе заявил, что его отец великий ученый, якобы он изобрел уникальное лекарство. За ним охотятся враги, поэтому профессора прячут в горах, в бункере, а Кирюха с матерью туда раз в год летает. Он так убедительно рассказывал, убежище в деталях описывал, я ему долго верил. Потом он рассказывал, будто летом познакомился с девчонкой, дочерью Галины Улановой. И снова в мельчайших подробностях описывал квартиру великой балерины, картины на стенах, мебель, и как она его ласково принимает, даже велела звать себя тетя Галя... И я опять купился. Впрочем, не только я... Потом, конечно, я узнал, что у Улановой детей-то никогда и не было.

В общем, врал Кирилл всегда и всем. Ему бы романы писать с такой уникальной способностью к выдумкам. Но его фантазии не выливались на бумагу, тяги к сочинительству Потворов не имел, зато на знакомых вываливал ведра лжи. Никакой выгоды от этих россказней Кирилл не имел. Сначала Олег считал, что одноклассник хочет показаться крутым. Он много врал о своей дружбе с людьми из шоу-бизнеса и политики, но потом стал рассказывать об автокатастрофах, в которые никогда не попадал, о смешных ситуациях, которые с ним никогда не приключались. И Семенов понял: Кирилл просто нездоров. Он просто страдал болезнью Мюнхгаузена. Медицина считает людей, безудержно, по любому поводу лгущих, больными. Конечно, привирают все. Если случайно встреченный на улице знакомый задает вам дежурный вопрос: «Как дела?» — не спешите ответить правду. Что жена вам изменяет, начальник на работе вас не жалует, а дети жуткие двоечники.

Нет, даже если дела у вас дома идут из рук вон плохо, вы улыбнитесь и скажите: «У меня все нормально, а у тебя?»

В некоторых случаях истину говорить категорически противопоказано. Если дама интересуется: «Скажи, как я выгляжу?» — не стоит отвечать ей: «Дорогая, ты похожа на раскрашенную обезьяну, мелированные волосы старят тебя лет на десять. А это обтягивающее платье более подходит для юной, стройной девушки, а не для обрюзгшей особы, коей являешься ты».

Так что все мы лжем, но Кирилл был патологический врун, поэтому Олег ему совершенно не поверил, когда услышал от него очередную историю. Якобы у Потворова появился клиент, обеспеченный мужик с дочерью. Девушка просто красавица, но в младенчестве она заболела воспалением легких, и недобросовестные врачи назначили малютке слишком большие дозы лекарств. Девочка выжила, выросла, но... Она настоящая дурочка, закончила вспомогательную школу, в которой еле-еле научилась писать и читать. Зовут ее Аней, и Кирилл собрался на ней жениться.

— Зачем тебе такой кадр, — протянул Олег, в глубине души в который раз удивляясь способности приятеля наврать с три короба, — охота с психопаткой возиться!

— Ты ничего не понимаешь! — с жаром воскликнул Кирилл. — Из Аньки выйдет самая лучшая жена. Она готовит, стирает, убирает и ничего не просит. Ей все равно, в чем ходить, да и косметикой она не пользуется. Истерик она не устраивает и очень сексуальна. А то, что в голове у нее пусто, даже хорошо, моих мозгов на двоих хватит, ну зачем мне умная гладильная доска?

Олег только покачал головой, совсем Кирюха заврался. Но потом он с изумлением узнал: на этот раз Потворов не солгал. Он на самом деле расписался с Анечкой, полной дурочкой. Из чистого любопытства Семенов пришел к приятелю в гости и познакомился с Аней. Пока мужчины сидели за столом, Анечка, все время улыбаясь, бегала от плиты к столу. Еда оказалась вкусной, квартира чисто прибранной, а новобрачная выглядела красавицей: длинноволосая, чуть полноватая блондиночка с огромными светло-голубыми глазами, правда, ничего не выражающими. Так смотрит на мир трехмесячный младенец. Видит предметы, но никаких мыслей пока в его голове нет, впрочем, на безукоризненное ведение домашнего хозяйства Аниного ума вполне хватало.

К концу вечера Олег откровенно позавидовал Кириллу.

Аня спокойно наблюдала, как мужчины пьют пиво, не морщила демонстративно нос при виде сигарет и не просила переключить футбольный матч на более интересную передачу. Она не влезала в их разговор, не ныла, не кокетничала, не делала мужу замечаний. Подав еду, Анечка села в кресло и принялась с упоением смотреть комиксы. Олег, который в те дни порвал с очередной невестой, только вздыхал. Может, идеальная жена — это умственно отсталая женщина?

Теперь вы понимаете, почему Олег не удивился, увидев Кирилла без его половины? В середине вечера Семенов поинтересовался у Потворова:

— Как там Аня? Здорова, надеюсь?

Кирилл странно глянул на Олега и внезапно сказал:

— Пошли на лестницу, поговорить надо.

Сев на грязную ступеньку, Потворов выпалил:

— Аньку похитили!

Олег скривился.

— Хорош врать!

— Ей-богу, это правда!

— Когда же ты правду говорил? — рассердился Олег. — Сколько я тебя помню, врешь, как сивый мерин.

— Чтоб мне умереть тут, — чуть ли не со слезами на глазах воскликнул Кирилл, — ее два дня уже нету! Я сам виноват, идиот!

В его словах прозвучало такое отчаяние, что Олег неожиданно понял: на сей раз Потворов не лжет. С Аней и впрямь случилась беда.

— Дурак я, кретин, — казнил себя Кирилл, — знал же, что она по разуму десятилетний ребенок, а бдительность потерял.

Вскоре из его бессвязных речей Олег понял, в чем дело.

Несколько месяцев назад Кирилл, тотально занятый в своем автосервисе, обнаружил, что Анечка толстеет. Потворову не нравятся полные женщины, поэтому он сначала ограничил супругу в еде, но это не помогло. Через некоторое время он сообразил, что пока он ворочает бизнесом, Аня, переделав все дела, ложится на диван и спит. Читать она ничего, кроме комиксов, не может, по телевизору смотрит одни мультики, опять же лежа, отсюда и вес.

Кирилл пораскинул мозгами и придумал способ борьбы с апатией жены.

В Москве существует коммерческий центр, где психологи и специально обученные преподаватели занимаются с умственно неполноценными, но относительно компенсированными людьми. Самое интересное, что располагалось сие заведение не так далеко от квартиры Потворова. Уютный домик стоял на окраине парка и выглядел как санаторий. Аня могла приходить и уходить с занятий самостоятельно. Естественно, одну в центр Москвы Кирилл жену не отпускал, та могла растеряться в метро, испугаться толпы, но по родному микрорайону Аня передвигалась свободно, она делала покупки в магазинах, относила белье в ближайшую прачечную.

Кирилл сбегал в заведение под поэтическим названием «Голубое солнце» и пришел в восторг. Это был настоящий клуб по интересам для тех, кому господь забыл дать мозги. Умственно отсталые люди занимались тут танцами, рисованием, иностранным языком, физкультурой, йогой, математикой. Да, да, вы не ослышались, тут имелись педагоги по всем предметам. Естественно, никто не требовал от несчастных знать алгебру, но самым примитивным арифметическим действиям их обучали вполне успешно. А еще здесь был живой уголок и кружок любителей природы. Главное же состояло в том, что люди, приведя сюда своих больных родственников, могли спокойно заниматься своими делами, зная: несчастным здесь хорошо.

Группы тут подбирались разновозрастные, но и

десятилетки, и взрослые тридцатилетние тети весело проводили время вместе.

Конечно, за занятия в «Голубом солнце» нужно было платить, причем весьма нехилую сумму, но Кирилл прилично зарабатывал. Аня же никогда ничего не просила: ни шмоток, ни косметики, поэтому Потворов особо на жену раньше не тратился.

Ане очень понравилось в «Голубом солнце». Сначала она рисовала, потом танцевала, но больше всего она полюбила занятия шахматами.

— Чем? — удивился Олег.

— Шахматами, — повторил Кирилл, — даже попросила купить ей их. Вечером я садился у телика с пивом, а Анька пристраивалась рядышком и начинала бормотать, передвигая по черно-белому полю фигуры:

«Эти ходят прямо и влево, а конь крючком...»

Кириллу увлечение жены нравилось, и он поощрял ее шахматные экзерсисы. У семейной пары сложился стабильный распорядок дня.

В восемь утра Кирилл уходил на работу, Анна убирала квартиру, бегала за продуктами, готовила, стирала, гладила, а потом, переделав все бытовые дела, неслась в «Голубое солнце», где общалась с себе подобными до десяти вечера, когда за ней приезжал Кирилл.

В начале января Потворов, как обычно, уехал в свой сервис. День прошел совершенно обычно, ничего из ряда вон не случилось. Ровно в двадцать два часа Кирилл прибыл в хорошо известное ему здание и спросил у Розы Андреевны, дежурного педагога:

— Где моя красавица? Пора ей домой.

В центре при желании можно было оставить больных на ночь, кое-кто жил в «Голубом солнце» постоянно. В глубине парка стояло еще одно трехэтажное здание, бывшее приютом для умственно отсталых людей из обеспеченных семей. Ничего общего с муниципальными домами для престарелых оно не имело.

Роза Андреевна растерянно взглянула на Кирилла:

— А что, разве Аня у нас? Она же с вами ушла час назад, попрощалась со мной, сказала, вы во дворе ее ждете!

Кирилл поехал домой, открыл дверь и испугался. Жены в квартире не было. На плите стоял готовый обед, в ванной на веревке висели постиранные рубашки, на мебели не было пыли. Аня всю первую половину дня трудилась на ниве домашнего хозяйства. Ее зимнего пальто, шапки и сапог на вешалке не оказалось, а дверь, когда Кирилл приехал домой, была тщательно заперта снаружи. Аня, обладавшая разумом десятилетней девочки, всегда старательно выполняла простые действия и очень любила, когда ее хвалили за аккуратность.

Кирилл кинулся искать жену. До полуночи он носился по району, заглядывая во все подвалы и на чердаки. В свое время он постарался внушить жене никогда не разговаривать с посторонними на улице, что бы они ей ни обещали. Аня была послушна, с мужем она никогда не спорила, считала его почти богом и сама никогда бы не пошла с незнакомыми людьми. Но ведь красивую молодую блондинку могли силой затащить в машину и увезти неизвестно куда!

Кирилл бросился в милицию, но там его встретили весьма прохладно, предложили подождать пару дней, а уж потом гнать волну.

— Ну, то, что она у тебя соображает со скрипом, еще ни о чем не говорит, — устало бухтел пожилой толстый капитан. — Запросто могла по мужикам пойти. Не с чего пока дело заводить, подождать надо.

Поняв, что в милиции не помогут, Кирилл сам начал поиски жены, но особого успеха не достиг.

Олег только качал головой, слушая рассказ бывшего одноклассника. Вот ведь несчастье какое! Скорей всего, Ани нет в живых. Молодых женщин на улице похищают, как правило, всегда лишь с одной целью и практически никого живым не отпускают.

— Надо, наверное, частного детектива нанять, — вздыхал Кирилл.

И тут Олега осенило, как помочь приятелю и одновременно оказать услугу Норе. То, что бывшая хозяйка теперь владеет агентством «Ниро», он, конечно, отлично знал.

— У него не было тещи? — поинтересовалась Элеонора.

Олег покачал головой:

— Нет, Кирюхе со всех сторон повезло. У Ани был лишь отец, да и тот вскоре после их свадьбы умер.

— Зачем же Кирилл тут озвучивал невероятную историю о пропаже Ани? — спросил я.

Семенов вытаращил глаза:

— Чего?

Я глянул на Нору, та кивнула:

— Расскажи, Ваня.

Узнав в общих чертах суть дела, Олег пожал плечами:

— А фиг его знает! Кирюха вечно врал.

— Очень глупо сочинять, нанимая сыщика, — справедливо заметила Нора.

— Да уж, — хмыкнул Олег, — только Кирилл патологический лгун был!

— Отчего он умер? — спросила Нора. — И когда?
Олег призадумался:

— Точную дату я не назову, дней ну... пять, шесть тому назад, может, неделю. Под машину попал, пьяный, на МКАД, возле магазина «Крокус-сити». Его охранники из этого торгового комплекса нашли. Обходили территорию и наткнулись в овраге на тело. Небось кто-то его сбил и на обочину сбросил, а сам побыстрей укатил.

— Странно, — протянула Нора, — все очень странно.

Я молчал, мне не разрешено высказывать свое мнение при посторонних, да и сам не стану этого делать, однако и я понимал, что здесь что-то не так. Я очень хорошо помню, как привез Кирилла в особняк к Андрею Павловичу, как тот, сразу показавшийся мне родственной душой, напоил Кирилла водой со снотворным, а потом рассказал мне историю о первом муже своей жены, несчастном шизофренике, работающем мойщиком машин. Затем в комнате появилась сама Аня, подтвердившая его слова. Она была немногословна, в основном молчала, кивая головой. Аня произвела на меня впечатление абсолютно нормальной особы. Но она не была блондинкой с голубыми глазами!

— Когда ты отправил ко мне Кирилла? — ожила Нора.

— Ну... в середине января... стойте! День рождения у Женьки девятого, вот в тот день мы и поговорили!

— А к нам он пришел почти через месяц, — протянула Нора, — очень странно, очень!

Глава 21

На следующий день Нора наметила для меня график работы. Сначала мне предписывалось поехать в институт УПИ и поговорить с инспекторшей заочного отделения Региной Львовной.

— Потом вернешься, — велела Нора, — и двинешься дальше. Давай, действуй.

Я кашлянул.

— Чего ты хочешь? Говори, — мигом отреагировала хозяйка.

— Николетта сегодня уезжает в Карловы Вары, вечером. Извините, пожалуйста, но я должен проводить ее. Но, конечно, если вы запретите...

— Ваня, — оборвала меня Нора, — я пока не готова рыдать на твоих похоронах, и потом, хорошего секретаря найти очень трудно. Знаешь, как я мучилась, пока не набрела на тебя. Естественно, ты посадишь Николетту в поезд и будешь долго махать ей платочком. Одного я не пойму, почему Павел не придушил в свое время женушку, а? Ладно, а теперь рысью к Регине Львовне.

Я помчался в УПИ и узнал, что вход на заочное отделение расположен с торца института. Там находились и другие служебные помещения, на дверях висели таблички «Бухгалтерия», «Кадры». Наконец я нашел то, что нужно, осторожно постучал и, услыхав бодрое: «Да, да», потянул за ручку.

Перед глазами открылось помещение, больше всего похожее на жилой отсек подводной лодки, причем не современной, атомной, а той, на которой плавал капитан Маринеску, легендарный офицер времен Второй мировой войны. Было непонятно, каким образом столь тучная дама, как Регина Львовна, ухитрилась втиснуться в столь узкую каморку.

Инспекторша пошарила толстой, украшенной перстнями рукой по столу, нащупала очки в коричневой старомодной оправе, водрузила их себе на нос и, тяжело вздохнув, спросила:

— Вы ко мне?

— Если позволите, то да.

Я осторожно сел на колченогий стул и улыбнулся. Обычно женщины, справившие шестидесятилетие, при виде меня становятся весьма разговорчивыми. Я произвожу на них самое положительное впечатление, но Регина Львовна осталась напряженно мрачной.

— Что у вас за вопрос, излагайте скорей, — забубнила она, перекладывая на столешнице бумаги.

— Мне посоветовал обратиться к вам Семен Юрьевич Коротков.

В глазах Регины Львовны блеснул огонек.

— Мальчик или девочка? — поинтересовалась она, мигом став любезной.

Я не очень понял, о чем речь, но быстро ответил:

— Мальчик.

— Это осложняет ситуацию, — озабоченно покачала головой с толстыми большими ушами инспекторша.

— Почему? — Я решил поддержать разговор в надежде на то, что рано или поздно разберусь в ситуации.

— Военная кафедра не охватывает заочное отделение, отсрочки от армии ваш сын не получит.

Мне сразу стало ясно, в чем тут дело. Регина Львовна приняла меня за отца, который решил пристроить свое чадушко в УПИ. Ладно, попробую плыть в предлагаемом направлении и посмотрю, куда меня вынесет волна, Нора ведь велела мне разведать ситуацию очень осторожно.

— У мальчика белый билет, — решил я успокоить Регину Львовну.

Но та, услыхав это, только еще больше насторожилась.

— Что? Все так плохо?

— Ну... не совсем... можно сказать, даже хорошо, хотя и немного плохо, — вывернулся я.

— Это значительно дороже, — сообщила она, — в три раза.

Я прикинулся испуганным:

— Да?!

— Семен Юрьевич называл вам цену?

— Примерную, не до копейки.

Регина Львовна выдвинула ящик стола, вытащила листок бумаги и протянула:

— Значит, так, разберем сначала первый курс. Зимняя сессия три экзамена, четыре зачета. Летняя — пять экзаменов. Потом курсовая работа и пара-тройка докладов. Еще у нас в расписании двенадцать предметов, по каждому следует сдать три контрольные, итого тридцать шесть работ. Если ребенок может сам явиться сюда, тогда сумма одна, но ваш сын... хм... вы говорите, ситуация, как у Семена Юрьевича?

— Да, — подтвердил я, — точь-в-точь такая, прямо один в один. Только у него тут девочка учится, Катя, а у меня мальчик... э... Павлик!

— Значит, ни о какой самостоятельной сдаче сессии и речи быть не может, — поморщилась Регина Львовна. — Это будет стоить вам три тысячи долларов в год.

Я решил изобразить жадного отца и зацокал языком:

— Однако! Нельзя ли чуть подешевле, а?

На лице толстушки появилось плохо скрытое недовольство.

— Я ведь только что рассказала вам о количестве предметов. Ну давайте считать еще раз. Двенадцать экзаменов и зачетов, следовательно, тысяча двести уйдет на оплату сессии. Затем тридцать шесть контрольных, ну это дешевле, их у нас Лена Рымская проверяет, студентка-отличница, ей за все про все триста долларов. Потом курсовая — еще четыреста, и доклады, ну... предположим, пятьсот за все. С докладами хуже всего, их на научном обществе проверяют, там председателем Константин Петрович, к нему на козе не подъедешь. Итого, сколько вышло? Две четыреста! А еще нужно зам. декана по ученой части триста отстегнуть! Он ничего не делает, а денежки очень любит, всем бы так устроиться! Ну и сколько лично мне останется? Подсчитали? Да я тут из чистого альтруизма сижу! Готовьте шесть тысяч, и ваш Павлик спокойно переплывет с первого курса на второй. А там, глядишь, ему понравится и сам учиться начнет!

— Как шесть? — подскочил я. — Только что о трех речь шла!

Регина Львовна отложила в сторону листок.

— Нет, вы меня поражаете! А вступительные экзамены? Ваш Павлик сумеет прийти написать сочинение, сдать математику и язык? Он пройдет тестирование у психолога?

— Нет, — с самым обреченным видом заявил я, — ни под каким видом.

— И что тогда? — возмутилась Регина Львовна. — У нас все по-божески. Три тысячи — вступительные, потом такая же сумма за каждый год, и в результате вы с дипломом.

— По-моему, легче заплатить на платном отделении, — вырвалось у меня, — дешевле будет.

И тут Регина Львовна обозлилась на жадного папашу. Мой вам совет, если хотите вытянуть из женщины то, о чем она не желает рассказывать, доведите ее до белого каления и мгновенно станете обладателем необходимой информации.

— Уважаемый Иван Павлович, — отчеканила инспекторша, — чтобы оказаться на платном отделении, следует также пройти через вступительные экзамены. Уж извините, если у вашего Павлика такое же состояние здоровья, как у Кати Коротковой, то никаких шансов на благополучный исход дела у вас нет. Я очень хорошо понимаю вашу проблему. Пока идут годы учебы, мальчик может выздороветь и вступить в жизнь, имея диплом, полученный без особых трудов. Кстати, имейте в виду, что порой, правда редко, возникают и дополнительные расходы.

— Это уж совсем безобразие! — продолжал актерствовать я. — Значит, шесть тысяч единовременно, а потом вы еще деньги будете тянуть!

— Я сказала: могут возникнуть, — пояснила Регина Львовна, — вовсе не обязательно, что случится форс-мажор!

— Но вот Семен Юрьевич... — начал было я.

Регина Львовна не дала мне договорить.

— Я понимаю, он рассказал вам про те четыреста долларов. Но у нас приключилась уникальная ситуация, за все годы своей работы я не припомню подобной! Сейчас я объясню вам суть дела. Совершенно неожиданно, просто как снег на голову, свалилась комиссия, подняла все бумаги заочного отделения, просмотрела контрольные, тесты, курсовые и приняла решение перевести Катю Короткову на дневное. Им показалось, что девочка имеет явный талант, вот они и решили ее осчастливить, идиоты! Велели пригласить Катерину на заседание комиссии! И что мне было делать, а? Сказать, что девушка находится сами знаете где? Представляете последствия подобного заявления?

— Ну... — промямлил я.

— То-то и оно! — торжествующе ответила Регина Львовна, — пришлось мне Лену Рымскую к ним отправлять. Девушка блестяще справилась с задачей. Поблагодарила их за честь и отказалась. Объяснила, что вынуждена работать, дабы содержать парализованную мать. Кстати, это чистая правда. У Леночки очень больная мама! Все прошло хорошо, благо фотографии в личных делах просто отвратительные. Надеюсь, вы не думаете, что Лена выручала меня бесплатно? Пришлось ей заплатить четыреста долларов, это вполне умеренная сумма, учитывая сложность ситуации! Так что форс-мажор редко, но случается.

Тут дверь приоткрылась, и в кабинет заглянула девушка:

— Регина Львовна, все собрались, только вас ждут! Сергей Петрович сердится.

— Бегу, бегу, — засуетилась инспекторша.

С резвостью, которой никак нельзя было ожидать от столь тучной дамы, она вскочила, бесцеремонно вытолкала меня за дверь и, запирая кабинет, сообщила:

— У нас тут совещание небольшое, часа на полтора. Начальству делать нечего, вот оно и оправдывает свою зарплату, разводит ненужные говорильни. Подождите меня, если у вас нет со временем проблем, или подъезжайте завтра, если принимаете наши условия. Только имейте в виду, в УПИ у нас особых проблем не будет, а в других местах и нарваться можете. У меня сейчас девочка есть, так она сначала в другом институте училась. Там пообещали проблему решить, и... после первой же сессии ее отчислили. Всякое бывает, но мы люди честные!

Сунув ключ в карман, она пошла по коридору, а я присел на банкетку, стоящую у окна, вытащил сигареты, повертел их в руках, сунул назад и стал размышлять над услышанным. Семен Юрьевич не соврал, Катя на самом деле учится в УПИ, если только этот процесс можно назвать учебой. Чем же больна девочка, если отец вынужден покупать ей диплом таким макаром?

Посидев несколько минут, я вышел на улицу, выкурил с наслаждением сигарету и отправился на дневное отделение.

Первая пойманная мною девушка на вопрос: «Где можно найти Лену Рымскую?», воскликнула:

— В столовке она, я только что там ее видела, идите в подвал.

Я спустился по ступенькам вниз и попал в толпу весело гомонящих студентов. Пришлось остановить очередную девицу:

— Лену Рымскую не видели?

— Вон она, кофе пьет.

— Где?

— Да вон там.

— Беленькая. В голубой кофточке?

— Нет, в красной. Эй, Ленк!

Очень худая блондинка, стоявшая у окна, повернулась:

— Чего тебе?

Я быстро подошел к ней:

— Вы Лена Рымская?

— Да, — настороженно ответила студентка, — а в чем дело?

— Разрешите представиться, Иван Павлович Подушкин, частный детектив.

Лена взяла мою визитную карточку, внимательно изучила ее и с недоумением воскликнула:

— Ну и что?

— Мне очень надо поговорить с вами, где-нибудь в тихом месте.

— Пойдемте присядем.

— Здесь очень много народу.

Лена глянула на крохотные часики на запястье.

— Сейчас тут никого не останется.

Не успела она вымолвить эту фразу, как резко и противно зазвенел звонок. Я вздрогнул от неожиданности и поймал себя на том, что приготовился бежать на занятия. Лена захихикала.

— Опоздать боитесь?

Я улыбнулся.

— Вот уж не думал, что этот звук всколыхнет во мне забытые рефлексы.

— А вы где учились? — полюбопытствовала девушка. — В школе милиции?

Я изумился до крайности.

— Нет, конечно, с чего вам это в голову пришло? Я окончил Литературный институт.

— Да ну? И детективом работаете?

— Жизнь странная штука, — философски заметил я, — никогда не знаешь, куда она повернет.

— Это точно, — подтвердила Лена, — только вы небось со мной встретиться захотели не для того, чтобы о смысле жизни пошуршать?

Я окинул взглядом пустую столовую.

— Лена, я хорошо знаю, как вы зарабатываете деньги.

— Вы о чем? — Она прикинулась святой простотой. — Естественно, я пытаюсь подработать, на стипендию не проживешь.

— Я никогда никого не осуждаю, — быстро сказал я. — Регина Львовна говорила, что вы вынуждены содержать больную маму.

Внезапно Лена покраснела так, что у нее на глазах появились слезы.

— Кто такая Римма Львовна? Вы меня с кем-то путаете?

— Регина Львовна, — я терпеливо поправил ее, — инспектор заочного отделения, понимаете теперь, что я знаю про контрольные работы и про то, как вам пришлось изображать девочку Катю Короткову.

Лена схватила со стола салфетку и стала комкать ее. Я молчал. Внезапно Лена отшвырнула измятую бумажку.

— Все равно я не пойму, о чем вы толкуете, но даже если вы и знаете что-то, то зачем ко мне заявились? Все дела решает Регина Львовна, ясно?

Я вынул из кармана бумажник.

— Лена, вы ведь живете трудно?

— А кому сейчас легко?

— Позвольте мне помочь вам, вот, так сказать, вам на булавки!

Леночка глянула на зеленые купюры, быстро схватила их и сунула в карман.

— Мама у меня пятый год лежит, — оправдывалась она, — парализовало ее, сплошное мучение, на одни памперсы состояние улетает, знаете, сколько один стоит? Двадцать пять рублей, а в день штуки четыре надо. А еще лекарства всякие, еда, тут на все согласишься, лишь бы выжить. Может, кто другой и сдал бы мать в дом престарелых, только я не могу, пусть уж дома лежит. Ладно, спрашивайте, но имейте в виду, никаких бумаг я подписывать не буду и на официальные допросы не пойду. Это частная беседа, а ее, сами знаете, к делу не пришьешь! И не надейтесь, что я стану сейчас за ваши денежки, спасибо вам за них, разоблачать Регину. Мне тут еще год учиться, да и платит она побольше вашего.

— Леночка, — ласково сказал я, — мне совершенно все равно, на каком поле вы с милейшей Региной Львовной собираете золотые дублоны. Речь не об этом. В вашем институте училась Ира Медведева...

— Ага, — перебила меня Лена, — она пропала, еще зимой. Села к кому-то в машину, а ее изнасиловали и убили.

— Откуда вы знаете? — насторожился я.

— Да девчонки говорили, — ответила Лена, — я точно не знаю, что с Ирой приключилось, она тут ни с кем особенно не дружила, очень гордая была.

— Меня наняли расследовать дело о пропаже Иры, единственный человек, который может пролить хоть какой-то свет на эту загадочную историю, — ее родная сестра Катя. Та самая девушка, вместо которой вы предстали перед комиссией.

— Вот уж не знала, что они родственницы! — воскликнула Лена. — И чем же я могу помочь?

— Вы же, наверное, перед тем, как изображать Катю, встречались с ней? Подскажите, где она живет? Не скрою, у меня создалось впечатление, что ее прячут.

Лена сказала:

— И рада бы оказать вам услугу, да не получится. Катю я ни разу в жизни не видела, контрольные за нее пишу, доклады, курсовые, да и диплом ваять придется. Когда Регина Львовна велела мне на комиссию идти, я испугалась даже. Если чего, меня моментально выгонят, а Регина Львовна всегда выкрутится, с нее как с гуся вода.

...Решив, что ей не следует принимать участие в спектакле, Леночка осторожно предложила:

— Как бы беды не вышло! Может, привезти сюда эту Катю...

— Не пори чушь! — нервно воскликнула инспекторша. — Это совершенно невозможно! Девчонка находится в психиатрической лечебнице, она ненормальная.

Очевидно, Регина Львовна была очень напугана проверкой, поэтому и ляпнула правду про Катю. Лена страшно удивилась:

— Сумасшедшая? Зачем же ей диплом?

— Господи, — всплеснула руками Регина Львовна, — а нам-то какое дело? Деньги платят, и хорошо! Катин отец, тоже, похоже, со съехавшей крышей, надеется, что дочь вылечат, найдут какое-то лекарство, и она здоровой станет, тут и дипломчик пригодится, а на работу он ее пристроит!

— Ну и глупость, — фыркнула Лена, — знания-то у нее не появятся из воздуха!

— Мне без разницы, — одернула ее инспекторша, — а тебе на комиссию надо идти, двести баксов получишь.

— Двести? — не удержался я.

— Ну да, — подтвердила Лена, — пару сотен, а что?

— Нет, ничего, — улыбнулся я, вспоминая, как наглая Регина Львовна без тени смущения назвала мне в два раза большую сумму.

Пришлось Лене, преодолев страх, отправиться на испытание. Рымская, правда, нацепила парик и очки, это была хоть какая-то маскировка. Все прошло как по маслу. Регина Львовн,а мгновенно повеселевшая, вручила студентке зеленые купюры, и все вернулось на круги своя.

Глава 22

Выслушав мой отчет, Нора кивнула:

— Что-то в этом духе я и предполагала.

— В самом деле? — недоверчиво улыбнулся я. — С чего же вы решили, что Катя сумасшедшая?

Нора вытащила папиросы.

— Видишь ли, я утром по своим каналам узнала кое-что интересное. Екатерина Семеновна Короткова не пересекала границ России. Сведения абсолютно точные, мне их раздобыл один приятель, Федор Пустовойтов, помнишь его?

Я кивнул:

— Конечно.

Федора забыть просто невозможно. Маленький щуплый мужичонка ростом чуть повыше табуретки. Ездит Пустовойтов на тонированном «Мерседесе» без номеров, впереди и сзади его автомобиля несутся два черных джипа, «крякалкой» разгоняющие зазевавшихся водителей. Где он работает, кем является: бандитом или депутатом, я не знаю, но одно ясно: у

Федора есть связи на самом верху и неисчислимые мешки денег.

— А раз Екатерина Семеновна не уезжала, следовательно, она тут, — излагала ход своих мыслей Нора. — Ну и почему отец не хочет, чтобы она побеседовала с нами? Семен Юрьевич якобы мечтает найти Ирину, не в его интересах прятать свидетеля, способного пролить свет на загадку. Следовательно, Катю попросту нельзя показывать посторонним. По какой причине? Физического уродства? Маловероятно. Ради Ирины Семен Юрьевич наплевал бы на непрезентабельный внешний вид Кати. Значит, она не способна к общению. Почему? И тут есть вполне простое объяснение: Катерина либо наркоманка, либо алкоголичка, либо просто ненормальная. Как только мне сия мысль пришла в голову, все мгновенно стало на свои места. Ладно, временно забудем про Катю, похоже, она нам не помощница.

— Отчего бы Семену Юрьевичу прямо не сказать нам о недуге дочери? — удивился я.

Нора налила себе минеральной воды, с наслаждением сделала два больших глотка и повернулась ко мне:

— Небось он стесняется этой ситуации. Мужчины тяжело переживают болезни детей. Мать бросится пестовать недужное чадо, а отец если не убежит от проблем, то попытается оправдаться, скажет: «У меня не мог родиться такой ребенок, небось изменила мне баба». Ну, а если сомнений в верности супруги у него нет, все равно он попытается перевалить вину на женские плечи. Дескать, в моем роду все нормальные, это со стороны жены беда подкралась. Хотя этого точно знать нельзя. Мало у кого есть родословные до десятого колена. Вдруг в толще веков у вас имелась сумасшедшая родственница? Только мужчинам обязательно надо обвинить в несчастье кого угодно, кроме себя. Думаю, этой Наташе, жене Семена Юрьевича, матери Кати, несладко приходится...

— Очень уж вы суровы к лицам противоположного пола, — заметил я.

— Чем больше узнаю мужчин, тем сильнее люблю собак, — заявила Нора и забарабанила пальцами по столу.

Поняв, что хозяйка начинает злиться, я проглотил следующее замечание. Хотел напомнить ей, что философ на самом деле говорил иначе: «Чем больше узнаю людей, тем сильней люблю собак». Согласитесь, замена слова «мужчин» на «людей» в корне меняет смысл высказывания. Но затевать спор с Норой опасно даже в тот момент, когда она пребывает в самом радужном настроении, а уж коли она сердится, лучше молчать: последствия могут быть непредсказуемы!

— Хватит турусы на колесах разводить, — подвела черту Элеонора, — дел невпроворот. Так, поезжай к Вере Медведевой, вот адрес. Потолкуй с ней, может, чего и вылезет!

— Это кто?

— Мать Ирины, якобы покойная, а на самом деле совершенно живая особа.

— Но откуда вы узнали ее координаты?

Нора довольно прищурилась.

— Помнишь, Лариса рассказывала, что нанимала детектива из агентства «Шерлок»? Чтобы Ольге, жене Романа, компрометирующие материалы послать.

Я кивнул.

— Так вот, — торжествующе сообщила Нора, — я обратилась в «Шерлок» и получила у них сведения!

— Разве это возможно? — поразился я. — Я всегда считал, что информация такого рода конфиденциальна!

Нора довольно хихикнула:

— Первый удар по абсолютному сохранению тайны нанесли ассирийцы, придумавшие золотые монеты. А второй те, кто изобрел компьютер. Теперь кое-кто может подойти к системному блоку, нажать кнопочку и получить на мониторе любые сведения. В «Шерлоке», на мою радость, нашелся сребролюбивый кисик, ловко управляющийся с мышкой. Давай дуй к Вере Медведевой, — она инвалид, весь день дома сидит, бедолага.

Я послушно отправился на улицу, носящую поэтическое название «Шестой Вагоноремонтный тупик».

Честно говоря, я думал, что она расположена около какого-нибудь из московских вокзалов, но она оказалась в районе Красной Пресни. Я и предположить не мог, что тут имеются такие места. «Мерседес» катил по дороге, с двух сторон которой шли сплошные гаражи, потом потянулись мастерские, пара мелких заводов, наконец возникло несколько блочных пятиэтажек самого непрезентабельного вида, серо-грязные, с черным швами.

Преодолевая тошноту, я вошел в нужный подъезд и чуть не выскочил назад. Вернее, меня чуть не вынесло оттуда на парах вони. На лестничные клетки выходило по шесть дверей, и почти около каждой стояло ведро с отбросами. Я дошел до двери с номером «18» и позвонил.

— Открыто, — донеслось изнутри.

Я толкнул дверь и очутился в крохотной прихожей. Слева, на обычных крючках висели куртка и легкий плащ. Внизу валялась обувь, отчего-то всех ботинок было по одному. Слева виднелась открытая дверь в совмещенный санузел. Потолок лежал у меня на голове, повернуться тут было просто невозможно, даже мышь ощутила бы здесь приступ клаустрофобии. В моей душе поднялось возмущение. Ну кто спроектировал это жилье? Кто придумал, что люди должны жить в таких условиях? Чью голову посетила идея разместить на крохотном пятачке ванную, кухню, туалет и комнату? А еще потом удивляются, что в нашей стране огромное количество разводов. Вы попробуйте мирно просуществовать в такой квартире с женой и тещей. Квадратных метров у вас, на взгляд тех, кто призван распределять жилье, предостаточно. Только от того, что постоянно приходится сталкиваться задами друг с другом, вспыхивают скандалы. В такой квартире нет никакой возможности остаться в одиночестве ни днем, ни ночью, ну разве что запереться в туалете, да и там долго не просидишь, обязательно услышишь:

— Эй, чего засел, не один дома!

Мне кажется, что у любого человека должна быть своя собственная комната, чтобы иметь возможность захлопнуть дверь и объявить:

— Не лезьте в мою нору.

А еще лучше, если у супругов отдельные спальни. Никто не мешает им ходить друг к другу в гости, но спать все же следует раздельно. Один храпит, другой потеет, и пропадает налет романтики, страсть превращается в обязанности. Кстати, в прежние времена муж и жена спали врозь, общая постель у них появилась после Октябрьской революции, и объясняется это просто: на рынке муниципального жилья возник кризис, который с 1918-го никак не прекратится. Поэтому хорошо мне сейчас рассуждать об отдельных комнатах, для многих и общая спальня с мужем — недостижимая мечта. Спят в одной комнате с детьми и бабушкой. О каких супружеских радостях может тут идти речь?

— Вы ко мне? — донеслось из комнаты. — Проходите!

Стараясь не задеть головой потолок, я пошел на звук и очутился в небольшом помещении, служащем хозяйке всем: столовой, гостиной, кабинетом и опочивальней. Обстановка тут была самая бедная, если не сказать нищая.

У одной стены громоздилась помесь буфета с гардеробом, произведенная, думается, в шестидесятых годах двадцатого века. За стеклянными дверками виднелась «парадная посуда», сервиз в мелкий голубой цветочек, у другой стены расположился диван с потертой обивкой, в углу стояло кресло, прикрытое накидкой, на полу лежал вытертый ковер. Из аудиовидеоаппаратуры тут имелся допотопный черно-белый «Шилялис», дедушка современных телевизоров.

На диване сидела женщина неопределенного возраста, в сильно поношенном, некогда ярко-бирюзовом, а сейчас серо-буро-малиновом байковом халате. Седые волосы неаккуратными прядями свисали вокруг желто-серого изможденного лица. Бесцветные губы почти слились по цвету со щеками. Я бы смело мог дать хозяйке лет шестьдесят, а то и больше, но вот в глазах ее не было старческой безысходности и тоски. Около дивана стояли костыли.

Я невольно посмотрел на ноги хозяйки и увидел, что правой у нее нет.

— Вы ко мне? — без всякого испуга спросила Вера.

— Извините, что без звонка заявился, — улыбнулся я, — вы не боитесь дверь незапертой держать? Сейчас время такое страшное, все за железными засовами прячутся.

— А что у меня брать? — спокойно ответила Вера. — Хоть весь дом перерой, ничего не найдешь, телевизор и тот умер, да и кому он нужен?

— Разрешите представиться, Иван Павлович Подушкин, ответственный секретарь фонда «Милосердие», — мигом сориентировался я и вытащил соответствующую визитную карточку, — наша организация помогает людям, попавшим в беду, инвалидам, престарелым, тем, кто остался без родственников и испытывает материальные сложности.

— За квартиру? — перебила меня Вера.

— Простите, — не понял я ее.

— Ну я должна на вас жилплощадь переписать, а за это вы возьмете меня на содержание? Мне уже предлагали подобный вариант, в собесе, но я не могу на него пойти...

— Нет, нет, — воскликнул я, — все абсолютно бесплатно, мы оказываем помощь людям просто так, безвозмездно!

Вера захлопала глазами, а потом растерянно сказала:

— Так не бывает! С чего бы вам мне помогать?

— Видите ли, этот фонд основала женщина-инвалид, она сама прикована к коляске и очень хорошо понимает, как тяжело приходится людям, оказавшимся в беде. Элеонора успешный бизнесмен, она богата и занимается благотворительностью.

Кстати, все вышесказанное абсолютная правда, Нора и впрямь тратит большие средства из чистого милосердия.

— Спасибо, — твердо сказала Вера, — но мне ничего не надо, то есть бесплатно не надо. Вот если бы вы мне работу нашли, можно и не на дому, я передвигаюсь по городу. Протез, правда, ужасный, очень с ним тяжело. Я слышала, что есть какие-то искусственные ноги с электронным управлением, да они мне не по карману, а бесплатно их не дают!

Я присел на краешек продавленного кресла.

— Как же с вами несчастье произошло?

Вера махнула рукой:

— Диабетом я заболела, откуда только эта болячка ко мне прицепилась. Всю жизнь здоровей коровы была, а тут бац, и все. Да так сильно скрутило, пришлось со службы увольняться, пенсию мне дали, по инвалидности, а потом операцию сделали. Я и не знала, что от диабета можно без ноги остаться, вон чего бывает! Я, кстати, вижу хорошо, могу надомницей работать. Только вы мне помогать не станете...

— Отчего же?

— Сами только что сказали: вы лишь тех поддерживаете, кто без родственников, а у меня дочь есть, Ира. Она, правда, не со мной живет, но все равно...

Неожиданно глаза Веры наполнились слезами, и я быстро спросил:

— Как же вышло, что она от вас ушла?

Вера низко опустила голову, подняла к лицу край халата, потом глухо ответила:

— Долго рассказывать, да неинтересно вам!

— Я не тороплюсь, — заверил я ее, — считайте, что просто пришел в гости.

Вера снова стала промокать глаза халатом.

— Ко мне никто давно не ходит, — выдавила она из себя, — спасибо, соседи из двадцатой квартиры овощи приносят, самой мне не дотащить.

— Но ведь существует служба Красного Креста, — решил я просветить Веру, — они обязаны предоставлять одиноким больным и инвалидам патронажную медсестру, совершенно бесплатно.

— Я не одинокая, — повторила Вера, — по документам дочь имею, а на самом деле...

Слезы закапали ей на колени. Мне тяжело видеть плачущую женщину, какого бы возраста она ни была, поэтому я быстро произнес:

— Расскажите все, вам станет легче, я готов послужить для вас жилеткой.

Вера всхлипнула и стала выплескивать свои обиды. В душе у нее накопилось много горечи, вот она и обрадовалась моему приходу. Человек не способен постоянно носить внутри печаль, рано или поздно она вырвется наружу.

Жизнь Веры никак нельзя назвать счастливой. Из удачи — только получение от государства квартиры. Она досталась Вере дуриком, барак, где она жила, снесли, на его месте построили стадион, а жильцов переселили в пятиэтажку, воздвигнутую в спешном порядке не в самом удачном месте, но Вера не роптала, а радовалась, хоть крошечная квартиренка, да своя, без докучливых соседей. Мойся в ванной сколько хочешь, кури на кухне, ходи голой по коридору, никто не сделает тебе замечания, ты сама себе хозяйка, это ли не прекрасно!

В молодости Верочка была хороша собой, весела и любила танцевать. Ее часто приглашали в компании, молодые люди увивались вокруг смешливой девчонки, но Вера равнодушно смотрела на всех кавалеров, ее сердце оставалось свободным. Верочка была романтична и мечтала о любви, которая продлится всю жизнь.

Как-то раз ее пригласила на день рождения подружка, Маринка Ветрова. Едва войдя в квартиру к Маринке, Вера поняла: вот он, ее любимый и единственный, самый лучший и красивый, сидит на диване. Естественно, Вера постаралась оказаться рядом с парнем и познакомилась с ним. Семен, так звали прекрасного принца, стал оказывать Верочке знаки внимания. Он сыпал шутками и комплиментами, без конца приглашал ее потанцевать и не забывал подливать ей вина.

К концу вечера Вера была сильно навеселе, с ней это случилось впервые, и Семен повел девушку домой.

Верочка жила одна. У нее не было ни мамы, ни бабушки, ни старшей сестры, ни вредных, любопытных соседок по бараку, которые бы предостерегли ее от необдуманного поступка. Как она оказалась в одной кровати с Семеном, Вера не помнила. Утром ей стало стыдно, но Сеня опять наговорил ей кучу комплиментов, осыпал поцелуями и пообещал вечером повести ее в кино.

Вера проводила его до двери и кинулась опрометью в ванную, накручивать кудри на бигуди. Но она зря прождала звонка. Семен в тот день так и не появился, впрочем, на следующий тоже, он вообще больше не пришел.

Верочка провела в ожидании целый месяц, а потом, набравшись смелости, поехала к Марине Ветровой и разговорила ту.

Марина, не подозревавшая о том, что произошло между Семеном и Верой, принялась самозабвенно сплетничать, и Вера узнала ошеломляющие сведения. Во-первых, Семен женат, во-вторых, завел новый роман, в-третьих, он патологический бабник...

Вернувшись домой, Верочка прорыдала всю ночь, кусая подушку, а потом приняла решение: значит, судьба ее такая, любить несвободного человека.

Через пару месяцев Веру стало тошнить по утрам. И опять рядом не оказалось никого, кто бы посоветовал ей сходить к доктору. К врачу Вера отправилась, лишь ощутив странные толчки в животе, кто-то словно бил ее изнутри маленькими кулачками.

Терапевт переадресовал пациентку к гинекологу, а та ее огорошила:

— Вы беременны, причем срок уже большой.

— Не может быть! — воскликнула Вера.

— С мужиком спали? — поинтересовалась дура в белом халате.

Вера кивнула.

— И что теперь? — желчно сказала врач. — Любишь кататься, люби и саночки возить.

— Это было всего-то один раз, — прошептала Вера.

— Вполне достаточно, — припечатала женоненавистница. — Мужа, естественно, нет?

— Нет, — эхом откликнулась Верочка.

— Ну и дура же ты! — в сердцах воскликнула врачиха. — Теперь будешь одна ребенка тянуть, направление на аборт даже и просить не думай, не дам, все сроки давно прошли.

Но Верочка не хотела убивать нерожденного младенца. Ей показалось большим счастьем родить ребеночка от любимого человека. Вера была наивна, экзальтирована и очень порядочна. Ей и в голову не пришло отправиться к Семену на работу и заявить: «Ну-ка, раскошеливайся, раз сделал ребенка. Давай отстегивай денежки, а то к твоей жене поеду».

Нет, Верочка, обожавшая стихи и зачитывавшаяся бог весть как попавшим к ней в руки еще дореволюционным собранием сочинений Чарской, решила самостоятельно вырастить плод любви. Воображение рисовало ей замечательную картину. Вот прошло двадцать лет. Верочка под руку с дочкой-красавицей идут по улице и сталкиваются с Семеном. Естественно, тот смущается, но все же восклицает:

«Боже! Кто эта прекрасная девушка! Глаз невозможно оторвать от ее лица!»

«Это твоя дочь», — скажет Вера.

Семен замрет, словно громом пораженный, потом упадет перед Верочкой на колени, протянет к ней руки:

«Прости, дорогая, я не знал! Вот тебе мои рука и сердце!»

Но Вера не дрогнет, она спокойно ответит на это заявление:

«Семен, уходи к жене, твое личное счастье мне дороже собственного, только знай, я всегда любила лишь тебя одного, но это ни в коем случае не накладывает на тебя никаких обязательств».

И они с дочерью уйдут прочь, не обращая внимания на слезы Семена, который наконец поймет, какую женщину он потерял.

В тех или иных вариантах картина эта прокручивалась в мозгу Верочки до самого рождения дочери. Но действительность, как это частенько случается, сильно отличалась от мечты.

Глава 23

Только те женщины, которые в одиночку поднимали ребенка, поймут Веру. Помощи той ждать было неоткуда. В три месяца Ирочку пришлось отдать в ясли, а самой выйти на работу, иначе бы Вера просто умерла от голода.

Ирочка росла капризной, постоянно, как все «ясельники», болела, Вера брала бюллетень, за что ее нещадно ругали на службе и всячески старались унизить. Верочка преподавала в школе русский язык и литературу, уволить постоянно бюллетеневшую мать-одиночку директриса не имела права, поэтому «часы» Веры распределялись между другими педагогами, что, как вы понимаете, вызывало их здоровое возмущение. Верочка перебивалась с хлеба на квас. Радовало одно, Ирочка росла очень умненькой девочкой, пожалуй, даже чересчур сообразительной. Лет в пять она задалась вопросом: где ее папа? И Вера выдала ей весьма распространенную историю о капитане дальнего плавания, погибшем при исполнении долга перед родиной. Больше Ира отцом не интересовалась. В детском саду с ней не было никаких проблем, в младших классах тоже. Умница, отличница, она лучше всех читала стихи на утренниках. Если в школу прибывала комиссия из РОНО, учительница всегда вызывала к доске ученицу Медведеву, и ни разу Ира ее не подвела, отвечала четко, правильно, с задором. Проверяющие щурились, словно кошки, от удовольствия.

Верочка была счастлива. Дочь училась в ее школе, и рейтинг Веры значительно вырос.

— Вот как бывает, — вздыхали некоторые преподавательницы, — отца нет, мать никакая, а девочка золотая растет.

Проблемы у Веры начались в пятом классе. Однажды Ирочка вернулась домой с надутым лицом и легла в кровать, повернувшись лицом к стене.

— Что случилось? Ты заболела? — засуетилась мать.

— Нет, — буркнула дочь, она явно не хотела разговаривать, но Верочка, обеспокоенная ее странным поведением, не отставала, и в конце концов Ира брякнула:

— Хоть бы ты замуж вышла!

Вера оторопела.

— Зачем?

Ира всхлипнула:

— У меня ничего нет! Платье заштопанное, ботинки старые.

Вера попыталась прочесть дочери лекцию на тему «Чистота — основное украшение женщины», но Ира тихо ныла:

— Вот Ленке Коврениной сапожки купили, у Ани Воропаевой шубка новая, а надо мной все смеются, я в обносках хожу.

Вера рассердилась и совершенно неожиданно сказала то, чего нельзя было говорить ребенку:

— У Лены отец заведует аптекой, он за деньги людям дефицитные лекарства достает, а у Ани папа — директор гастронома. Ясное дело, у них дома все есть. Но они воры! На мой взгляд, лучше жить в честной бедности, чем в уворованном достатке.

Ира нахмурилась:

— Конечно, Ленке с Аней повезло, их мамы умные, родили дочек от богатых людей. А ты, дура, связалась с каким-то уродом, а он взял и убежал.

Вера чуть не упала.

— Ира!!! Твой отец...

— Только не начинай врать, — со взрослой жесткостью предостерегла ее дочь, — давай обойдемся без капитанов дальнего плавания. Мне уже не пять лет, я многое понимаю.

Вера окончательно растерялась и совершила «непедагогический» поступок. Вместо того чтобы поставить дочь в угол или, еще лучше, отлупить ее ремнем, взяла коробочку из-под конфет, где хранились «подкожные», и купила Ире новое платье. Дочь весьма кисло поблагодарила мать, и началось! Ирину словно подменили. Она без конца требовала денег, денег, денег. Устраивала матери истерики, если Вера не могла дать ей рублей на кино. Основными аргументами Иришки были:

— Хочу все, как у всех. Ане купили новые туфли, и я хочу!

Увещевания Веры разбивались о другой аргумент дочери:

— Это ты во всем виновата, — топала ногами Ирочка, — другие матери замужем! Только я в классе одна без отца!

Если Вера пыталась ее упрекнуть, Ира нагло заявляла:

— Я учусь на одни пятерки, такую дочь еще поискать надо!

Потом она стала каждый день орать на мать:

— Найди себе частных учеников, другие-то учителя подрабатывают!

Но у Верочки начал развиваться диабет, она шаталась от слабости и еле-еле добиралась после работы домой, какое уж тут репетиторство! Ира ни разу не подала матери чай, не подмела квартиру и не пожалела ее.

— Хватит театр устраивать, — морщилась дочь, видя, как бледная Вера втаскивает в дом сетку с картошкой.

Однажды Вера не выдержала, заплакала от обиды и безнадежности, но Ирочка даже не дрогнула.

— Каждый получает то, что он заслужил, — отрезала дочь, — сама виновата, теперь хоть обрыдайся!

Единственной радостью для Веры были свидания с Семеном. Только не подумайте, что у них каким-то образом опять возник роман. Нет, Верочка вечером приходила в парк и садилась на скамейку. Она знала, что в восемь вечера ее любимый пойдет гулять с собакой, и с замиранием сердца ждала, когда на дорожке появится знакомая фигура. Семен никогда не смотрел в сторону Веры, а она его не окликала. Верочка ничего не могла с собой поделать, она была однолюбкой, очень романтичной и осталась такой на всю жизнь. Один раз вместо Сени собаку выгуливали две женщины. Младшая была очень похожа на Ирочку, такие же волосы, та же родинка на щеке. Она бросала немецкой овчарке мячик и кричала:

— Мамуля! Гляди, она его ловит! Мулечка! Теперь ты швырни, ну пожалуйста!

Вера чуть не зарыдала, глядя на подростка. Ира никогда не называла ее мамусей или мулечкой. Дочь говорила сурово: «Мать» или «Эй, ты».

Собственная жизнь Вере казалась беспросветной, но не зря говорят: не ругай сегодня, завтра поймешь, как тебе было хорошо. Неожиданно встал вопрос об операции, и Вера оказалась в больнице. Ира проявила себя с «лучшей» стороны. Когда мать, собрав сумку, направилась к двери, дочурка заявила:

— Лучше бы тебе умереть, имей в виду, я не собираюсь твои ночные горшки таскать!

Вера молча пошла вниз по лестнице, на душе было темно.

До операции она провела в клинике три недели, Ира не пришла к ней ни разу. Накануне оперативного вмешательства Вера позвонила домой и попросила дочь:

— Зайди ко мне.

— Зачем? — заявила девица. — И у меня денег нет тебе на деликатесы, ты мне сколько оставила? Две копейки? Чего ты тогда хочешь?

— Поговорить надо, — настаивала Вера.

Ира явилась в палату и с надутым видом плюхнулась на кровать.

— Что тебе?

Верочка покосилась на спящих соседок и шепотом сказала:

— Операция дело серьезное, я могу умереть.

— Испугала, — фыркнула Ира, — давай без цирковых представлений, говори конкретно, какого черта меня от занятий оторвала? Между прочим, я на золотую медаль иду! Мне в институт поступать самой придется. Конечно, за всех взятки заплатят, только мне одной не повезло!

— Ирочка, послушай меня, — заторопилась Вера, — твой отец...

Она выложила дочери правду про Семена, сказала его адрес и завершила рассказ словами:

— Если я умру, иди к отцу, надеюсь, он тебе поможет, но сделай это только после моей смерти. Коли выживу, забудь об услышанном!

Ира хмыкнула и убежала. Операция прошла благополучно, вот только процесс реабилитации затянулся. Вера вернулась домой лишь летом. Открыла квартиру и покачала головой. Похоже, Ира ни разу не убрала комнату. Повсюду толстым слоем лежала пыль, раковина в кухне покрыта ржавчиной, окна не мыты... Но через некоторое время до Веры дошло: Ира тут просто не живет. Ни записки, ни письма сбежавшая дочь ей не оставила. В страшной тревоге Вера кое-как добралась до школы и увидела Иру. Дочь выглядела великолепно. На ней было новое пальто, красивые кожаные сапожки, на плече болталась дорогая сумочка, а в ушах висели золотые сережки.

— Ирочка, — дрогнувшим голосом позвала Вера, она не видела девочку почти восемь месяцев.

Ира была у матери в больнице всего один раз до операции и больше не появлялась. Конечно, Вера пыталась звонить домой, но после операции сразу до телефона было не дойти, а потом в клинике сломался автомат. Ира обернулась, окинула взглядом еле стоящую на костылях мать и обозлилась:

— Чего приперлась? Я же говорила, что ухаживать за тобой не стану. Ты мне какое детство устроила? Что у меня было? Обноски?

— Ты где живешь? — лепетала Вера.

— У отца!

— Где?! — испугалась мать.

И тут Ирина вывалила на нее кучу сведений. Вера только трясла головой. Значит, дочь объявила ее умершей.

— Не смей приближаться ко мне, — шипела Ира, — я теперь богатая и счастливая... Видишь, какая на мне одежда? Очень дорогая, и денежки в кошельке водятся. Не вздумай прийти к отцу!

Вера пробормотала:

— Но у Семена своя дочь есть! Как же его жена тебя приняла!

— Папа меня обожает, — отрезала Ира, — ясно? Обожает! Я его единственная надежда. Катя — дура, ее в «Голубое солнце» завтра отправят.

— Куда? — не поняла Вера.

— В «Голубое солнце», — повторила Ира, — не о чем нам тут болтать! Вали отсюда. Да имей в виду, посмеешь мое счастье разрушить, мало тебе не покажется!

Вера молча смотрела вслед удаляющейся Ире. Не дай бог вам когда-нибудь испытать те чувства, что бушевали у нее в душе.

Я не нашелся, что сказать в утешение бедняжке, помолчал некоторое время, а потом спросил:

— Где же Ира взяла свидетельство о вашей смерти?

Вера пожала плечами:

— Думаю, ей Олеся сфабриковала.

— Это кто?

— Соседка наша, из пятнадцатой квартиры, она в загсе работает, секретаршей. Она Ире бланк и достала.

— Но его же надо заполнить, поставить подпись, печать...

Вера хмуро улыбнулась:

— У Иры талант один есть, она может менять

свой почерк или скопировать чужой, да так виртуоз-
но, что человек только диву дается. Вроде не писал
такого никогда, а текст перед глазами! А печать...
Так она у Олеси в столе лежит. Точно Олеся все сделала, теперь она иногда сталкивается со мной во
дворе, глаза в пол упрет и бормочет: «Здрассти, тетя
Вера, доброго здоровьичка вам!» Стыдно ей, что
меня живую в мертвую превратила!

— Ира к вам не приходит?

— Нет.

— И не звонит?

— Нет, — тихо ответила Вера, — да и не надо.
Пусть у нее все сложится хорошо. Дай бог ей мужа
богатого, жизнь в достатке, счастливую. А я докукую
как-нибудь. Да и нормально я живу. Мне бы только
работу на дому найти, и тогда вообще все будет прекрасно.

Я сел в машину и стукнул ладонью по рулю. Нет,
какая дрянь эта девчонка! Ладно, предположим, ей
до одури хотелось обеспеченной жизни, шмоток,
драгоценностей, вот она и «похоронила» маму. Но
ведь потом, получив все, чего добивалась, могла бы
прислать Вере продуктов! Ну откуда берутся подобные чудовища? Наука педагогика страшно заблужда-
ется, полагая, что человека можно воспитать. Нет
уж, что росло, то и выросло! Генетика — страшная
вещь! Пестуешь дитятко, водишь его на занятия анг-
лийским, в бассейн, нанимаешь репетиторов, при-
виваешь ему манеры, и в результате сыночек начинает глушить водку бутылками. Промучившись пару
лет, без конца задавая себе вопрос: ну в кого он такой уродился, вы вдруг сообразите, что у вашего отца был двоюродный брат алкоголик, асоциальная

личность и самый отвратительный маргинал. Непостижимым образом вашему сыну передался его набор генов.

На переднем сиденье запрыгал мобильный. Я поднес трубку к уху.

— Вава! — заверещала маменька, — это безобразие! Ты забыл про мой отъезд.

— Вовсе нет, — попытался оправдаться я, — уже качу к тебе.

— Ты давно должен быть у меня.

— Но поезд только...

— Безобразие!

— Мы приедем на вокзал за два часа!

— Глупости! Никто не относится к своей матери так по-хамски, как ты! Никакого внимания, — тарахтела Николетта без остановки.

Я молча рулил по улицам, мысленно благодаря человека, который изобрел «Хэндс-фри», по крайней мере обе мои руки сейчас вертят баранку.

Под неумолкаемую телефонную ругань маменьки я добрался до ее дома и позвонил в дверь.

— Отвратительно, — неслось из наушника. — Я стою, совершенно готовая, а он неизвестно где шляется...

Створка распахнулась, Нюша горестно покачала головой.

— Беги скорей к ней в комнату, она злится жутко, аж посинела!

— Безалаберность вкупе с безответственностью... — неслось из трубки.

Я осторожно приоткрыл дверь и увидел дивную картину. Маменька лежит на огромной кровати, около нее стоит коробочка конфет. Николетта со страстью отчитывает сына, изредка делая перерыв, чтобы сунуть в рот очередную шоколадку.

— Ты больше не худеешь? — поинтересовался я, входя в комнату.

Маменька взвизгнула, вскочила на ноги, потом обрушилась на постель и простонала:

— Что за идиотские шутки? Подкрасться и заорать!

— Извини, если тебя напугал.

— Ты меня чуть не убил! Сколько времени можно ехать?

— Но до отхода поезда еще далеко.

— Ничего слышать не хочу! — заорала Николетта. — Бери багаж, и пошли.

Я оглядел пять чемоданов, две сумки, портплед и изумился:

— Ты решила взять с собой весь гардероб?

— Не пори чушь! Здесь только самое необходимое, сущая ерунда.

— В пяти чемоданах?

— Хватит, — топнула ножкой Николетта, — там два вечерних платья, к ним соответствующая обувь и сумочки, несколько брюк, свитера, белье...

— Но то, что ты перечислила, легко влезет в одну сумку, — недоумевал я, пытаясь оторвать от пола тяжелые баулы.

— Там еще разные мелочи!

— Какие?

— Вава! Ты зануда! Такие маленькие пустячки, без которых женщина просто не может существовать.

— Ну, например, — пропыхтел я, таща огромный светло-коричневый кожаный саквояж с раздутыми боками, — вот в этом что лежит? Ты решила

прихватить с собой тридцатидвухкилограммовую
гирю, чтобы заняться силовой гимнастикой?

— Фу! — в гневе воскликнула маменька. — Здесь
подушка!

— В гостинице их полно!

— Я могу спать только на своей! Еще там утюг!
Я выволок чемоданище в коридор.

— В отеле найдутся приспособления для глажки.

— Нет! Они будут плохими! Еще там пара люби-
мых книжек, косметика, парфюмерия, кофеварка.

— Кофеварка?!

— Вава! Кофе для меня — это все! А нигде его не
делают хорошо. Потом альбом с фотографиями. Ах,
там есть уникальные снимки, раритетные. Ну, ты же
знаешь, какие люди бывали у нас дома! Элита! Писа-
тели, актеры, ученые... Я в Карловых Варах с кем-
нибудь познакомлюсь и буду демонстрировать аль-
бомчик. Затем еще обувь: тапочки, четыре пары туфель, три — сапог, резиновые шлепки, ботиночки на
меху, кроссовки, вьетнамки, босоножки...

— Сейчас февраль, — напомнил я, подтаскивая к
кожаному монстру его близнецов.

— И что? — осеклась Николетта. — В босонож-
ках я буду по отелю ходить. Дай припомнить, что я
еще туда запихнула? Ах да, пять полотенец!

— Неужели полагаешь, что в номере их не окажется?

— Я привыкла к своим и не собираюсь пользоваться всякой дрянью! Постельное белье...

— Но...

— Никаких но! Я сплю только на шелке! От ос-
тального у меня аллергия! Вот и пришлось взять
шесть комплектов.

— Сколько? — подскочил я.

— Шесть, — преспокойно повторила маменька, — плед, валик под спину, полотняные салфетки, небось в местном ресторане одни бумажные, чашечка, ложечка, тарелка, небольшой тазик, к нему ковшик, три фотоаппарата... Ты еще долго будешь возиться с багажом?

Я подавил в себе желание поинтересоваться, зачем брать с собой сразу три фотоаппарата, спустился к машине и принялся старательно утрамбовывать в «мерс» «корзину, картину, картонку...». Хорошо, что у маменьки нет маленькой собачонки.

Глава 24

Не успели мы отъехать и пяти метров от подъезда, как Николетта завопила дурниной:

— О господи!

— Что случилось? — испугался я, притормаживая.

— Совсем забыла!

— Билет?

— Нет!

— Паспорт!

— Разве я дура? Конечно, нет, документы со мной.

— Деньги?

— Ты считаешь, что я способна выйти из дома без кошелька?

Действительно, я виноват, исправлюсь. Николетта никогда не забудет о деньгах.

— Что тогда? — с тяжелым вздохом осведомился я.

— Черепашка!

— Что?!

— Бронзовая черепаха, — воскликнула Николетта, — стоит на тумбочке возле кровати, без нее я никуда.

Схватив мобильный, Николетта потыкала в кнопки и отдала указание Нюше:

— Ступай в спальню...

Потянулись минуты, пять, десять, пятнадцать из подъезда никто не показывался, Николетта снова вцепилась в телефон.

— Сколько можно тебя ждать?! Какие туфли! Так иди, не замерзнешь.

Через пару томительных мгновений Нюша прямо в тапочках вылетела на снег.

— Вот, — пробасила она, открывая дверцу «Мерседеса», — еле нашла!

— Тебя только за смертью посылать, — начала было Николетта, но, не успев закончить фразу, завизжала: — Идиотка, ты что приволокла?

— Так вы сами просили, — попятилась Нюша, — черепаху, из спальни!

— Дура, — бесновалась маменька, — посмотри внимательно, это что?

— Так уши.

— Вот, вот! Ты когда-нибудь видела черепаху с ушами?

— А я их вообще не видывала живьем, — заявила Нюша, — чай, они не кошки, по Москве не бегают.

— У черепах нет торчащих ушей, — еле сдерживая смех, сказал я, — впрочем, длинных, поднятых вверх хвостов тоже. Это статуэтка собаки.

— Только такая кретинка, как ты, могла перепутать земноводное с млекопитающим, — застучала кулачками по торпеде маменька. — Вава, ступай наверх.

— Какая ей, черт, разница, — возмутилась Нюша, оказавшись в лифте, — черепаха, собака, тьфу, покоя нет.

Я дипломатично промолчал. Не следует осуждать хозяйку в присутствии прислуги, хотя, положа руку на сердце, я полностью согласен с домработницей.

В спальне царил кавардак. Нюша, торопясь найти безделушку, перевернула все вверх дном. Я старательно изучил тумбочку: ничего. На трюмо тоже, и в гардеробе одни тряпки. Зазвенел мобильный.

— Нашел? — прокричала Николетта.

— Нет.

— Возвращайся в машину.

Ощущая себя преступником, отпущенным по амнистии, я спустился вниз и завел мотор. Половину пути до вокзала мы проехали молча. В конце концов, чтобы утешить маменьку, я спросил:

— Ну зачем тебе эта черепаха? Лишняя тяжесть.

— Нужна, это мой талисман.

— Честное слово, я перерыл всю спальню и не нашел ее, ты мне не веришь?

— Да, ее в комнате нет, — сообщила Николетта.

— Где же она? — удивился я.

— В чемодане, я взяла ее с собой, — как ни в чем не бывало ответила маменька, — пока ты бегал, я вспомнила, куда ее сунула.

У меня на время пропал дар речи.

На вокзале я нанял носильщика. Помятого вида дядька нагрузил на тележку багаж и споро побежал сквозь толпу, мы заторопились следом. В какой-то момент Николетта отстала, я оглянулся и увидел, что она стоит возле небольшого магазинчика.

— Что ты увидела здесь хорошего? — поинтересовался я. — Хочешь купить шоколадку?

— Гадость, — прошипела Николетта, делая странные движения ногой, — плитка всего за десятку! Я ем только швейцарский шоколад.

— Тогда пошли, носильщик ждет.

— Подождет, — протянула маменька, дергаясь, — ему за это платят. Вава, помоги!

— Что случилось?

— Нога не идет.

Я удивился и уставился на ее ноги, обутые в новые сапожки, те самые, на платформе, с длинным, гвоздеобразным каблуком.

— Почему не идет?

— Не знаю! Вместо того, чтобы задавать кретинские вопросы, лучше придумай выход, — обозлилась Николетта, пытаясь шагнуть вперед.

Попытка не удалась, маменька словно приклеилась к месту. Я наклонился и понял, в чем дело.

Встречали ли вы такие длинные резиновые коврики, состоящие из дырочек разного диаметра, больших и маленьких? Их часто расстилают перед торговыми точками, чем убивают сразу двух зайцев. С одной стороны, в магазин не тащится вся грязь с улицы, с другой — покупатель не поскользнется на ступеньках. Так вот, каблуки Николетты попали в их крошечные отверстия и застряли там.

— Ты подергай ногами, — предложил я.

Маменька попробовала, но успеха не достигла.

— Вава, — приказала она, — немедленно освободи меня!

— Но как?

— Не знаю! Живей! Быстрей! Я опоздаю на поезд.

— Его еще даже не подали к перрону.

— Слышать ничего не желаю! Очень часто продают двойные билеты, я хочу первой войти в вагон! Вава!!!

Понимая, что у нее сейчас начнется истерика, я встал на колени, прямо в февральскую грязь, и попытался вытащить один сапожок. Тщетная попытка, слишком тонкий каблук словно приварился к резине. Подошедший носильщик тоже потерпел неудачу. Подергав туда-сюда маменькину ногу, он вспотел и с чувством произнес:

— Ну бабы! Кто же такую обувь носит! Прямо насмерть встала. Вы бы себе чего попроще купили, на резиновом ходу, дешево и удобно, ни в жисть не поскользнетесь. У меня жена хоть и помоложе будет, а давно такие приобрела...

Николетта разинула было рот, чтобы достойно ответить обнаглевшему мужику, но тут, как на грех, ожило радио.

— Граждане пассажиры, — понесся над нами равнодушно-металлический голос, — поезд номер...

— Ой, ой, — завопила маменька, — все, я опоздала! Идиоты!

— Не волнуйся, — пыхтел носильщик, — только посадку объявили. Состав за сорок пять минут до отъезда подают, ща мы тебя выкорчуем.

— Кретины, уроды, — плакала Николетта, — каким только образом ухитрились меня сюда запихнуть!

— Так я чего, — засопел носильщик, — я совсем ни при чем, и внук ваш тоже.

— Кто? — перестала биться в рыданиях Николетта. — Какой внук?

— Вот этот, — мужик ткнул в меня пальцем. — Мы вместе с ним бежали, вы одна сзади топали!

Я закрыл глаза. Все! Сейчас Николетта покажет

нам небо в алмазах. И точно. Маменька секунду стояла с раскрытым ртом, потом издала вопль раненого бизона. Около нас мигом собралась толпа.

— Обокрали небось, — говорили одни.

— Не, в магазине обчистили, — предполагали другие.

— Теракт, — настаивали третьи, — эй, кого тут убили, дайте глянуть!

В конце концов из магазинчика высыпали продавцы. Разобравшись, в чем дело, они предложили свою помощь, и в конце концов одна из девочек придумала гениальный выход:

— Пусть она снимет сапоги, а мы скатаем дорожку, унесем ее в подсобку и там мигом вырежем каблуки.

— Глупости, — отмела это предложение маменька. — Я что, должна стоять босиком на снегу?

— Вовсе нет, — стрельнула в мою сторону густо намазанными глазами девица, — я принесу вам обувку.

Мне ее идея показалась конструктивной, и, несмотря на сопротивление маменьки, мы приступили к ее осуществлению. Сначала Николетте принесли чудовищного вида кроссовки, размера эдак сорок шестого. Увидев, что ей предложили временно нацепить на ноги, маменька затрясла головой и категорично заявила:

— Ни за что! Хоть убейте.

— Вы не волнуйтесь, — принялась уговаривать ее продавщица, — они чистые, просто страшные.

— Их Мишка только в магазине носил, — ворковала другая, расстегивая «молнию» на маменькиных сапогах.

— Нет, — капризничала та, — хоть убейте меня, не надену!

— На поезд опоздаешь, — напомнил я.

— Господи, — взвыла Николетта, — почему ты постоянно посылаешь мне испытания!

Причитая, она перебралась в кроссовки и, сев на поданный стул, стала раздавать указания продавщицам.

— А ну поторопитесь, а то ногам холодно. Эти уродские ботинки совсем не греют.

— Мишке они тоже не нравились, — пробормотала одна из торгашек, скатывая дорожку, — он их поэтому редко надевал, а после его смерти никто на них и не польстился.

— Чьей смерти? — подскочила на стуле Николетта.

— Так Мишка помер, — пояснили хором продавщицы, — сам допился, а ботиночки остались...

Выпалив это, девушки ловко подхватили дорожку и втащили ее в магазин.

— Это что? — растерянно обвела нас взглядом маменька. — Я надела обувь мертвеца?

Мы с носильщиком переглянулись. Мужик судорожно закашлялся, а я, ощущая, как уголки рта начинают разъезжаться в предательской улыбке, быстро сказал:

— Посиди тут пару минут одна, мы погрузим пока багаж в купе и за тобой вернемся.

Маменька, ошеломленная происшествием, милостиво кивнула. Носильщик дотолкал тележку до вагона, снял чемоданы и сумки, получил честно заслуженную плату и, давясь от хохота, ушел. Я побежал к магазинчику и нашел там маменьку в состоянии крайней озлобленности. В руках она держала десять рублей.

— Ты хочешь купить воды? — осторожно спросил я.

— Нет, — гаркнула Николетта, тяжело дыша от возмущения. — Это мне дали!

— Кто? — изумился я. — Зачем?

— Подошел какой-то урод, — запричитала маменька, — сначала просто смотрел на меня, потом сунул червонец и велел: «На, бабушка, купи себе хлебца». Он меня за нищую принял!

Я изо всех сил сжал зубы, чтобы сдержать смех. Не далее как неделю назад Николетта купила себе за бешеные деньги последний всхлип моды: джинсовое пальто, подбитое соболем. Я не стану сейчас озвучивать стоимость вещи. Выглядит пальто устрашающе, так, будто три его предыдущих владельца скончались от старости, проносив этот шедевр на плечах всю свою жизнь. Потертая, кое-где рваная джинса, повсюду булавки, пятна, чистый кошмар, но зато модно и дорого. На вокзале полно провинциалов, естественно, большинство из них ничего не понимает в гримасах подиума. Добрый дядечка не пожалел десятки, увидев перед собой пожилую женщину, одетую в рванину и раздолбанные кроссовки. И назвал Николетту бабушкой!

Слава богу, именно в тот момент, когда маменька набрала полные легкие воздуха, чтобы втоптать меня в тротуар, появилась девушка с сапогами. Николетта швырнула ассигнацию в грязь, мгновенно обулась и понеслась к поезду. Я бежал за ней, тихо радуясь тому, что до отхода состава осталось девять минут и мне не придется долго сидеть в купе, выслушивая речи взбешенной маменьки.

Я хотел подсадить Николетту в вагон, но она отпихнула меня, схватилась руками за поручень, легко вскочила на ажурную железную ступеньку, повернула ко мне идеально намакияженное лицо и с вызовом поинтересовалась:

— Разве я похожа на старуху?

В желтоватом свете вокзальных фонарей мелкая сеточка морщин, покрывающая лицо Николетты, была абсолютно не заметна, а фигуру маменька сохранила девичью, поэтому я с жаром воскликнул:

— Конечно, нет! Тот мужчина небось пьяный был! Принять молодую женщину за бабушку! Смешно, право слово!

Николетта удовлетворенно улыбнулась, попыталась поднять ногу и... осталась стоять. Я похолодел, нет, только не это!

— Вы идете? — поторопила проводница. — Прощайтесь скорей, посадка заканчивается!

Николетта усиленно дергала ногами, но не сдвинулась с места даже на миллиметр. А еще говорят, что снаряд два раза в одну воронку не падает! Маменька опять ухитрилась застрять гвоздеобразными каблуками в отверстиях. Только сейчас это была не дорожка, а ступенька. Поняв, что пассажирка потеряла способность двигаться, проводница забегала по перрону, размахивая руками, словно пытающаяся взлететь тучная курица.

— Ой, что делать-то! Ой, состав задержу! Ой, нагорит мне! Ой, она ж не может так на подножке до места ехать!

На свою беду, я обладаю слишком живым воображением и моментально представил такую картину.

Поезд несется сквозь ночь, издавая гудки, уютно светятся окна вагонов. На ступеньке стоит Николетта, одной рукой она, чтобы не упасть, цепляется за поручень, в другой держит мобильный телефон, в который изрыгает проклятия. Угадайте, кому адресованы ее гневные речи? Правильно, мне!

Надо отдать должное Николетте, она не стала рыдать, а заорала на проводницу:

— Хватит вопить! Эка невидаль, каблук застрял! Я сейчас сниму сапоги и пойду босиком в купе, а вы скатайте ступеньку, втащите ее в вагон, а мы потом ножницами вырежем обувь!

Воцарилось молчание. Толстуха в синей форме замерла, поморгала ярко-розовыми веками, открыла рот, нарисованный темно-фиолетовым карандашом, и выпалила:

— Ты что, с крыши упала? Ступенька чугунная, какие ножницы, блин!

— Поезд Москва — Карловы Вары отходит через минуту, — предупредило радио.

— Вава! Сделай что-нибудь! Не стой столбом!

— Ботинки надо нормальные покупать, а не выпендриваться, — пошла в атаку проводница, — помирать пора, а она модничает.

— Вава!!! Все из-за тебя! Быстро освободи меня.

Я шагнул было вперед, но тут поезд качнулся.

— Во! Во! Во! — заголосила толстуха. — Ща поедем!

Маменька быстрее рыси выпрыгнула из сапог. Проводница с грохотом втащила в тамбур лестницу и опустила железную ребристую пластину. Дорогие сапожки скорей всего превратились в лепешки. Состав начал набирать ход.

— Вава! — понеслось из вагона. — Ты абсолютно

ни на что не способен! Даже не сумел нормально посадить меня в поезд! Сумка, где моя сумка, а? Вава! Остановите состав, немедленно-о-о-о-о...

Мелькнули огни хвостового вагона, я в изнеможении привалился к фонарному столбу. Все, укатила! Боже, я свободен! Не на всю жизнь, правда, на несколько недель, но и это хорошо. Однако странно, почему Николетта не обрывает сейчас мобильный? У нее международный роуминг, поэтому кричать на сына она может в любое время. Как назло, вокруг все шли с мобильниками; вздрагивая от каждого звонка, я поплелся к автостоянке. Путь лежал мимо магазинчика, где любезно согласились нам помочь. Я вошел внутрь и спросил:

— У вас есть минеральная вода без газа, только не «Святой источник».

— Ой, — обрадовалась продавщица, — вы успели?

Неожиданно я начал смеяться. Девушка с недоумением смотрела на меня. Она была похожа на лисичку, рыжие волосы, слегка раскосые темно-карие глаза и длинный носик.

— Да, — наконец вымолвил я, — только маменька снова застряла каблуками, на этот раз в ступеньке!

Продавщица тоненько хихикнула:

— Ну сегодня явно не ее день, она еще и мобильный потеряла! Хорошо, что вы зашли, где потом вас искать? Держите. Она его обронила возле стула, на улице.

На прилавке появился маленький, пронзительно-красный, очень плохо работающий и слишком дорогой телефон. Мой вам совет, не берите трубки, которые выпускает фирма, специализирующаяся на

СВЧ-печках. Но Николетта никогда не слушает доводов разума, ей, как сороке, нравится все яркое, блестящее, к тому же такой телефон у Коки, да и стоит он намного больше отлично выполняющих свои функции моделей.

Внезапно до меня дошло! Николетта посеяла мобильник! Она не станет меня тиранить. Господи, приобрести сотовый телефон — это радость, но остаться без него — истинное счастье.

Глава 25

Выслушав мой отчет, Нора насупилась:

— «Голубое солнце»! Все одно к одному складывается.

— Вы о чем?

Нора подрулила к шкафу, вытащила большой атлас и велела:

— Ну-ка, посмотри! Однако это интересно!

Я непонимающе смотрел на нее.

— Гляди, — ткнула хозяйка карандашом в карту, — вот здесь жил Кирилл Потворов. Улица тянется на несколько километров. Начинается в Москве, а продолжается уже за МКАД. Так, дом Кирилла тут, а «Голубое солнце» находится уже за Кольцевой дорогой, рядом с ним лес. Соображаешь? Клиника в двух шагах от дома Кирилла, но он живет в Москве, а лечебница — это уже область.

— Нет, — честно признался я, — извините, я плохо разбираюсь в картах.

— А я очень хорошо, — протянула Нора, — в молодости спортивным ориентированием занималась, карту, как книгу, читаю запросто. Вот тут ты попал в аварию.

Острие карандаша снова ткнулось в хитросплетение черных тонких линий.

— А здесь «Голубое солнце». — Грифель переместился на пару миллиметров левее.

— Но я не видел там никаких жилых домов, — возразил я.

— Правильно, — согласилась Нора, — «Голубое солнце», похоже, последняя постройка, далее просто шоссе тянется, ага, вон и деревни пошли: Обушково, Маслово и так далее... «Голубое солнце» стоит в лесу, его ели загораживают, вот ты и не увидел ничего. Кумекаешь?

— Ну... не очень, пока я не улавливаю суть ваших размышлений.

— Ваня! — напряглась Нора. — Сложим вместе все факты. Пропавшая Аня посещала «Голубое солнце», Катя, судя по неточным пока сведениям, проживает там же, Ира, одетая в легкое платье, выскочила на дорогу вблизи «Голубого солнца», буквально в паре километров от лечебницы стоит дом Андрея Павловича, того мужика, к которому привез тебя Кирилл. Все странности происходили в одном квадрате. У нас пока одни вопросы. Зачем Кирилл наврал нам с три короба?

— Ну Олег же объяснил. Потворов был патологический врун!

— Ладно, почему же он поволок тебя с собой? Ведь знал, что не продавал жену Андрею, а?

Я молчал.

— Каким образом Ира очутилась на шоссе? Раздетая, в странном костюме, с дурацкой шапкой? И как ее наряд попал в дом к Андрею?

— Может, это была не ее одежда...

— А чья? Нет, надо съездить в «Голубое солнце» и разведать ситуацию. Но очень и очень осторожно.

— Надо так надо, — кивнул я, — прямо завтра с утра и отправлюсь.

— И под каким предлогом? — прищурилась Нора.

— Ну... скажу, что у меня дома умственно отсталая сестра, например, — принялся я фантазировать, — допустим, мне предстоит длительная командировка, несчастную не с кем оставить.

— Не годится, — отмела мой «сценарий» Элеонора.

— Почему?

— Тебе расскажут об условиях содержания, покажут комнату, столовую, ну, максимум еще спортзал, и ты должен будешь уйти. Ладно, ступай отдыхать, утро вечера мудренее.

В девять утра в мою дверь заглянула Муся.

— Иван Павлович, вставайте.

— Зачем? — простонал я, зарываясь поглубже носом в уютную подушку.

— Хозяйка велела вам по-быстрому в кабинет идти.

Я попытался вырваться из цепких объятий Морфея. Одно из отрицательных качеств Норы — это способность спать по два часа в сутки, вскакивать после короткого отдыха совершенно бодрой и рьяно приниматься за дело. Впрочем, беда даже не в этом, а в том, что Элеонора считает, будто и окружающим вполне хватает ста двадцати минут дремы для полноценного отдыха. Она искренне недоумевает, видя, как вы зеваете. Элеонора — помесь совы с жаворонком. Ложится поздно, вскакивает рано, может, поэтому она ухитряется все успевать?

Кстати, о жаворонках. Одна из моих бывших любовниц, Люсьенда Кривцова, рассказала мне как-то дивную историю. Люсьенда замужем, имеет пятилетнюю дочь и живет в одной квартире со свекровью. Мать мужа никогда не опускается до открытой войны с невесткой. Она мило улыбается Люсьенде, но не упустит момента сказать ей завуалированную гадость. Однажды утром в воскресенье Люсьенда спросонья услышала диалог.

Свекровь, гремя кастрюлями на кухне, говорила внучке:

— Вот, Машенька, время уже десять, мы с тобой давно встали и кучу дел переделали. Я суп сварила, тебя завтраком накормила, папины рубашки постирала, ни одной чистой у него не было, сейчас гладить начну. А мама у нас спит. Мама любит покемарить, маме надо отдыхать! Мы с тобой уже давно работаем, а мамочка дрыхнет без задних ног! Бабушка готовит, гладит, стирает, а мамочка подушки давит. Пусть отдыхает, мы ее будить не станем. Мамочка должна поваляться, она молодая, ей тяжело работать, а бабушка привыкла трудиться! Знаешь, почему она не встает?

— Нет, — пропищала Маша.

— Потому что она сова, — ядовитым тоном пропела свекровь, — а мы с тобой вскакиваем ни свет ни заря, мы трудолюбивые. Знаешь мы кто? Жа... жа..., ну, Машенька, кто мы? Жа... жа...

— ...бы, — закончил бесхитростный ребенок, — жабы!

Сами понимаете, что после этого заявления свекровь кинулась пить валокордин, а с Люсьенды слетел весь сон, никогда она так не хохотала, как в то утро.

— Иван Павлович, — капала мне на мозги Муся, — вылазьте, вот вам халатик, тапочки оденьте, теперь ступайте зубки чистить, топ-топ... Ай, молодец, ай, умница! Вот так, правой, левой, правой, левой!

— Ну сколько времени можно умываться! — воскликнула Нора, увидев меня. — Поплескал на лицо водички, и готово. Ты, Иван Павлович, копун! В девять тебя разбудили — в десять явился!

Я промолчал. Ну не говорить же хозяйке о столь неприятной, но необходимой процедуре, как бритье? Я очень доволен своей принадлежностью к мужскому полу и ни под каким видом не хотел бы стать женщиной, но в тот момент, когда скребешь бритвой по щекам, понимаешь, что прекрасному полу жить намного легче.

— Ваня, — сердито воскликнула Нора, — ты опять ушел в себя, немедленно вернись в материальный мир.

Я улыбнулся.

— Никуда я не ушел, вот стою перед вами.

— Сядь и слушай, — приказала Элеонора, — значит, ты отправишься в «Голубое солнце» под видом психолога.

— Кого? — удивился я.

— Психолога, — повторила хозяйка.

Я потряс головой и попытался вразумить Нору:

— Но кто же меня пустит туда? С улицы, без соответствующего диплома. Лучше придумать что-нибудь другое.

Нора прищурилась:

— Считаешь меня дурой? Ну-ка, вспомни, кем работает Аристарх?

Я напрягся. Аристарх Владиленович Подвойский, старинный приятель Элеоноры, они дружат с незапамятных времен.

— Ну... он вроде доктор наук.

— Профессор и академик, — добавила Нора, — генерал от психологии, даже маршал. Так вот, Аристарх Владиленович созвонился с главным врачом «Голубого солнца» и попросил его взять на работу на полставки Ивана Павловича Подушкина, психолога и по совместительству племянника Подвойского. В этой ситуации от тебя никто никаких дипломов не потребует и трудовую книжку оформлять не станут, ведь тебя не принимают в штат, на полную оплату, а всего лишь консультантом для подработки, ясно? Давай, собирайся живее. За тебя сам Подвойский просил, тебя встретят, как родного!

Я испугался.

— Нора, я ничего не понимаю в психологии.

— И не надо.

— Но как же? Вдруг зайдет разговор на профессиональные темы!

— Ваня! Ты же читал Фрейда!

— Ну, в общем, да, из чистого любопытства, кое в чем я с ним не согласен...

— Вот и чудесно, — бесцеремонно перебила меня Нора, — этого вполне хватит, чтобы сойти за душеведа. Говори там меньше, кивай с умным видом, изредка роняй и умные слова типа «либидо», «фрустрация», «дранг нах остен» и сойдешь за своего!

— Дранг нах остен, — поправил я хозяйку, — не психологический термин, а девиз фашистских войск, в переводе эта фраза означает «вперед на восток».

— Вот ты уже начинаешь занудствовать, — отбила мяч хозяйка, — следовательно, почти вошел в роль психолога, ничего сложного в ней нет, любой мало-мальски начитанный человек легко справится с такой задачей. Давай, вперед и с песней. Действуй!

Я вышел из кабинета. Ну почему у нас считается, что педагогом и психологом может стать любой человек? Поверьте, это совсем не так. Науку психологию следуют изучать по меньшей мере пять лет. В Московском государственном университете есть факультет психологии, где готовят дипломированных специалистов. Учат там очень многим предметам, поступить туда трудно, огромный конкурс, но еще сложнее пройти весь курс до конца. Преподаватели не дадут вам пощады, лентяев и дураков в этом учебном заведении не любят. Но уж если вы в конце концов получили заветные «корочки», то будете с распростертыми объятиями приняты во всем мире. Диплом факультета психологии МГУ вызывает уважение в Европе, Америке, Азии и на Ближнем Востоке. Кстати, походя дам небольшой совет. Коли вы собрались на прием к психотерапевту или хотите узнать, каким образом можно справиться с неуправляемым подростком, сначала попросите у специалиста, в кабинет которого вошли, бумагу о его образовании. Увидите надпись «МГУ, психфак», смело доверяйтесь такому человеку. Но упаси вас бог иметь дело с тем, кто демонстрирует свидетельство об окончании курсов «Практической прикладной психологии, биоэнергетики и магического искусства». Бегите от этого «душеведа» как можно дальше, его советы принесут вам лишь вред. И помните, хороший специалист никогда не станет решать за вас проблему, но он сделает все для того, чтобы пациент решил ее сам. Грамотный психолог способен перевернуть вашу жизнь, и вы из злобного неудачника или опустившегося алкоголика превратитесь в успешного человека. Психология — великая наука, но, к сожалению, сейчас вокруг нее развелось много шарлатанов, недоучек и попросту ненормальных.

Я добрался до «Голубого солнца» за два часа. Попал во всевозможные и невозможные пробки. Случаются дни, когда вся Москва стоит. Вот сегодня! Плотные орды машин продвигались вперед со скоростью ленивца. То и дело приходилось объезжать места аварий. Добравшись до места, я увидел симпатичный двухэтажный домик, похожий на типовой детский сад. Снаружи здание было выкрашено в нежно-синий цвет, внутри оно нисколько не напоминало муниципальное заведение.

Сразу за входной дверью открывался просторный холл с кожаной мебелью. На полу лежал ковер цвета весеннего неба, стены украшали картины, на мой взгляд, откровенная мазня неумелого художника, заключенная в дорогие рамы. Слева виднелась стойка, за ней восседала дама, одетая в голубой халат. Я подошел к администратору и увидел бейджик «Полина».

Она приветливо улыбнулась:

— Вы к нам?

Я смущенно кашлянул и сказал:

— Видите ли, я психолог, Аристарх...

— Вы Иван Павлович? — оживилась Полина.

— Да.

— Ждем вас не дождемся, — затараторила она. — К сожалению, наш главный врач вынуждена была отъехать, но Ираида Сергеевна велела мне встретить вас, как родного, все показать, а уж финансовые вопросы вы решите с ней. Ираида Сергеевна непременно будет. Я вас тут жду!

— Извините, если я опоздал, пробки страшные, только к обеду и доехал.

— Вы на машине? — оживилась Полина. — И где вы ее оставили?

— Перед входом.

Полина схватила с конторки брелок.

— Не надо на шоссе бросать, еще помнут, откройте ворота и заезжайте во двор, наши сотрудники там паркуются. Вот пока служебным ключом воспользуйтесь, а на недельке мы вам личный сделаем. Это очень удобно, подъехали, на кнопочку нажали, створки сами и распахнулись, выходить не надо...

Я терпеливо выслушал инструкцию по управлению автоматическими воротами. Ну не объяснять же приветливой Полине, что я каждый день пользуюсь такими, заезжая и выезжая из гаража. Впрочем, в одном она права, бросать «Мерседес» без присмотра не следует.

Я въехал во двор и оглядел длинный ряд сверкающих иномарок. Однако, похоже, сотрудники тут совсем не плохо зарабатывают. Ни единой российской модели. «Пежо-406», «Нексия», «Форд-Ка», третья модель «БМВ», все машины, похоже, были новыми.

— Значит, так, — оживленно говорила Полина, ведя меня по длинному коридору, стены которого тоже были увешаны нелепой мазней, — у нас тут учебные классы. Смотрите.

Она распахнула дверь. Несколько человек, сидевших кругом, повернули головы. Более разношерстной компании я еще не встречал. Мальчик лет восьми, юноша призывного возраста, женщина моих лет и девушка, скорей всего, справившая недавно двадцатипятилетие. В центре сидела дама в синем халате.

— Простите, Валентина Михайловна, — извинилась Полина, — вот я нашему новому психологу здание показываю. Тут, Иван Павлович, кабинет математики.

— Добрый день, — кивнула преподавательница и спросила учеников: — Как мы поприветствуем гостей?

— Здравствуйте, — прозвучал нестройный хор голосов.

— Психолог нам очень нужен, — улыбнулась Валентина Михайловна, — работы непочатый край. К тому же хорошо, что вы мужчина, здесь, к сожалению, лиц сильного пола не так уж много!

— А я умею писать цифры, — неожиданно сказала одна ученица, женщина моих лет, — и еще считаю до десяти. Раз, два... Ну как? Я молодец?

Мое сердце кольнула жалость. Несчастная была хорошо одета, вся в золотых украшениях. Кто-то очень любил это почти лишенное разума существо и очень, видно, страдал, глядя в ее безмятежные пустые глаза.

— Ну как? — повторила больная. — Хорошо у меня получается?

— Просто великолепно, — ответил я, — не всякий сумеет так ловко сосчитать до десяти. Это сложно, но вы освоили математику!

Женщина счастливо засмеялась.

— Ну, пока мы не совсем все знаем, — подняла вверх палец Валентина Михайловна, — сейчас начнем сложение проходить!

— Они справятся, — улыбнулся я, — сразу видно, что они имеют склонность к точным наукам.

Больные радостно зашептались, Валентина Михайловна постучала карандашом по столу.

— Ну-ну, не станем отвлекаться. Вас пока авансом похвалили.

Мы вышли в коридор.

— Психолога всегда видно, — вздохнула Полина, — я очень жалею, что у меня нет соответствующего образования, оно бы не помешало!

Непринужденно болтая, мы двигались по бесконечному коридору. Моя спутница постоянно распахивала двери, и я увидел все классы, зал, где занимались спортом, студию, в которой стояли мольберты, кружок вышивки, вязания и макраме...

Тут имелся даже зооуголок, а в подвале находились великолепно оборудованный тренажерный зал и бассейн.

— Сколько же стоит содержание у вас пациента? — полюбопытствовал я, когда мы вернулись к рецепшен.

Полина вздохнула:

— По-разному. В зависимости от того, чего вы хотите! Приходит человек на весь день или просто посещает одно занятие, нужен ли ему логопед и психолог. Есть люди, практически здоровые, с легкими отклонениями. Лика Кустова, например, она закончила десять классов самостоятельно. Вполне компенсированная, сама приходит, сама уходит, может на следующий год даже пойти работать, ну найти что-то спокойное. Она бы могла книжки выдавать в детской библиотеке, Лика очень малышей любит.

Мы добиваемся хороших результатов, позанимается человек год-другой и становится адекватным.

— К сожалению, не всем по карману подобное заведение, — подначил я ее, — в социальных интернатах совсем другие условия.

— Там ужасно! — закивала Полина. — Хотите чайку?

Я кивнул и был препровожден в столовую, где получил великолепно заваренный чай и сладкое печенье.

— Про государственные интернаты, — бодро продолжила тему Полина, — лучше и не вспоминать. У нас есть еще один корпус, чуть подальше в лесу, там стационар находится. Так вот, Ираида Сергеевна, щедрой души человек, педагог и врач от бога, привозит туда бедолаг, находящихся на муниципальном обеспечении. На них страшно смотреть! Если и был разум, его выбили из бедолаги! Они пугаются постельного белья, норовят лечь спать без подушки и одеяла! А как едят! Господи, у меня слезы текут! Несчастные люди, ни перед кем ни в чем не виноватые! Никому не нужные! Они ни в какое сравнение не идут с нашим, так сказать, коренным населением. И знаете что?

— Что? — эхом отозвался я.

— Стоит им у нас в нормальных условиях провести пару месяцев, как прогресс налицо, — заявила Полина.

— Но зачем ваша Ираида Сергеевна берет к себе тех, кто не может заплатить ни копейки?

Полина улыбнулась.

— Более того, наша главврач подбирает обездоленных, тех, у кого нет родственников, или они давно забыли про несчастного.

— Ну в интернат-то небось отдают близких только малопорядочные люди, — вырвалось у меня.

— Не скажите, — покачала головой Полина, — всякое случается. Вот Лиза Федькина, ее мама с бабушкой воспитывали, девочка дебильная, очень тяжелая, неадекватная, немотивированно агрессивная, представляете, какой букет?

Я кивнул.

— Несладко, наверное, ее родным пришлось.

Полина схватила чайник и с сожалением произнесла:

— Бедные люди, но совсем плохо стало, когда внезапно скончалась мать Лизы. Престарелая бабушка не могла справиться с девочкой и сдала ее в интернат. Не все бросают родственников, только порой силы заканчиваются, а денег на частную лечебницу нет.

— Так почему ваша главврач берет бесплатных больных? — продолжал удивляться я. — Какая ей выгода?

Полина поставила чашку на блюдечко и торжественно возвестила:

— Не все меряется золотом. Ираида Сергеевна действует из чистого сострадания, лечит кое-кого совершенно бесплатно, это входит в устав нашего учреждения!

— Да? — недоверчиво протянул я.

Полина порозовела:

— Могу рассказать вам историю «Голубого солнца», хотите? Или вы устали?

— С огромным интересом выслушаю вас, — старательно улыбнулся я.

Похоже, эта Полина редкостная болтунья, у нее рот ни на минуту не закрывается.

— «Голубое солнце» основал один бизнесмен, — затрещала женщина, — пожелавший остаться неизвестным. Ираида Сергеевна, конечно, знает его имя, но, кроме нее, никто с ним не знаком. Впрочем, я сомневаюсь, что и она лично виделась с хозяином. Говорят, он очень и очень богат, имеет огромный вес в обществе и не желает, чтобы его семейные дела полоскались в газетах.

Я молча слушал ее торопливую, чуть захлебывающуюся речь.

Глава 26

У мецената была больна дочь. Она пострадала во время родов, акушеру пришлось применить щипцы, и ребенок в результате оказался не совсем нормален. Девочка не дожила до подросткового возраста, скончалась. Безутешный родитель построил лечебницу в память о безвременно ушедшем больном ребенке, он решил помочь десяткам людей, чей разум не получил в силу разных причин нормального развития или угас от болезни. Вначале клиника задумывалась как маленькое, камерное заведение, максимум на десять человек. Но потом она стала стихийно расширяться, и бизнесмен понял, что ему не по карману содержать огромное заведение, тогда и стали брать плату за услуги. Теперь основную массу тут составляют те, чьи родственники способны отстегнуть немалые суммы. Но... Владелец лечебницы по-прежнему занимается благотворительностью. Он оплачивает пребывание в ней некоторого количества неимущих людей. Их находят в муниципальных заведениях, привозят сюда, ставят на ноги, обучают, если это возможно, элементарным навыкам...

Полина замолчала и принялась водить пальцем по клеенке.

— И что дальше? — поинтересовался я. — Они так и живут тут?

— Нет, — ответила она, — курс реабилитации занимает несколько месяцев, ну максимум полгода.

— А потом? — продолжал любопытствовать я.

Полина тяжело вздрогнула.

— Дальше возможны варианты. Если несчастный имеет родственников, Ираида Сергеевна предлагает им забрать его домой.

— И они соглашаются? — недоверчиво воскликнул я. — Вообще говоря, в это верится с трудом. Ведь семья уже один раз отказалась от больного!

— Понимаете, — заговорщицки зашептала Полина, — теперь-то ситуация сильно изменилась! Больные прошли усиленный курс реабилитации у лучших специалистов. У них сняли агрессию, им привили необходимые навыки. Вот Лиза Федькина, например. То, какой привезли и какой она ушла отсюда, просто небо и земля. Привозили из интерната грязного, немотивированно агрессивного волчонка, а домой отправили веселую, замечательную девочку.

— Полина, — раздался властный голос, — ты почему не на рабочем месте?

— Ой, Ираида Сергеевна! — вскочила на ноги болтунья. — Это Иван Павлович, от...

— Ступай, — каменным тоном произнесла вошедшая и окинула меня взглядом пронзительно черных глаз.

Я тоже разглядывал главврача. Ираида Сергеевна в молодости, очевидно, была необыкновенной красавицей. Даже сейчас, справив пятидесятилетие, она выглядела великолепно, чем-то напоминая Николетту. Высокая стройная фигура, для сохранения которой Ираиде Сергеевне пришлось основательно ограничить себя в еде, модная стрижка, безупречный макияж и элегантный деловой костюм. Только Николетта уже давно не работает, она забросила сцену, а Ираида Сергеевна руководит клиникой, и, судя по тону, которым она только что разговаривала с Полиной, и по тому, с какой скоростью болтунья вылетела из столовой, главный врач тут бог и царь.

Ираида Сергеевна села за столик и велела:

— Наташа, подай чай, как надо!

Мигом материализовалась официантка, керамические кружки заменила на фарфоровые чашки с блюдечками, принесла красивые мельхиоровые ложечки.

— За всеми глаз нужен, — вздохнула Ираида Сергеевна, — только ослабишь вожжи, и моментально народ лениться начинает. Русскому человеку просто необходим кнут! Вы невероятно похожи на своего дядю!

Я сначала хотел было удивиться, откуда главврач знает моих родственников, но тут вдруг вспомнил, что явился в «Голубое солнце» в качестве племянника Подвойского, и слегка испугался. Аристарх Владиленович выглядит не лучшим образом. У него весьма объемистое брюшко гурмана, масленые глазки сластолюбца и обширная розовая лысина, обрамленная по краям бахромой редких пегих волос. Неужели я на него похож? Ей-богу, ничего приятного в заявлении Ираиды Сергеевны для меня нет. Надеюсь, она просто решила соблюсти приличия, вот и завела разговор о семейном сходстве, в противном случае мне остается лишь застрелиться.

— К сожалению, — мгновенно перешла главврач к делу, — я не могу предложить вам большую зарплату. В клинике работают подвижники, получающие более чем скромное вознаграждение за труд. Но Аристарх Владиленович сказал, что денежная сторона вопроса вас не слишком волнует, вы хотите собрать материал для диссертации?

Я усиленно закивал.

— Совершенно справедливо. Я холостяк, веду более чем скромный образ жизни, деньги трачу в основном на книги, ну еще помогаю матери-пенсионерке. Главное для меня — работа.

И вот теперь попробуйте упрекнуть Ивана Павловича во лжи! Ведь я сказал чистейшую правду! Зарплату я трачу в основном на Николетту и литературу, а работа для меня приоритетное занятие.

Лицо Ираиды Сергеевны озарила широкая улыбка.

— Мы с вами обязательно сработаемся, — пропела она, — хочу вам сказать, что для нас большая честь заполучить в качестве сотрудника племянника самого Аристарха Владиленовича!

— Ну что вы, — блеснул я светским воспитанием, — это для меня очень почетно оказаться в стенах столь престижного лечебного заведения, как ваше.

Ираида Сергеевна довольно рассмеялась.

— У нас...

Но тут ее слова прервал звонок мобильного.

— Прогресс способен довести нас до инфаркта, — бормотала докторица, роясь в сумочке, — с одной стороны, сотовый — благо, с другой — чистое наказание. Я ощущаю себя собакой на поводке, в любую минуту могут дернуть за ремешок! Да, слушаю! Кто? Ну вот! Вечно неприятности! Полная безответственность! Передай ему: если не приедет, я его уволю.

Сердито хлопнув крышечкой, она бросила телефон на стол, я невольно отметил, что он у нее такой же, как у Николетты, ярко-красный аппарат. Очевидно, Ираида Сергеевна тоже хотела быть модной, в ущерб качеству.

— У нас, — продолжила она прерванную мысль, — можно набрать материала на десять докторских! Я велю предоставить вам истории болезней, а Полина научит вас пользоваться компьютером, даст пароль, и изучайте на здоровье материалы.

— Премного благодарен, — завел я, и тут вновь ожил красный телефон.

— Слушаю, — любезно сказала главврач.

Но, очевидно, на том конце провода ей сообщили что-то неприятное, потому что с лица доктора сдуло всю приветливость, и она гаркнула:

— Уволены, все! Он — за хамство, вы — за глупость!

И аппарат вновь полетел на стол. Ираида Сергеевна нервно схватилась за сигареты. Я галантно поднес ей зажигалку и не сумел сдержать любопытства:

— Проблемы?

— Нет сил, — протянула главврач, — каждый день что-нибудь случается: то трубу прорвет, то кефир с базы просроченный пришлют, то санэпидемстанция прибежит, то сотрудники начудят. Вот, пожалуйста, снова форс-мажор! В «лесном» корпусе, ну там, где больные живут постоянно, положен ночной дежурный. Пациенты наши тихие, это не буйное отделение, все спят спокойно. Но оставить их без

пригляда я права не имею, вдруг пожар? Сегодня
очередь дежурить Игоря Борисовича Воробьева, и
что вы думаете? Он, простите, конечно, пьян! Так
сказать, в стадии белой горячки. Выпросил у заведующей корпусом четыре дня отпуска, а′ та, полнейшая безголовость, предоставила ему свободные дни
без моего ведома. И результат? Воробьев в запое, за-
менить его некем... Что же мне теперь, самой там сидеть? Как назло, у нас много сотрудников на бюлле-
тене, в Москве грипп, и нас коснулась эпидемия.
Ума не приложу, как быть! Нет, конечно, я уволю и
Воробьева, и заведующую, но сейчас-то что делать?
Лидия Евгеньевна сегодня дежурила, Алла Ивановна
с температурой. Татьяна Семеновна гриппует тоже,
Екатерина Львовна вчера заболела, прямо беда!

И она снова потянулась за сигаретами.

— Да, трудная задача, — посочувствовал я ей.

Вдруг на лице Ираиды Сергеевны заиграла
улыбка.

— Иван Павлович, выручайте, подежурьте в корпусе.

— Что вы, — замахал я руками, — ведь я не имею
специального медицинского образования, только
диплом психолога.

— А врачебная помощь никому и не понадобится, — принялась уговаривать меня Ираида Сергеевна, — наши постояльцы физически совершенно здо-
ровы. Тут больше хозяйский глаз нужен, ну так, для
порядка. Вы не волнуйтесь, у нас никогда ничего
плохого не случается. Ну право слово, неужели вам
трудно?

Я замялся, не зная, как поступить. С одной стороны, страшно оставаться одному в корпусе с не совсем нормальными людьми, с другой — это отлич-

ная возможность найти Катю и попытаться поговорить с ней.

Ираида Сергеевна нежно прикоснулась своей наманикюренной ручкой к моей ладони.

— Иван Павлович, давайте сделаем так. Сейчас Полина объяснит вам, где хранятся истории болезней, потом вы пойдете в корпус, ознакомитесь с обстановкой, и, надеюсь, поработаете там. Условия просто царские, отдельный кабинет, хороший компьютер, ужин вам из столовой принесут, чай, кофе у нас великолепно готовят. А уж я не забуду, как вы на амбразуру легли, выручайте, голубчик!

— Мне как-то некомфортно оставаться одному с пациентами, — признался я.

— А кто сказал, что вы будете в одиночестве? — всплеснула руками главврач. — С вами вместе Лидочка дежурит. Опытнейшая медсестра. Да от вас, честно говоря, ничего и не потребуется, спокойненько выспитесь. Лидочка сама все сделает в случае каких-то непредвиденных обстоятельств. Вам не о чем беспокоиться.

— Зачем же я нужен, если медсестра есть?

Ираида Сергеевна тяжело вздохнула.

— Правила не мной придуманы, положено дежурить парой: медсестра и врач. Высшее образование-то у вас есть! Иван Павлович, поверьте, я сумею вас отблагодарить, — понизила голос главврач.

Я кивнул:

— Хорошо, только не ругайте меня, если я не справлюсь!

— Ерунда, — замахала руками Ираида Сергеевна, — ну спасибо, просто камень с души упал. Все-таки сразу видно, что вы ближайший родственник Аристарха Владиленовича, та же интеллигентность, то же благородство души, желание прийти на помощь. Отлично. Пойдемте!

Ираида Сергеевна отвела меня в небольшую комнату, где громоздился компьютер. Спустя мгновение туда прибежала Полина и, чуть ли не приседая, стала обучать меня общению с умной машиной.

Стыдно признаться, но я практически не знаком с компьютером. У Норы, естественно, имеется дома этот агрегат, хозяйка весьма ловко управляется с мышкой. Я же освоил всего несколько простых действий. Могу открыть электронную почту и прочитать присланные письма, вполне способен и ответить на них. Кроме того, умею пользоваться программой «Ворд» и пару раз пробовал выйти в Интернет, впрочем, попытки заканчивались неудачей, я, очевидно, туп и не понимаю, на какие кнопки следует нажать, чтобы оказаться во всемирной паутине.

Но Полина, несмотря на свою болтливость, оказалась хорошим учителем, да и особой премудрости мне осваивать не пришлось, на всякий случай я записал последовательность действий, и мы опять вернулись в столовую, где нас ожидал ужин. Ираида Сергеевна не обманула. В больнице хорошо готовили. Конечно, приготовленная здесь котлета не шла ни в какое сравнение с биточками, которые вдохновенно жарит Орест Михайлович, но она была вполне съедобна.

Ночное дежурство начиналось в девятнадцать ноль-ноль. Полина проводила меня в «лесной» корпус и сдала на руки Лидочке, кокетливой девице лет двадцати пяти. Та, безостановочно хихикая, проводила меня в маленький кабинет и прочирикала:

— Ираида Сергеевна сказала, вы поработаете тут. Чайку принести?

— Спасибо, не стоит беспокоиться.

— А никакого беспокойства нет, — сказала Лидочка, — я сама чаевничать собралась. Хотите мармеладу?

— Нет, нет, благодарю вас.

— Ну ладно, — разочарованно протянула Лидочка, — если вы такой гордый, буду одна лакомиться.

Я понял, что совершил ошибку, и быстро окликнул ее:

— Лида!

Медсестра обернулась.

— Я просто не хотел вас обременять! С удовольствием попью чаю!

— Классно! — обрадовалась Лида. — Пошли в сестринскую.

Целый час я просидел над кружкой, слушая болтовню Лиды. За это время она успела вылить на мою голову ушат информации. Сначала она поделилась сведениями о себя. Замужем, очень любит супруга, мечтает о ребенке, но, пока нет собственной квартиры, о наследнике нечего и думать. Потом речь зашла о клинике. Лидочка похвасталась современными палатами и элитными больными.

— У нас тут родственники таких людей лежат, — быстрым шепотом сообщила она, — певицу Шагинэ знаете?

Я ухмыльнулся:

— Нет.

— Ну как же, — огорчилась медсестра, — ее все время по телику показывают. У нас ее сын содержится, даун. Это страшная тайна! А еще здесь дочь Клепикова.

— Кто же он такой? — полюбопытствовал я.

— Господи, — восхитилась Лидочка, — вы как

будто в другой стране живете! Клепиков — ведущий программы «Всегда с вами»! Его дочь — наркоманка! Дочь ведущего! Это тоже жуткая тайна! Девчонка тут под другой фамилией, но все знают, кто она!

— Здесь лечат наркоманов? — удивился я.

Лидочка щелкнула языком.

— Не! У нее на фоне принятия героина мозги отключились. Ваще в трехлетку превратилась, хорошо, что под себя не ходит, вот ее и пытаются восстановить. Родители, конечно, надеются на благополучный исход, только знаете, зря они деньги тратят.

— Вы полагаете?

Лидочка кивнула.

— Все равно она такой, как раньше, не станет, хотя улучшение будет. Здесь много бывших наркошей. И вот что удивительно! Дети-то из хороших семей, папа с мамой богатые, ни в чем им не отказывали, живи себе и радуйся! Чего их к дури потянуло...

Она бы еще разглагольствовала на эту тему, но вдруг взгляд ее упал на часы, и Лидочка кинулась исполнять служебные обязанности, ей нужно было раздать лекарства.

Воспользовавшись ее уходом, я быстро переместился в кабинет и включил компьютер. Екатерина Семеновна Короткова нашлась сразу. Я пощелкал мышкой и открыл ее историю болезни.

Текст возник на экране мгновенно, а фотография загрузилась минут через пять, она появлялась медленно, словно нехотя. Наконец изображение проявилось полностью. Я вгляделся в него и вздрогнул. Передо мной была та самая девушка с шоссе или кто-то очень на нее похожий: огромные испуганные глаза, чуть приоткрытый рот с красивыми пухлыми губами и крупная родинка на щеке.

Глава 27

Я прочел анамнез и понял, почему Семен Юрьевич не хотел, чтобы мы с Норой пообщались с Катей. Девочка ничем не могла нам помочь, Катя была наркоманкой.

Как она подсела на иглу, в истории болезни не сообщалось. Героин колоть начала в школе, ей понадобилось всего два месяца, чтобы потерять человеческий облик. Отец, слишком поздно понявший, что происходит с дочерью, схватился за голову и отправил ее в широко разрекламированную клинику доктора Вересова. Но там ей стало только хуже. Кате начали вводить всякие лекарства, и она неожиданно впала в кому. Перепуганные врачи попытались вывести ее из этого состояния, и эти попытки увенчались успехом. Катя пришла в себя, но ее образованный отец очень скоро понял: его ждет новое, страшное испытание. Катя никогда более не станет принимать наркотики, не поедет к дилеру, не приобретет дозу, не ослушается родственников — и все это по одной причине: Катюша превратилась почти в младенца. И теперь ее предстоит обучать заново всему: есть, пить, ходить в туалет, разговаривать, мыться и узнавать своих родных.

Были тут и сведения о родственниках, имевших право на посещение больной, прежде всех — Коротков Семен Юрьевич. Здесь же были даны его адрес и телефон, Фира Базилевич — и опять приведены все координаты незнакомой мне женщины, потом значилась Медведева Ирина, сестра. Я удивился, вроде бы у Кати есть еще мать, Наташа. Ее что, сюда не пускали?

История болезни содержала массу сведений медицинского порядка, я ничего не понимал в сообщениях о лекарствах, дозах, количестве уколов и таблеток. Самым интересным оказались комментарии психолога. Из них стало понятно, что Катя быстро восстанавливается. Уже сейчас она способна самостоятельно дойти до столовой и поесть там. К ней вернулась речь, и ее включили в группу, которая занимается рисованием. А вот попытка отправить Катю на плавание не удалась. По непонятной причине она впала в истерику при виде огромного количества воды и принялась кричать:

— Мама, мама!

Естественно, ее моментально увели. А рисование пришлось больной по вкусу. Еще тут была фраза: «Способна к шахматам». Ей-богу, она меня удивила. Ну о каких шахматах, игре, требующей способности логически мыслить, может идти в этом случае речь?

Изучив историю болезни, я позвонил Норе, быстрым шепотом доложил ей о своих успехах, получил от нее карт-бланш на свободу действий и глянул на часы. Стрелки подбирались к десяти, а Лидочка сказала, что отбой в корпусе объявляют именно в это время. Посижу минут тридцать и попробую заглянуть в палату к Кате.

От скуки я начал читать истории болезней других несчастных и очень скоро понял: никто из нас не застрахован от того, чтобы оказаться на их месте. Большинство пациентов до недавнего времени были нормальными людьми, но потом с ними произошла беда. Филишанову Надежду разбил инсульт, и она превратилась в бессловесное существо. Родькин Игорь попал сюда после автомобильной аварии, заработал черепно-мозговую травму, и как следствие — «отключенные» мозги. Гаврилина Олеся шла на занятия, когда ей на голову упала сосулька... Ужасный рок сделал из обычных людей беспомощных инвалидов. Встречались и другие, та же Лиза Федькина, упомянутая ранее Полиной в разговоре, родилась неполноценной. Я молча пробежал глазами ее карточку, надо же, девушка живет в двух шагах от Норы, Калистратовский проезд, дом два. Я хорошо знаю это здание, в нем недавно открыли большой супермаркет, фасад его украсила вывеска из ярких лампочек «Страна продуктия, 24 часа». Впрочем, у Лизы все сложилось хорошо, в конце истории болезни значилось: «Выписана домой в состоянии стойкого улучшения». Что ж, хоть кому-то повезло!

Я молча двигал мышкой, чувствуя, как в душе просыпается жалость. Бедные, бедные люди, а ведь им еще не хуже всех приходится! В этой клинике созданы просто идеальные условия для недужных, их тут учат, вон, даже пытаются шахматы в руки дать! У каждого пациента в карточке обязательно есть записи о его способности к этой замечательной игре или наоборот.

В пол-одиннадцатого я вышел в коридор и пошел к сестринской. Лидочка мирно сидела у телевизора.

— Хотите киношку поглядеть? — зевнула она. — Идет сериал «Скорая помощь»! Про больницу, жутко классный.

На мой взгляд, работать в клинике и смотреть ленту о буднях людей в белых халатах явный перебор, но не обижать же милую девушку этим замечанием!

— Спасибо, у меня глаза от компьютера заболели.

— А мне так досмотреть хочется, — по-детски вздохнула Лида.

— В чем же дело? Наслаждайтесь спокойно фильмом.

— Обход положено сейчас делать, — грустно сказала медсестра, — по коридорам пробежаться, послушать, все ли в порядке.

Я понял, что судьба посылает мне шанс, и решил использовать его:

— Знаете, Лидочка, вы напоили меня великолепным чаем, теперь моя очередь оказать вам услугу. Смотрите спокойно кино, я сам пройдусь по коридорам и, если услышу что-то подозрительное, мигом позову вас.

— Правда? — обрадовалась глупышка. — Ну, спасибо! Вообще-то говоря, ничего дурного здесь никогда не приключается. У нас пациенты мирные, спят себе спокойно по ночам, чай, не буйное отделение. Но порядок есть порядок! Велено ходить — изволь выполнять. Начнешь лениться, выгонят. Вон Оля Силикина все дежурство продрыхла, да как на беду Ираида Сергеевна сюда в полночь заявилась. Никогда не приходила после отбоя в отделение, а тут, бац! Здравствуйте! И что? Где теперь Силикина? Выгнали ее с позором! Сейчас трудно работу найти, в особенности такую хорошую, как здесь! На одни чаевые родственников жить можно, да и на еду я совсем не трачусь.

Я оставил совершенно счастливую Лидочку у мерцающего экрана и пошел по извилистому коридору. Из-за одинаковых, совершенно не больничных шикарных дверей не доносилось ни звука. Меньше всего это помещение напоминало клинику.

Скорей уж гостиницу средней руки в какой-нибудь Франции. На полу лежали ковры, что, согласитесь, странно. Там, где работают люди в белых халатах, мягким покрытием объявлен бой. Из соображений гигиены обычно в лечебных учреждениях постелен линолеум или плитка. Еще тут повсюду висели картины, стояла кожаная мебель и не пахло дезинфекцией.

Я добрался до двери с табличкой «16» и осторожно заглянул в палату. Но уже через мгновение мне стало ясно: Катя не испугается незнакомого человека. Она крепко спит.

— Катюша, — шепотом позвал я. — Эй, Катерина...

Ответа не последовало. Я покашлял, потом, прибавив громкости, спросил:

— Катя, вы спите?

Дурацкий вопрос! Если ответите «нет», то, значит, вас разбудили, если «да», то вы говорите во сне.

Катя молчала, скорей всего, ей дали сильное снотворное, потому что она даже не шелохнулась, когда я потряс ее за плечо. Энное количество времени я пытался растолкать мирно посапывающую девушку, но успеха не достиг. Едва я выскользнул из палаты, как услышал звонкий голос Лиды:

— Иван Павлович, а чегой-то вы там делаете?

Я мгновенно нашелся:

— Мне показалось, что в этой комнате плачут.

— Нет, — протянула Лида, — обознались вы. Кате сильное снотворное ввели.

— Зачем? У нее бессонница?

— Да нет, — ответила Лида, — у нее истерика приключилась. Вот послушайте, чего вышло.

До обеда Лидочка занималась разными делами, она не особо торопилась, зная, что ей предстоит дежурить сутки. В два часа дня нужно было забрать с занятий Катю. Лида побежала в соседний корпус, привела сюда девочку. Та, проходя мимо бывшей палаты Федькиной, притормозила и сказала:

— К Лизе хочу.

— Она ушла, — отмахнулась Лида, — пошли, отдыхать пора.

Но Катя уперлась:

— Нет, я пойду к Лизе.

Лида попыталась объяснить пациентке:

— Лиза ушла домой, она тут больше не живет!

— В большой дом? С двориком?

— Да.

— Насовсем?

Лида кивнула, думая, что теперь Катя успокоится и мирно проследует в свою палату. За последние месяцы у Кати наступило резкое улучшение состояния. Начиная с первых дней февраля она стала быстрыми темпами поправляться, просто на удивление всем, и порой казалась совершенно нормальной. Лида полагала, что Катерина поймет, куда делась Лиза, и найдет себе другую подружку. Катя же упорно продолжала задавать вопросы, стоя под дверью бывшей палаты Федькиной.

— Ушла туда, где играют в шахматы?

Чтобы отвязаться от Кати, Лида брякнула:

— Да!

Шахматный кружок располагается в отдельно стоящем в лесу домике, который соединен галереей с основным зданием, Катя только что сама оттуда вернулась. Неожиданно она сильно побледнела, затопала ногами, затрясла головой и впала в истерику.

— Ей дали шапочку, — кричала Короткова, — она боялась шапочки, а на нее надевали! Лиза убила Иру, Ира убила Лизу. Черная и белая, только не горелая! Ходи пешкой, пешкой, ходи, бей коня... а... а... коня, шапочка! Лиза! Ира! Мама!

Испуганная Лидочка бросилась за Альбиной Федоровной.

Доктор применила снотворное. Катю удалось успокоить.

— Похоже, ее что-то на шахматном кружке испугало, — предположила Лида. — Ой!

— Что случилось? — озабоченно осведомился я.

— Я слишком много болтаю, — испугалась Лидочка, — уж, пожалуйста, не сердитесь на меня.

— Мне такое и в голову не придет, — успокоил я ее.

— Вы мне сразу жутко понравились, — оживилась Лида, — вы на моего папу похожи, он тоже такой спокойный, обстоятельный.

Я тяжело вздохнул: если девушка уступает вам место в метро, нет смысла за ней ухаживать. Эта фраза придумана не мной. И, на мой взгляд, она не совсем справедлива. Место-то могут освободить и молодому парню с палочкой в руке. Но коли юная особа сообщает о вашем сходстве с ее отцом, вот тут полный аут и нечего питать зряшные надежды.

— Не везет этой Кате, — снова завела Лида, — девочка-катастрофа!

— С ней что, происходят все время какие-то неприятности?

— У нас нет, — ответила Лида, — но знаете, почему она сюда попала?

— Вроде Короткова наркоманка, ее неудачно лечили от героиновой зависимости.

Лидочка прищурилась.

— А с чего она на иголку села?

— Понятия не имею!

— Хотите расскажу?

Лидочкины глаза горели огнем, очевидно, такого понятия, как врачебная тайна, для нее просто не существовало, или медсестра считала, что от психолога нечего скрывать правду.

Катю в клинику привез отец. Сдал дочь медикам на руки и забыл про нее. Больную Семен Юрьевич не посещал, но деньги за ее содержание платил исправно, и Катю усердно лечили. Одно плохо — никакого улучшения в ее состоянии не наблюдалось. Короткова совершенно не поддавалась коррекции. Вернее, первое время она довольно успешно поправлялась, у нее восстановилась речь, кое-какие навыки, но потом вдруг процесс остановился. Врачи недоумевали, не понимая, что же случилось. Катя была вялой, безучастной ко всему, не могла учиться и по большей части лежала в кровати. Потом апатия сменялась резким возбуждением, Катя начинала бегать по палате, плакать, требовать непонятные вещи, потом вновь впадала в ступор. Общаться с другими пациентами она не желала, врачей ненавидела, при виде медсестер начинала судорожно плакать. Единственный человек, которого Катя встречала с радостью, была ее сестра Ира. Та приходила в понедельник, среду и пятницу. Завидя Ирину, Катя вытягивала вперед руки и монотонно кричала:

— Дай, дай...

Ирочка обнимала несчастную сестру и доставала из сумочки шоколадные конфеты. И вот что странно, во время ее визитов Катя казалась почти нормальной, весело смеялась, живо реагировала на окружающих. Такое состояние сохранялось и пару часов после ухода Ирины, потом Катя вновь делалась апатичной и все начиналось заново.

Как-то Альбина Федоровна решила отправить Катю в бассейн. Многие больные с удовольствием резвились в воде, играли в мяч. Собственно говоря, это был большой лягушатник. Катюшу подвели к бортику, и тут у нее началась дикая истерика.

— Вода, — визжала она, — нет, вода! Смерть! Вода!

Естественно, Катю немедленно вернули в палату. Альбина Федоровна попыталась дозвониться до ее отца, чтобы узнать, не было ли у девочки какой-нибудь стрессовой ситуации, связанной с рекой или морем.

Семен Юрьевич выслушал врача и, буркнув «Нет», — мгновенно отсоединился.

После обеда пришла Ирина, она очень расстроилась, узнав о происшедшем. Альбина Федоровна ради порядка спросила:

— Не знаете, может, Катю когда-то напугало что-то, связанное с водой?

Ира замялась.

— Ну, в общем, из-за этого вся беда!

— А в чем дело? — насторожилась врач.

И тут Ирина выдала совершенно невероятную историю. Мать Кати, Наташа, покончила с собой. Летним, ясным днем она поругалась с мужем. Что у них случилось, Ира не знала, но, видно, что-то серьезное, потому как Наташа вылетела из дачи и побежала за ворота. За ней понеслась Катя. Ира осталась в доме, она считала, что отец и мачеха сами разберутся между собой. Забеспокоилась Ира через час, когда ни Катя, ни Наташа не вернулись. Семен Юрьевич сидел, запершись в своем кабинете. Ира поскреблась в дверь к отцу.

— Папа, уже вечереет, может, пойти поискать Наташу?

— Мне плевать на нее! — заорал отец. — Пусть хоть сквозь землю провалится!

Ира поняла, что отец все еще злится на жену, и решила сама отправиться на поиски Наташи, но тут распахнулась дверь и на пороге возникла Катя.

— Мама утонула, — сказала она и упала без чувств.

О том, что произошло, Катя рассказала Ире лишь через месяц. Наташа добежала до высокого обрыва и бросилась на глазах дочери в реку. К сожалению, речкой тот ручеек, что протекал возле дома Коротковых, можно назвать с большой натяжкой. Наташа упала с довольно большой высоты на голову и моментально скончалась, сломав шею. Катя от ужаса остолбенела и целый час без сил просидела на крутом берегу, глядя на неподвижное тело матери. Потом кое-как добралась до дома.

Наташу похоронили. Что случилось между женой и мужем, Ирина не знала. Семен Юрьевич так и не простил супругу. Более того, он не пошел на ее похороны, не объявил никому о несчастье, не стал справлять поминки. Просто дал Ирине денег и велел:

— Сама все организуй.

Наташу отвезли на кладбище три человека: Ира, Катя и Фира Базилевич, лучшая подруга покойной. Потом они зашли в кафе и выпили за помин ее души.

После смерти матери Катерина стала колоться и очутилась в конце концов в «Голубом солнце».

— Вот какая ужасная история, — завершила Лида рассказ. — Просто трагедия! Да вы идите, на диванчик лягте!

— Мне пока не хочется, спасибо, — ответил я, — и что, Катя до сих пор неадекватна?

Лида покачала головой:

— Нет. Знаете, с этой Коротковой одни странности. В начале февраля мы тут подумали, что ей вообще конец пришел. Ломало ее, как наркоманку. Если бы мы не знали, что Катерина уже давно героина и не нюхала, подумали бы, что она с иголки соскочила! Переболела она, перетрясло ее и выздоравливать начала, да какими темпами! Не поверите! Улучшалась с каждым часом. Сначала перестала истерики закатывать, потом апатия прошла, с Лизой Федькиной она подружилась. Знаете, когда пациент у нас начинает друзей заводить, врачи радуются, значит, он на поправку идет. Вот, Катя с Лизой последнюю неделю не разлей вода были, все шушукались, хихикали. Лиза-то более сообразительная, чем Катя, она у нас всего-то девяносто дней провела и уехала вполне нормальной: Катя, конечно, расстроилась, но Ираида Сергеевна ее утешила, сказала, что папа ее скоро тоже заберет, и вдруг, бац, опять истерический припадок.

Лида продолжала бубнить, но я перестал ее слушать, она завершила повествование о Кате и Ирине и сейчас самозабвенно рассказывала о том, какие великолепные вещи можно купить в магазине.

Я молча смотрел на медсестру, навесив на лицо дежурную улыбочку. В голове бродили тяжелые мысли. Похоже, Семен Юрьевич не сказал нам ни слова правды. Соврал, что Катя лечится в Германии, а жена ухаживает за больной, ну не глупо ли? Ведь Наташа уже давно в могиле! Зачем он делает вид, что его супруга жива? Нет ответа на этот вопрос.

Глава 28

Нора трижды гоняла запись на диктофоне, прежде чем удовлетворенно сказала:

— Теперь многое проясняется!

— Да? — обрадовался я. — И что именно?

— Потом, — отмахнулась Нора, — значит, так! Насколько я понимаю, тебе завтра на работу в «Голубое солнце» не надо?

— А что, мне придется туда еще ездить? — испугался я.

Нора кивнула:

— Конечно. Там все собаки зарыты. Надо потолковать с Катей и еще кое-что сделать... Ладно, сейчас план работы на сегодня. Сначала ты идешь к Лизе Федькиной, благо она рядом живет, и попробуешь вытянуть из нее все о Кате и Ире. Кстати, что сказала Лида об Ире, помнишь?

— Ну, — начал я перечислять, — она очень добрая, нежно любила Катю, жалела ее...

— И как это вяжется с тем, что Ирина бросила родную мать в беспомощном состоянии?

— Иногда дети бывают немотивированно жестоки с родителями, — высказал я свою точку зрения, — отца или мать ненавидят, а к другим родственникам относятся нормально!

— Не знаю, не знаю, — протянула Нора, — мне кажется... Ладно. Сначала Лиза, затем поедешь к этой Фире Базилевич, надеюсь, ты догадался переписать ее телефон?

Я кивнул.

— Иногда ты демонстрируешь трезвый ум, — одобрила меня Нора, — начинай!

— Хотелось бы поспать часочек, — робко намекнул я.

— Ты в больнице всю ночь провел на ногах? — прищурилась Нора. — Так и не прилег?

— Покемарил на диване немного, одетый, и сейчас чувствую себя разбитым, — воззвал я к жалости хозяйки.

Но Нора иногда демонстрирует потрясающее бездушие.

— Ничего, — заявила она, — чем меньше спишь, тем дольше живешь! Давай, Ваняша, топай к Лизе, вряд ли она, учитывая то, что ее лишь недавно выписали из больницы, куда-нибудь ушла.

Делать нечего, пришлось мне ехать в Калистратовский проезд. Поднявшись на третий этаж, я ткнулся носом в ободранную дверь, тщетно поискал звонок и принялся колотить ногой в филенку.

— Ща, бегу прямо, — донесся крайне недовольный скрипучий голос, — чего трамтарарам подняли! Ну народ, ваще!

Загремел замок, залязгала цепочка, и передо мной возник мужик, одетый в черную от грязи майку и тренировочные штаны, вытянутые на коленях. Увидав меня, он обозлился и довольно грубо спросил:

— И чего тебе надо?

— Федькины здесь живут? — осведомился я. — Лиза и ее бабушка?

Мужик почесал загривок, потом повернулся и заорал:

— Маня, поди сюда!

В раскрытую дверь тянуло горелым тестом. Я увидел, как откуда-то сбоку вышла дородная баба в халате, поверх которого был завязан цветастый фартук. Вытирая ладони о полотенце, она приблизилась к мужику и укоризненно спросила:

— Чего орешь?

Тот ткнул в меня пальцем.

— Вот ему Федькиных надо!

Бабища поморгала, шмыгнула носом и ляпнула:

— А они померли все!

— Кто? — спросил я от неожиданности.

— Так и Надька, и Карелия Ивановна, — пояснила бабища. — Надьку давно схоронили, и не упомню уж, в каком году... Вась, когда Олька в первый класс пошла?

Василий надулся:

— Ну, так... в семьдесят втором!

Жена шлепнула его полотенцем.

— Ваще все мозги пропил! Мы еще тогда и женаты не были.

Потом она повернулась ко мне.

— В общем, давно Надька преставилась, хоть и моложе меня была. А Карелия Ивановна тоже на погост отправилась, ихние две комнаты таперича наши, отдельная квартира у нас будет!

Я растерялся окончательно:

— А Лиза? Она где?

Василий рыгнул.

— Ее еще когда в дурку сдали! Сумасшедшая она, скажи, Мань!

Та укоризненно покачала головой:

— Вовсе нет, просто она в школе учиться не могла, с мозгами у ней беда. Уж как Надька плакала, и

Карелия Ивановна тоже. Ну никуда Лизку пристроить не могли, ни одной приличной профессии не обучить, ни волос не пострижет, ни ногтей не почистит. А так ничего девка.

— Ага, — кивнул Василий, — в особенности, когда на мать с ножом кидалась.

Маша вздохнула:

— Ну да, поэтому ее в интернат и сдали, выросла, заневестилась, мужика захотела, а кто ж на такую польстится, вот она и злобилась. Надька, пока жива была, справлялась, а когда померла, Карелия Ивановна повыла да и отвезла обузу в интернат.

— И где сейчас Лиза?

Маша передернула монументальными плечами.

— Фиг ее знает, небось в интернате, где ж ей быть-то?

— Она не приходила сюда?

— Когда?

— Недавно.

Василий нахмурился.

— Не-а.

— Вы точно знаете? — Я цеплялся за последнюю соломинку. — Может, вы ходили в магазин, а Лиза и пришла.

Маша шумно втянула в себя воздух.

— Болеет Васька и носа на улицу не кажет. А вы кто им будете, Федькиным-то?

— Родственник я.

— Квартира наша будет, — мигом заявила Маня, — по закону оформим.

— Ничего у тебя не получится, — добавил Василий, — даже и не затевай судиться, проиграешь.

— Нет, нет, — быстро успокоил я супругов, — никаких злых намерений я не имею, жилплощадью обеспечен, просто хотел повидаться с родней.

— Опоздал ты, — сурово заявил Василий, — не с кем свиданкаться, все на том свете!

— Вы случайно не знаете, в какой клинике содержится Лиза? — Я предпринял последнюю попытку хоть что-то выяснить.

Маша повесила полотенце на плечо мужа.

— Нам однофигственно, где она. Сюда ей являться незачем, квартира наша. Да она небось уж померла давно! Такие психи долго не живут.

— Точняк! — воскликнул Василий. — Помнишь, Карелия про пенсию рассказывала? Чегой-то я не понял, может, она уже тогда того?

— А-а-а, — протянула Маня, — ну и память у тя, Васька, натуральный академик!

— О какой пенсии идет речь? — Я быстро влез в их диалог.

Василий хихикнул:

— Да Карелия незадолго до смерти вдруг разговор завела. Маня ее упрекнула, что она из нашего шкафчика чай тырит...

— А и вправду таскала заварку, — подхватила Маша, — еще сыр у меня в холодильнике моментом кончался! Принесу полкила из магазина, брошу на полки, вечером глядь, а сто грамм ктой-то оприходовал. И кто бы это был, ежели нас тут трое проживали, а? Я сыр не жрала, Васька тоже, так чьи зубы постарались? А уж когда она еще и за заваркой лазить стала...

Обозленная Маша налетела на старуху. Та принялась отбиваться, но Марию так легко не заткнуть. В тот день Карелии Ивановне мало не показалось.

— Откуда у тебя в чайнике заварка, — наседала на бабку Маня, — где добыла?

— Купила, — рыдала Карелия.

— На какие шиши? — не успокаивалась скандалистка. — У тя пенсия пятого числа.

— У меня есть деньги!

— Откуда?

— Скопила!

— А не ври!

Маша все больше входила в раж, Карелия Ивановна, впав в истерику, заорала:

— Вот, вот, гляди!

Маня во все глаза уставилась на разноцветные купюры, которые бабка швырнула на стол. Денег оказалось много. Маша прикинула на глазок сумму, тысяч пять рублей, не меньше!

— Удостоверилась? — тяжело дыша, осведомилась Карелия Ивановна. — Зачем мне твоя заварка? Сама ее купить могу!

— Где столько добыла? — в полном изумлении спросила Маня.

— Накопила.

— А не ври-ка! — снова обозлилась соседка. — Пойду гляну, не у нас ли с...а.

— Как ты смеешь меня оскорблять! — вскричала Карелия Ивановна. — Я честный человек!

— Все честные до первого милиционера, — неожиданно мирно ответила Маня, — а чего думать прикажешь, ежели ты завсегда второго числа денег одалживать просишь, ни разу от пенсии до пенсии не дожила. А севодни четвертое по календарю, а у тя прям богатство!

— Мне за Лизу пенсию дали, — неожиданно призналась старуха, — большую сумму, тебе такая и не снилась!

— С каких это пор за психов платят? — разинула

рот Маня. — Она ж в интернате живет, если че и положено, так тебе не дадут, поскольку на гособеспе-
чении девка!

Карелия Ивановна любовно сложила деньги.

— Лизу там лечат, — пояснила она, — всякие лекарства колют. Да чего-то перепутали, вкатили не
того, чуть не померла Лизка. Я в суд на них подать
могла, вот и заплатили мне, чтобы помалкивала, ясно? Сама главврачиха расстаралась, дала денежки
в конвертике и попросила: «Вы уж никому, ладненько!»

Маша только завистливо вздохнула. Бывает же
людям счастье, ни за что кучу «капусты» огрести!
Нет, ей так в жизни ни разу не повезло!

Фира Базилевич оказалась на работе. Набрав
номер ее телефона, я услышал хриплый, дребезжа-
щий голос:

— Фирочка на службе.

— Сделайте одолжение, подскажите, как с ней
связаться?

— А таки кто ее спрашивает? — проявил любопытство старик.

— Э... это из клиники «Голубое солнце», — ляпнул я.

— А зачем?

— Мне с ней поговорить надо.

— А таки о чем?

— О Кате Коротковой.

— Таки не знаю такую.

«Не знаешь и не надо, — чуть было не заорал я, —
таки давай телефон». Но, сами понимаете, я сдержался и продолжил беседу:

— Все же сделайте одолжение, подскажите мне рабочий номер Фиры.

— Подождите, — сдался старичок и пропал.

Потянулись минуты, длинные, просто бесконечные. У меня создалось впечатление, что у госпожи Базилевич четырехэтажный замок. Дедулька снял трубку телефона где-то в подвале и теперь мелкими шажочками побрел за блокнотом, который лежит в мансарде. Вот он дотащился до первого этажа, поплелся на второй...

— Аллоу, — раздалось в трубке, — тут есть кто или просто так трубка лежит?

— Мне нужен служебный телефон Фиры, — обрадовался я, кажется, женщина, подошедшая к аппарату, более молодая и адекватная.

— А вы кто такой?

— Иван Павлович Подушкин!

— Что вам надо от девочки?

Я подавил стон! Бедная Фира. Ее родителям следует работать в органах госбезопасности, даже с Николеттой мне легче беседовать!

— Хотелось бы поговорить с Фирой.

— О чем?

— О Кате Коротковой.

— Не знаю такую! Фирочка на очень ответственной работе, ее нельзя отвлекать по пустякам! Разве можно...

— Таки вы еще тут? — вплелся в ее речь голос старичка.

— Да, — обрадовался я, — говорите номер.

— Сема! — возмутилась женщина. — Ты с ума сошел! Мы его не знаем! Не глупи.

— Молчи, Циля, — закашлялся дедушка, — человеку надо!

— Сема, не смей!

— Циля, не приказывай мне!

— Сема, ты идиот!

— Циля, таки ты дура.

Я, сдерживая смех, слушал их перебранку. Интересно, каким образом бедняжка Фира сохраняет психическое здоровье, общаясь каждый день с этой парочкой?

— Вы еще тут? — осведомился дедуля. — Таки пишите двести пятьдесят...

— Сема! — воскликнула Циля. — Ты позоришь девочку!

На секунду воцарилась тишина, потом Сема, успевший все же продиктовать мне номер, вздохнул и неожиданно сказал:

— Таки молодой человек, хотите получить житейский совет от старого Семена Израилевича?

— С удовольствием выслушаю вас.

— Таки вы сами не еврей?

— Нет, а почему вы так решили?

— Таки вы очень воспитанно разговариваете, прямо как наши мальчики, — пояснил Сема, — впрочем, я ко всем хорошо отношусь. Таки мне все равно, наш вы или нет, слушайте мой совет.

Я навострил уши, мне даже стало интересно, какой мудростью решил поделиться со мной дедушка.

— Таки никогда не женитесь! — донеслось из трубки.

— Сема, ты хам, — возмущенно вскричала Циля, тихонько подслушивающая нашу беседу.

— Ту-ту-ту, — донеслось из трубки.

Я рассмеялся и набрал добытый в тяжелом бою номер. Честно говоря, я был готов к тому, что услышу сейчас въедливый визгливый дискант, задающий вопрос:

— Вы кто такой?

Но из мембраны послышалось приятное, мелодичное сопрано:

— Слушаю.

— Позовите, пожалуйста, госпожу Базилевич.

— Я у телефона.

Учитывая, что дедушка — Сема, она, скорей всего, «Семеновна». Сделав это нехитрое логическое умозаключение, я сказал:

— Уважаемая Фира Семеновна.

— Яковлевна, — поправила меня Базилевич.

— Но вашего отца зовут Сема, — неожиданно вырвалось у меня.

— Семен Израилевич мой свекор, — объяснила Фира.

— Простите, бога ради.

— Ничего, можно без отчества, я еще не настолько стара. Чем могу вам помочь?

— Вам знакома Катя Короткова?

— Катюша! Конечно!

— Знаете, что с ней произошло?

Фира помолчала, потом ответила:

— Естественно, бедная девочка!

— Мне очень надо поговорить с вами, — с жаром воскликнул я, готовясь ответить на вопрос «зачем».

Но Фира внезапно сказала:

— Да, конечно, приезжайте. Я здесь до восьми вечера.

И назвала адрес.

Нужный дом оказался музыкальной школой. У входа мирно дремала бабушка в темно-синем халате. Услышав стук двери, она бдительно приоткрыла один глаз:

— Вы куда?

— К Базилевич.

Услыхав знакомую фамилию, бабуля потеряла ко мне всякий интерес и снова впала в кому. Я поднялся по широкой лестнице вверх, толкнул огромную, больше подходящую для дворца, чем для школы, дверь и увидел просторную комнату, лаково-черный рояль и около него девочку лет десяти. Неумелыми пальчиками она пыталась извлечь звуки из инструмента. У окна стояла стройная женщина. День сегодня, несмотря на февраль, выдался ясный. Солнце било незнакомке в спину, и рассмотреть ее лицо было невозможно.

Я кашлянул.

— Слушаю вас, — приветливо сказала женщина.

— Я звонил вам недавно по поводу Кати Коротковой.

Фира отошла от окна.

— Леночка, на сегодня занятия закончены. Отметку тебе ставить не хочу, сама понимаешь, что больше двойки ты не заслужила! Нужно упорно трудиться, чтобы добиться результата, а ты ленишься.

Обрадованная Леночка схватила ноты и была такова. Фира повернулась ко мне.

— Наверное, лучше нам поговорить тут, а не в учительской. Внизу очень много любопытных ушей. Давайте присядем вон там.

Она указала на диван у стены и пошла было в его направлении. Потом остановилась и удивленно воскликнула:

— Что же вы стоите?

Я пытался собраться с мыслями. Отчего я застыл

на месте, как несчастная жена Лота? Да оттого, что я никогда в жизни не встречал более красивой женщины. В Фире Базилевич было прекрасно все: огромные, чуть выпуклые, бездонно-карие глаза, над которыми изогнулись полукружья бровей, тонкий нос с нервными ноздрями, крупный, четко очерченный рот, нежно-персиковый цвет лица, чистый, высокий лоб, копна тяжелых, мелко вьющихся волос, безупречно длинная шея... Фигура ее тоже была идеальной. Длинные ноги, тонкая талия, может, лишь грудь чуть великовата для такой худенькой женщины, но кто сказал, что большой бюст это недостаток? Лично мне кажется, что совсем наоборот...

— Что же вы стоите? — недоуменно повторила Фира.

Я попытался стряхнуть с себя наваждение, голос Базилевич действовал на меня гипнотически. Низкий, мелодичный, он вас просто обволакивал.

Понимая, что выгляжу полным идиотом, стоя столбом посреди комнаты, я закашлялся, кое-как пришел в себя, добрался до дивана и плюхнулся на кожаные подушки.

— Что еще случилось с Катей? — с тревогой спросила Фира. — И кто вы?

Я хотел было изложить придуманную по дороге версию.

Сидя в машине, я решил представиться психологом из «Голубого солнца», специалистом, который хочет досконально узнать прошлое пациентки, дабы гарантированно помочь ей. Но неожиданно для себя ляпнул:

— Моя хозяйка Элеонора решила заняться сыскной деятельностью и основала агентство «Ниро».

Глаза Фиры, огромные, глубокие, уставились на

меня. Поняв, что испытывает маленький кролик, когда на него смотрит удав, я, впав в транс, выложил госпоже Базилевич все про Семена Юрьевича, Иру, аварию на шоссе, странное поведение Кирилла Потворова. Никогда до этого я не выбалтывал сведения о расследуемом деле, но было в глазах Фиры нечто, лишившее меня разума.

Она молча выслушала меня, а когда я замолчал, сказала:

— Я попробую помочь вам.

Глава 29

Фира дружила с Наташей много лет. Познакомились они еще в музыкальном училище и с тех пор не расставались. На свадьбе Наташи и Семена Фира была свидетельницей со стороны невесты.

— Мне показалось, что Ната совершает трагическую ошибку, выходя за Сеню, — объясняла мне Фира, — он был птицей из другой стаи, не нашего круга человек!

Вымолвив последнюю фразу, Фира быстро поправилась:

— Только не думайте, что я снобка. Ей-богу, мне совершенно все равно, кем работает человек: таскает кирпичи на стройке, водит самосвал или управляет государством. Был бы, извините за банальность, человек хороший, а вот с душевными качествами у Сени обстояло... ну... не очень! Он оказался отвратительным мужем!

Фира замолчала, потом вытащила из кармана тонкий кружевной платочек и принялась наматывать его на палец. Я понял, что ей тяжело говорить, и решил ей помочь:

— Он пьет? Бил жену и ребенка?

— Что вы, — замахала руками Фира, — Семен капли в рот не берет! Но характер! Очень тяжелый.

Она снова намотала платочек на палец, потом тихо осведомилась:

— Это не будет безнравственно, если я расскажу вам всю правду? Наташи-то уже давно нет...

Я кивнул.

— Вы поможете мне разобраться в запутанном деле.

— Ладно, — сдалась Фира, — хоть я и не привыкла полоскать перед людьми грязное белье своих друзей... В общем, слушайте. Семен оказался самозабвенными бабником. Он даже пытался приставать ко мне, но получил отпор и больше не предпринимал никаких попыток к сближению.

Я внимательно слушал Фиру. Ничего нового от нее, честно говоря, я не узнал. Встречаются такие мужчины, неуправляемые самцы. У меня самого есть приятель, Леня, которому совершенно все равно, с кем, где и когда. Он не пропускает все, что шевелится. Он охотник, им движет азарт, к любви и даже страсти подобные телодвижения никакого отношения не имеют.

Семен обладал даром привораживать женщин. Представительницы прекрасного пола падали к его ногам словно перезревшие груши. Естественно, все они надеялись на длительные, прочные отношения. Как многие бабники, Семен человек с большими комплексами. Хоровод любовниц — это лишь попытка доказать себе собственную состоятельность. Поэтому он никогда не связывался с самодостаточными, хорошо зарабатывающими, независимыми дамами. Семен всю жизнь выбирал баб с комплексами, не очень успешных и необразованных, чтобы на их фоне выглядеть королем. Его романы длились от силы месяц. Через несколько дней он удовлетворял свой инстинкт охотника, дама теряла для него привлекательность, и господин Коротков начинал новую авантюру.

Почему он захотел жениться на Наталье, Фира не понимала. Наверное, просто решил, что пора иметь женщину, которая станет за ним ухаживать.

Надо отдать должное Семену, супругу он выбрал безошибочно. Наташа влюбилась в него как кошка и стала служить ему верой и правдой. Сеня же отнюдь не изменил своего поведения, был холостяком при жене. Сколько слез пролила Наташа, знала одна Фира.

Сначала она утешала подругу, приводя вечные аргументы, «погоди, он перебесится», «не обращай внимания, скоро ему надоест».

Потом Фира стала советовать Наташе развестись, найти другого.

Наташа плакала:

— У меня ребенок!

— Ерунда, — кипятилась Фира, — посмотри вокруг, тысячи женщин сами поднимают детей.

— Нет, — ныла Наташа, — я не работаю, мы с голоду погибнем.

Это было правдой. Первое, что сделал Семен, — это забрал жену со службы.

— Нечего тебе там делать, — сурово сказал он, — сиди дома, занимайся хозяйством.

Фира великолепно понимала, почему он запретил Наташе преподавать музыку. Ему не нужна в доме реализованная, хорошо зарабатывающая женщина, попробуй подмять под себя такую. Намного легче с домашней хозяйкой, зависящей от тебя материально. На все попытки Фиры помочь подруга стонала:

— Нет, Сеня разозлится. Я буду терпеть, значит, такая мне досталась доля.

Фира сердилась, пыталась переубедить ее, а потом поняла: это чистой воды мазохизм. Наташе нравится страдать, жаловаться на свою беспросветную жизнь, и ничего менять в ней она не собирается!

С тех пор Фира перестала подталкивать Наташу к радикальным решениям. Просто служила ей жилеткой. У Фиры даже неожиданно наладились вполне нормальные отношения с Сеней. Тот терпеть не мог никаких знакомых Наташи и сделал так, что жена осталась практически одна. А вот против Фиры он ничего не имел, даже стал улыбаться при ее появлении, приказывал:

— Ната, добудь коньячок, Фирка глотнет со мной!

Вот так они и жили. Сеня неожиданно разбогател, Наташа терпела все его закидоны. Сеня был тяжелым в быту человеком. Резкий, даже грубый. Мог вылить на пол тарелку не пришедшегося ему по вкусу супа, швырнуть с балкона плохо выглаженную рубашку. Он никогда не сообщал, что задержится на работе, в течение дня практически не звонил жене. Наташе же вменялось в обязанность караулить его и открывать дверь с улыбкой на устах. Однажды она уснула, так и не дождавшись мужа. Наутро Семен устроил ей феерический скандал.

Еще он терпеть не мог тех, кто пытался с ним спорить. Домашним запрещалось иметь собственное мнение, по любому вопросу авторитетом для них был Семен.

Кроме того, Коротков страшно любил бахвалиться своими приобретениями. Он не выносил, если люди считали, что он обладает чем-то третьесортным.

— У меня все самое лучшее, — твердил Семен окружающим, — супермашина, по спецзаказу, такая одна в России, больше ни у кого нет, только у меня! Моя квартира самая классная, ее отделывала бригада, ремонтировавшая Кремль! Мои костюмы шьет портной президента, ботинки — дороже нет!

Доходило до смешного. Как-то раз один из друзей Семена заболел гриппом.

— Разве это болезнь! — заявил Сеня. — Вот у меня был грипп! Почти неизлечимый! Подобного ни у кого не было!

Фира лишь усмехалась, глядя на такое ребячество. Ее веселили высказывания Сени, а вот Наташа эхом откликалась на все слова мужа.

— У нас все самое лучшее.

— В моей семье, — частенько разглагольствовал Семен, — ничего плохого случиться не может, у нас все прекрасно. Дом — полная чаша, дочь — отличница.

Последнее было не совсем верно. Катя училась плохо, наука ей не давалась. Семен частенько орал на Наташу:

— Твоя дурная кровь в девчонке бродит. У меня никак не могла родиться такая идиотка!

Но на людях Семен хвалил Катю, он не мог признаться при всех, что его дочь двоечница. Нет, у Семена все должно быть самое лучшее!

Жизнь Коротковых текла по накатанной колее, пока в их семье не появилась Ира. Когда Фира узнала о наличии у Семена еще одной дочери, она сначала онемела, а потом посоветовала рыдающей Наташе:

— Отправь девчонку на медицинскую экспертизу. Мало ли какие мошенники сейчас встречаются!

Наташа, никогда не перечившая мужу, на этот раз решилась и озвучила предложение подруги. Неожиданно Сеня впервые похвалил жену:

— Молодец, это ты правильно придумала, пройдем все анализы, и ситуация прояснится!

Но, когда из лаборатории пришло заключение, Наташе стало совсем кисло. Ира и впрямь оказалась родной дочерью Сени, и он с распростертыми объятиями принял ее. Наташе он пригрозил:

— Только посмей при ком-нибудь заныть! У меня самая лучшая семья!

Пришлось Наташе изображать любовь к Ире. А вот Кате притворяться не понадобилось, бесхитростная девочка с восторгом приняла сестру, да еще такую яркую, талантливую. Больше всех же был доволен Семен. Катя его раздражала, мямля и дура, вся в Наташу. А Ирина остроумная, блестяще учится, бойкая — вылитый Семен в юности. Неизвестно, как бы сложились отношения в семье дальше, но тут произошло совершенно невероятное.

Вечером двенадцатого июня, эта дата врезалась в память Фиры навсегда, ей позвонила Наташа.

— Прощай, Фирочка, — прорыдала она в трубку, — не верь ничему, я не понимаю... ужасно... Сеня... это не я... не я... не я...

— Что случилось? — встревожилась Фира, но Наташа уже отсоединилась.

Фира в волнении набрала номер телефона дачи Сени, подошла Ирина.

— Что у вас происходит? — спросила Фира.

— Ничего, — спокойно ответила та, — у нас полный порядок!

— Но мне только что звонила Наташа, — не успокаивалась Базилевич.

— А-а, — протянула Ира, — они с папой поругались.

— Из-за чего?

— Понятия не имею, — прощебетала девушка, — Наташа что-то кричала об измене!

Фира моментально успокоилась. Значит, ничего экстраординарного не случилось, Наталья поймала мужа на очередной бабе. Примерно раз в год у Наташи случался взрыв эмоций, и она скандалила с супругом, за что получала от него по полной программе.

На следующий день позвонила Катя и сказала:

— Мама умерла!

Фира, забыв обо всем, рванулась на дачу. Она влетела в кабинет к Семену и закричала:

— Что случилось?

— Ничего, — каменным голосом ответил он.

Базилевич попятилась.

— Наташа жива?

— Нет!

Решив, что Сеня от горя потерял разум, Фира осторожно предложила:

— Давай вызовем врача.

— Зачем? — пожал плечами Семен. — Тут уж все побывали: и врачи, и милиция, тело увезли.

Фира заплакала:

— Господи, как же это! Инфаркт, да?

— Нет, — абсолютно спокойно ответил Сеня, — она шею сломала.

Фира попятилась.

— Но каким образом?

— С обрыва прыгнула.

— Почему?

Сеня налился кровью и завизжал:

— Сволочь! Дура! Меня обмануть! Меня!!!

Базилевич совсем перепугалась, она хотела было выбежать в холл и вызвать «03», но Семен цепко ухватил ее за руку.

— Куда рвешься? Хочешь знать о подруженьке правду? Так слушай!

Он с силой пихнул Фиру, та, не удержавшись на ногах, шлепнулась на ковер, Сеня навис над ней и выплеснул на нее ушат гадостей о ее подруге. Фира сидела, боясь пошевелиться, все больше утверждаясь в мысли, что Сеня окончательно сошел с ума. То, что он рассказывал, просто не могло произойти.

Наташа изменила мужу. Причем, что особенно взбесило Сеню, адюльтер продолжался довольно долго и тянулся бы дальше, кабы не случайность. На днях Ира попросили отца:

— Пап, мне надо с антресолей коробку достать, подержи лестницу, а то я боюсь лезть.

— Давай сам достану, — предложил отец.

— Ты же не знаешь, какая коробка мне нужна, — покачала головой Ира.

Сеня пошел с дочерью в кладовку, та влезла на лестницу, стала перебирать вещи и бормотать:

— Ну и полно же тут всего! Где она? Катя сказала, что здесь. Ой, пап, вы чего, сто лет здесь не разбирались?

— Да своолокли на дачу всякую дрянь, — вздохнул Сеня, — я сюда никогда не заглядываю. Надо бы велеть Наталье порядок навести.

— Всякая дрянь навалена, — ворчала Ира, — ну зачем вам вот это?

Перед Сеней появилась старая, неработающая настольная лампа.

— И правда! — возмутился он. — К чему барахло копить. Десять лет назад сломалась, а до сих пор тут лежат.

— А это что? — поинтересовалась Ира.

— Мой портфель, — усмехнулся Сеня, — почтенный дедушка кейса! Давай выкину сразу!

— Ой, там что-то внутри, вроде документы! — пропела Ирина.

Саня схватил потертый кожаный баул, увидел кучу бумаги, машинально развернул один листок и побагровел. Перед ним было любовное письмо, написанное Наташей.

Бросив недоумевающую Иру на лестнице, Семен ринулся в кабинет и там, еле живой от гнева, прочел любовные письма. Почерк жены он великолепно знал. Каждое послание супруги заканчивалось фразой «Милый, верни мне письмо». Наташа явно не хотела оставлять на руках у любовника какие-либо свидетельства своей неверности. Тот же оказался не настолько осмотрителен. Он засыпал Наташу записками самого откровенного содержания, впрочем, она тоже не осталась в долгу. Без всякого стеснения Наташа живописала свои ощущения от страстных объятий. Больше всего Сеню взбесила фраза: «Мой муж — урод и кабан. Никогда в жизни я не получила от него никакого удовлетворения. Разве можно сравнить это сопящее, ничего не умеющее в постели чудовище с тобой, мой сладкий».

Вы можете себе представить, какой скандал разгорелся в доме? Не дай бог вам когда-нибудь стать участником подобного.

Наташа, естественно, отрицала все. Но кто бы ей

поверил? Доказательства неверности были налицо, жена спрятала их в таком месте, куда гарантированно никогда не полезет муж.

— Милый, — рыдала Наташа, — ну подумай, зачем бы мне хранить эту гадость?

— Ты дура, — вопил Семен, — небось, когда меня тут не было, перечитывала и балдела, сука! Вон из моего дома.

Как все закончилось, вы знаете. Наташа покончила с собой. Семен не простил жену даже за порогом могилы. Более того, он упорно говорил приятелям, выражавшим удивление по поводу отсутствия Наташи: «Она уехала за границу лечиться!»

Семен не мог допустить даже намека на то, что у него в жизни возникли какие-то сложности. Наташу похоронили почти тайно, без церковного отпевания, что, в общем-то, объяснимо, Ире и Кате было запрещено, во-первых, упоминать вслух имя Наталии, во-вторых, рассказывать кому-либо о ее смерти.

— Он просто с ума сошел, — вздыхала Фира, — даже мне пытался условия ставить. Но я просто перестала появляться в их доме.

Через несколько месяцев после трагической кончины подруги Фира позвонила Кате, чтобы поздравить ту с днем рождения, и узнала еще одну ужасную новость.

Катя стала употреблять наркотики и сейчас находится в клинике, где ее пытаются снять с иглы.

Фира метнулась к девочке и узнала, что Катя с Семеном не общалась, отец не принимал никакого участия в ее судьбе, правда, щедро отстегивал деньги на ее содержание.

— Папа очень переживает, — пыталась оправдать отца Ира, — он просто рассердился на Катю. Знаете, папа верит в то, что она выздоровеет! Он пристроил ее на заочное отделение...

Фира молча выслушала информацию об УПИ. Катя и Ира одногодки. Но дочь Наташи пошла в школу в семь лет, а Иру Вера отдала в первый класс шестилетней, поэтому и получилась такая странная ситуация. Одна девушка учится в институте, другая только-только получила школьный аттестат.

— Видите, какой папа хороший, — пела Ира, — вот как он любит Катю!

Но у Фиры имелось свое мнение на сей счет. Образование покупается для того, чтобы всем доказать: в семье Семена все отлично.

— Ну не глупо ли так себя вести? — вырвалось у меня.

Фира поморщилась.

— Очень! Только Семен такой! Главное, чтобы все считали, что он в полном ажуре. Он меня не удивил! Я всегда знала, что Коротков мерзавец. Вот кто поразил меня, так это Ира!

— Почему?

Фира откинула с прелестного лба прядь волос.

— Знаете, я перед ней виновата!

— Мой бог, разве вы можете сделать что-то плохое! — с жаром воскликнул я.

— Конечно, — серьезно ответила Фира, — наверное, как и все. Ира показалась мне сначала очень двуличной. Знаете, такая сладенькая пай-девочка, отличница, любимица учителей, тихоня. Она изо всех сил изображала, как любит Наташу и Катю. Ирина бросалась к мачехе по первому ее зову и присюсюкивала: «Наташенька, хочешь чайку? Лимончик положить?»

Она угождала и Кате, а перед Семеном просто на цырлах бегала, согнувшись пополам...

Все в доме принимали такое поведение Иры за чистую монету, даже Наташа, которой не слишком-то радостно было видеть плод любви своего мужа и посторонней женщины. Один раз она сказала Фире:

— Я думала, что наша жизнь теперь превратится в ад, но Ирина такая ласковая, услужливая. Знаешь, она обо мне больше заботится, чем Катька. Той совершенно все равно, болит у меня голова или нет. А Ирина сразу просекает ситуацию и говорит: «Наташенька, ложись, отдохни, сейчас я тебе кофейку принесу». Очень приветливая девочка.

Но Фире казалось, что Ирина просто очень искусно притворяется. Иногда Базилевич перехватывала взгляд, которым падчерица провожала мачеху, и вздрагивала. В глазах Иры было все что угодно, кроме любви.

— И как же я ошибалась! — угрызалась сейчас Фира. — В пору прощение у Иры просить. Когда с Катериной случилось несчастье, Ира просто горой встала за сестру. Ведь она ездила в клинику по три раза в неделю. Сеня там вообще не появлялся, я в последние месяцы тоже не показывалась, свои дела затянули, как ни стыдно в этом признаться... А Ира! Просто молодец! Нет, над этой семьей просто рок висит! Наташа погибла, я до сих пор не верю в этого любовника. Понимаете, я обязательно бы знала, появись в жизни Наташи другой мужчина! Какая-то дикая история. Но я видела письма, они и впрямь написаны рукой моей несчастной подруги.

— А вы не пытались найти аманта[1] Наташи?

---

[1] А м а н т — любовник (*фр.*).

— Как? Обратного адреса в письмах не было, даже имя его отсутствовало, он подписывался: «Твой Тяпа», а она обращалась к нему: «Заинька», «Котик» или «сладкий мой».

— У Иры был кавалер?

Фира развела руками.

— Понятия не имею. Могу лишь сказать, что она проявила себя как благородный, порядочный человек.

Сеня ужасно переживал, когда Ира пропала, позвонил мне и чуть не плача спросил: «Ира не у тебя?»

Когда с Катюшей случилось несчастье, он даже не вздрогнул, буркнул лишь: «Дурная материнская кровь, моего ничего нет», — а из-за Иры убивался.

Бедная, бедная девочка. Небось ее мерзавцы убили, польстились на драгоценности и хорошую одежду.

Сеня Ире ни в чем не отказывал, баловал, обвешивал золотом, он считал ее своей настоящей дочерью, а Катю не любил.

Разговор иссяк. Следовало откланяться и уходить. Но я никак не мог заставить себя встать с дивана. Фира смотрела на меня прекрасными бездонными глазами. В них застыло спокойное ожидание. И тут я, ощущая себя полным идиотом, почувствовал, как к моим щекам приливает кровь. Покраснев, словно глупый подросток, я совершенно неожиданно произнес.

— Фира, если вы сегодня свободны, мы могли бы пойти в ресторан или в Большой зал консерватории на концерт.

Госпожа Базилевич мягко улыбнулась, в ее лице не промелькнуло ни малейшего удивления, очевидно, она давно привыкла к тому, какое впечатление на мужчин производит ее красота. Но она не успела мне ответить. Дверь класса приоткрылась, и в щель заглянул маленький, тощенький мужичонка самого плюгавенького вида.

— Фира, — пропищал он, — извини, мне надо ехать к Левушке, тебе придется одной домой отправляться.

— Надо так надо, — спокойно ответила Фира, не выказывая ни малейшего недовольства, — не волнуйся, милый!

Тщедушное существо кивнуло и исчезло. Я пребывал в состоянии легкой растерянности, вновь повисло молчание.

— Больше спасибо, — нарушила томительную паузу Фира, — но я замужем и не могу принять ваше предложение.

Я постарался сгрести в кучу все самообладание. Замужем? За этим сушеным кузнечиком? Однако каким образом сей невзрачный тип сумел округить такую женщину? Надо было уходить, и тут я от растерянности ляпнул уж совершенную глупость:

— Ну я же не предлагаю вам развестись. Просто сходим куда-нибудь, и все.

Фира снова мягко улыбнулась:

— Спасибо, но я очень люблю своего мужа, и мне приятно проводить досуг лишь с ним!

Очевидно, на моем лице отразилось горькое разочарование, потому что Фира быстро добавила:

— Иван Павлович, вы очень привлекательный мужчина и обязательно найдете женщину, которая вас по достоинству оценит.

Внезапно я совершенно по-детски спросил:

— Вы полагаете?

— Всенепременно, — кивнула Фира и коснулась своей ладонью моего плеча, — я точно знаю!

Тут дверь снова распахнулась, и появилась группа детей, одетых в странные черные костюмы с белыми пятнышками.

— Эфирь Яковлевна, — заныли они, — мы вас заждались.

— Сейчас, крошки-доминошки, — улыбнулась Фира, — можете пока готовиться, а я гостя провожу.

Пришлось мне встать и нехотя двинуться к двери.

Дети, шушукаясь и толкаясь, выстроились изломанной линией.

— Что они будут делать? — спросил я.

Честно говоря, мне хотелось использовать любую возможность, чтобы задержаться хоть на пару минут.

— Мы готовили выступление, — охотно объяснила Базилевич, — в марте должен состояться концерт, посвященный юбилею нашей школы. Это танец «Домино».

— «Домино»?

— Ну да! Видите — дети изображают костяшки. Очень симпатично получается!

— Какая интересная идея! — восхитился я. — Вы гениальный педагог!

— Что вы, — смутилась Фира, — я всего лишь самый рядовой преподаватель музыки. Все уже давно придумано до меня. В живые шахматы играли еще во времена Римской империи.

— Надо же! — кивнул я. — Никогда не слышал о таком.

— Вы почитайте замечательную книгу Иосифа Гольцова «Люди и игры», — посоветовала мне Фира, — вот там об этом подробно написано. — Потом она отвернулась от меня, хлопнула в ладони и сказала: — Итак, танцуем!

Глава 30

Нора забрала у меня диктофон и велела:

— Так, послушаю это без тебя. Ты пока поешь!

Но мне совершенно не хотелось опять попасть в руки Муси и Ореста Михайловича. Очень тихо я прокрался в свою комнату. Вообще говоря, все идет к тому, чтобы сесть на диету, сегодня утром я не сумел застегнуть брюки, потом кое-как влез-таки в них, но испытываю дискомфорт, они явно стали мне малы.

Я, конечно, не Николетта, которая приходит в панику, увидев на своих сверхточных электронных весах прибавку в пятьдесят граммов. Но ведь неизвестно, сколько еще килограммов прилипнет ко мне: Муся и Орест Михайлович самой важной своей задачей считают «откармливание» хозяев. Хотя они же не привязывают меня к стулу и не впихивают в горло еду, кто мешает мне отказаться от ужина...

В комнате я перевел дух, зажег лампу и, включив тихо радио, начал раздеваться. Не привязывают к столу? Да, веревками они не пользуются, парочка применяет иную методу. Стоит вам отодвинуть от себя полную тарелку или вообще отказаться трапезничать, как из глаз Муси и Ореста Михайловича начинают изливаться потоки слез и они заводят речи о самоубийстве. Волей-неволей приходится есть.

Вообще говоря, своей пламенной заботой они довели нас с Норой почти до безумия. Никогда бы не подумал, что это возможно. Вот сейчас я вошел в комнату и увидел, что Муся расстелила мне постель, взбила подушку, а на одеяло положила теплую фланелевую пижаму, кстати, сие ночное облачение она купила лично. Я, извините за интимную подробность, предпочитаю спать в чем мама родила. Мне неудобно в куртке и брюках лежать под одеялом, к тому же жарко. На мой взгляд, лучше иметь теплое одеяло. Но у Муси имелось свое мнение по этому поводу, и она, не поленившись, сгоняла в магазин. Теперь мне предписывается спать в пижаме. Радует лишь то, что Муся не приобрела для меня ночной колпак и ночной горшок. Еще она удалила из моего ночника двадцатипятиваттовую лампочку и ввернула туда более мощную. Я люблю вечером читать в полумраке. Но Муся пришла в ужас:

— Вы испортите глаза!

Я попытался отшутиться:

— Ну сколько мне еще осталось! На мой век этих глаз хватит.

Сказал и горько пожалел об этом. Муся моментально захлюпала носом.

— Я не переживу вашей кончины! — зарыдала она.

Пришлось утешать горничную, и теперь ради ее спокойствия мне приходится лежать вечером при свете прожектора. Ей-богу, я все больше и больше прихожу к выводу, что наша Ленка, тоскующая сейчас со сломанной ногой в больнице, не самый плохой вариант домработницы. Да, она мерзко готовит, плохо убирает, ворчит по каждому поводу и никогда не записывает фамилии тех, кто звонит по телефону в ваше отсутствие. Зато она не мешает вам жить. Муся же безупречна со всех сторон. Перед телефоном у нас теперь лежит блокнот, где корявым почерком написано: «12 числа, месяц февраль, звонил Рогов Константин Борисович, хотел поговорить с Элеонорой. Цель разговора: не сказал». Но почему же мне кажется, что с Ленкой жить комфортней? Нет, человек неблагодарное животное, чем лучше ему делаешь, тем хуже он к вам относится.

Заперев тщательно дверь (кстати, до появления в нашем доме Муси я никогда не пользовался ключом, Ленке и в голову не приходило ворваться в мою спальню, а Муся вполне способна влететь сюда и начать подтыкать одеяло), я мирно сел в кресло, слегка приоткрыл окно и начал курить, слушая радио. Шла передача, посвященная музыке.

— Как ты относишься к группе «Мармелад», — гнусаво спросила ведущая.

— Прикинь, Маньк, — ответил гость, — эти козлы из «Мармелада» считают, что лабухают музыку! Да это отстой! Не вставляет она меня! Козлятина!

— Ну ты ваще и злой, — восхитилась диджей, которую гость без особых церемоний величал Манькой, — прям весь зашился! А вот Петька из «Мармелада» говорит, что ты, Пашка, говнюк!

— Забил я на его слова, — фыркнул Пашка, — плюнул и растер. Я говнюк? И... со мной! Только Петька кто? Педрила! Ваще у нас одни педики на сцене, только я мужик! Девки, слыхали? Все ко мне!

Из динамика понеслось довольное, визгливое хихиканье ведущей и густой хохот гостя.

— Ну ты, блин, Пашка, приколист, — восторгалась диджей, — я просто описалась!

— Памперсы на эфир одевай, — ржал очень довольный собой Пашка.

Я не стал слушать, чем закончится эта восхитительная передача, и выключил приемник. Наверное, я начинаю стареть. Один из признаков утраты молодости — это заявление: «В мое время молодежь была иной». А и правда иной! Впрочем, и радио вещало по-другому. Вышеупомянутых Маньку и Пашку в приснопамятные советские времена не допустили бы к микрофону даже на пушечный выстрел. Да и прямых эфиров тогда не было. Хотя и раньше случались разные казусы, смешные оговорки и нелепицы.

Я, будучи одним из редакторов толстого журнала, подрабатывал на радио, писал для эфира обзоры литературных новинок и частенько появлялся в большом мрачно-каменном доме на Пятницкой улице. Очень хорошо помню одну замечательную историю.

В те годы все материалы, которые предстояло озвучить в эфире, обязательно проходили цензуру и тщательную проверку. Читало их огромное количество народа: редактор, зав. отделом, завершал цепь проверяющий, так сказать, «свежая голова». Человек, озвучивавший текст у микрофона, не имел права добавлять никакой отсебятины, как напечатано — так и читай. Отступившему от этого правила грозило увольнение. Сейчас, когда диджеи высказывают все, что у них на языке, трудно себе представить, в каких жестких рамках работали в коммунистические времена их коллеги.

Так вот, придя в очередной раз на Пятницкую, я столкнулся с Колей Мамоновым. Бледный Николаша трясущейся рукой хлебал из мензурки валокордин.

— Что случилось? — испугался я. — Врача позвать? Сердце прихватило?

Мамонов навалился на меня:

— Пошли покурим, сейчас расскажу.

Мы пришли в курилку, и он выложил дивную историю. Он в числе прочих готовил передачу на тему религии. В те времена это была обличительная программа с девизом «Бога нет». Но Николай человек верующий и старался по мере сил делать программу хорошо. Он придумал хитрый ход, рассказывал весьма подробно эпизод из Библии, растолковывал его, а потом бросал вскользь фразу:

— Вот как церковники оболванивают простых людей.

Самое интересное, что ему все сходило с рук. Так вот, написав текст очередной передачи, Николя отнес его машинистке. Там была фраза: «Входит служка, отдает митру архиерею». Для тех, кто не знает, поясню: митра — это такая шапка, часть облачения архиерея.

Машинистка то ли не разобрала почерк Николаши, то ли опечаталась, но к редактору текст отправился в таком виде: «Служка отдает литру архиерею». Редактор возмутился и исправил текст: «Служка отдает архиерею литр водки». Бумажка пошла по кругу дальше и добралась до главного проверяющего. Тот сначала раскричался:

— Пошлятина, такое нельзя выдавать в эфир! — Но потом успокоился и заявил: — Впрочем: обличение пьянства в среде попов хорошая тема, только мне не нравится слово «литр». — Он схватил ручку, и фраза приобрела такой вид: «Служка отдает чекушку водки архиерею». Затем на текст легла виза, и бумажонка, совершив круг, вернулась к Николаше. Тот, схватившись за сердце, увидел, как слово «митра» было сначала превращено в «литру», потом трансформировалось в «литр водки», затем стало «чекушкой». Главного редактора не было на работе, пока текст «шел» к Николя назад, начальство убыло на очередное совещание. Совершить обратное превращение «чекушки» в «митру» мог только верховный главнокомандующий на радио. Бедному Николаше по правилам надлежало записать для эфира безумную фразу про архиерея и бутылку «огненной воды». Мамонов мучился, переживал, но в конце концов нарушил предписания и прочел предложение в первозданном варианте. Честь архиерея была спасена. Интересно, сколько бы минут сумели проработать при прежних порядках на радио самозабвенные грубияны Маня и Паша? Да, я определенно старею, вот уже начались ностальгические воспоминания о молодости...

— Ваня, вставай, — раздалось в комнате.

Я рывком сел и пару секунд очумело смотрел на часы. Наконец я понял: семь утра. Заснул я вчера просто мгновенно.

— Ваня, — стучала в мою дверь Нора, — быстро открывай, ну сколько можно спать?

Я вскочил, накинул на себя халат и распахнул дверь. С недовольным видом Элеонора вкатилась в комнату.

— С каких пор ты решил баррикадироваться? — сердито поинтересовалась она.

— Ну... Муся...

— Ясно, — оборвала меня Нора, — можешь не продолжать. Так, я все поняла!

— Вы о чем?

— Знаю, вернее, предполагаю, где Ирина! — торжествующе заявила Нора. — Осталось уточнить мелкие детали. Немедленно поезжай в «Голубое солнце», там...

— Сейчас семь утра, — осторожно напомнил я.

— Четверть восьмого, — не преминула настоять

на своем Нора, — пока ты провозишься в ванной, пока позавтракаешь...

Услыхав последний глагол, я вздрогнул:

— Я просто хлебну кофе!

— Так нас и отпустят, — печально вздохнула Нора, — там уже оладьи жарят! Кстати, Ваня, ты толстеешь! Растешь, как на дрожжах! Ешь меньше, занимайся спортом, не сиди на одном месте! Давай, собирайся! Оденешься — приходи в кабинет, я расскажу тебе, что предстоит делать.

Я молча поплелся в ванную. Нора, как все женщины, обладает просто железобетонной логикой. Ну каким образом можно соблюсти диету, имея в доме Мусю и Ореста Михайловича? И когда заниматься спортом, если весь день, высунув язык, я ношусь по городу?

Уложив в себя гору оладий, обильно сдобренных сметаной, вареньем и сгущенкой, я, ощущая себя Гаргантюа, поехал в «Голубое солнце». Нора велела всенепременно выполнить две задачи. Во-первых, попытаться поговорить с Катей и, во-вторых, познакомиться с работой шахматного кружка.

— Узнай, — строго внушала мне Элеонора, — чем они там занимаются, потолкайся на занятиях...

— Зачем? При чем тут шахматы?

— Есть у меня мыслишка, — загадочно ответила Нора, — кстати, книга «Люди и игры» есть в моей библиотеке, спасибо госпоже Базилевич за идею, ладно, потом все тебе объясню, сейчас некогда.

В «Голубом солнце» меня встретили как родного. Ираида Сергеевна, улыбаясь, сообщила:

— Иван Павлович, чем бы вы хотели заняться? Сразу сядете за изучение историй болезни? Или начнете прием больных?

— Лучше я с бумагами посижу, — испугался я.

— Конечно, дружочек, — согласилась глав-врач, — как там Аристарх Владиленович?

— Спасибо, — бойко ответил я, — дядюшка чув-ствует себя прекрасно.

Меня отвели в кабинет и посадили у компьютера. Два часа мне пришлось провести в томительном без-делье. Потом, когда я уже совсем было собрался выйти, появилась Ираида Сергеевна.

Она покусала нижнюю губу, потом сказала:

— Уважаемый Иван Павлович, вы мне сразу по-нравились!

— Взаимно, — галантно ответил я.

— Редко сейчас встретишь человека такого вос-питания, — залилась соловьем дама, — вот у меня есть сын, тоже замечательный мальчик, умница, ра-ботяга. Сейчас он оканчивает аспирантуру, написал кандидатскую в срок, через несколько дней защита, знаете где?

— Нет.

— На ученом совете, председателем которого яв-ляется Аристарх Владиленович, — сообщила Ираида Сергеевна. — Вы не могли бы поговорить с дядей? Только не подумайте, что я прошу пропихнуть в науку стоеросовую дубину. Славик — великолепный специалист, но ведь в жизни случаются казусы. Рас-теряется мальчик, разволнуется перед мэтрами, сконфузится, члены ученого совета и подумают, что он неуч. А, голубчик?

Я улыбнулся:

— Нет проблем, только скажите фамилию вашего сына.

— Радько, — воскликнула образованная Ираида Сергеевна, — Вячеслав Александрович Радько. Огромное спасибо, дружочек, очень меня обяжете, право слово.

— Я пока еще ничего не сделал!

— Иван Павлович! Я же вижу, вы человек крайне ответственный. И потом, племянник Аристарха Владиленовича не станет бросать слова на ветер. К вам же наверняка часто обращаются с просьбой о содействии?

— Случается.

— И вы небось не всем помогаете?

— Естественно. Я беспокою дядю только тогда, когда речь идет о достойном варианте.

— Конечно, — умилилась Ираида Сергеевна, — вы же настоящий психолог, сразу просекаете ситуацию. Ах, спасибо, дружочек. А уж я вам пособлю во всех делах, ну, говорите скорей, чего вы хотите?

Я изобразил смущение.

— Собственно говоря, меня заинтересовало несколько моментов.

— Говорите, голубчик, — растекалась в сладкой любезности Ираида Сергеевна.

— Мне очень хотелось бы побеседовать с Катей Коротковой.

Ираида Сергеевна радостно воскликнула:

— Нет проблем! Сейчас пациенты на занятиях, но после обеда, в тихий час, говорите с ней сколько угодно!

— И еще мне бы очень хотелось побывать в шахматном кружке.

— Зачем? — вдруг насторожилась Ираида Сергеевна.

— Понимаете, используя материал о том, как умственно несостоятельные люди, осваивая шахматную науку, делаются адекватными, можно написать хорошую работу.

— Прекрасная мысль, — улыбнулась Ираида Сергеевна, — давайте прямо сейчас я отведу вас к Софье Леонидовне. Она молодой, очень перспективный доктор. Это была ее идея создать кружок. Честно говоря, мне казалось, что из этой затеи ничего не получится, но через год мне стало понятно: я ошибалась. Больные, попав к Софье Леонидовне, просто преображаются...

Продолжая говорить, Ираида Сергеевна привела меня в дом в глубине сада.

— Давайте посмотрим отсюда, — заговорщицки подмигнула она мне, — Софья Леонидовна очень не любит, когда ей мешают.

Я увидел, что часть одной из стен комнаты сделана из прозрачного стекла. Перед ней стоял стол и три стула. Мы сели, я посмотрел сквозь стекло и едва сдержал крик.

Перед моими глазами распростерся большой, прямо-таки огромный зал. Часть его пола была превращена в гигантскую шахматную доску, на бело-черных квадратах стояли люди разного пола и возрастов. Одеты они оказались одинаково, одна команда — в белое, другая, соответственно, в черное. На женщинах были юбочки и кофточки с золотыми пуговицами, на мужчинах брюки, рубашки и жилеты. Разнились лишь шапочки. У большинства они были остроконечные, многоугольные, похожие на конусы. Это, очевидно, были пешки, у остальных на головах громоздились сложные конструкции: голова лошади, вырезанная, скорей всего, из картона, нечто с зубцами, а у четырех участников были короны. У «белых» — золотые, у «черных» — серебряные.

В непосредственной близости от поля находился письменный стол, за которым, спиной ко мне сидела худенькая женщина, очевидно, руководитель кружка, а заодно и главный режиссер действия.

— Так, — донеслось из динамика, висевшего в углу, — хорошо, теперь ход конем, белым. Ну, Ася, вспоминай! «Д...»

Довольно полная женщина двинулась было влево, но Софья Леонидовна ее остановила:

— Ася, подумай!

«Конь» замер, потом взял вправо.

— Ася!

Женщина в белой юбочке растерянно потопталась на черном квадрате и шагнула вперед и в сторону.

— Молодец, — восхитилась Софья Леонидовна, — горжусь твоей сообразительностью, следующий ход делает Маша!

Черная пешка ловко прыгнула вперед.

— Отлично, — одобрила Софья Леонидовна, — тура.

Мужчина с зубчатой конструкцией на голове перешел на другой квадрат, но там уже стояла девушка в остроконечной шапочке.

— Так, — возвестила руководительница, — и кого мы позовем?

— Палача, — прошелестело над «доской».

— Правильно, — кивнула доктор, — следует убить пешку. Палач, сюда!

Все «шахматы» повернули головы налево, и я увидел в самом углу, у стены, скамеечку, на которой сидел парень в ярко-оранжевой бейсболке, совершенно не подходившей для вьюжного февраля. Отчего-то его лицо со странными, стекающими от верхней губы к подбородку усами показалось мне знакомым. Он лениво встал и подошел к пешке. Остальные участники спектакля закрыли лица руками. Тут я заметил, что «бейсболка» держит в руке пистолет. Быстрым движением палач приставил дуло к спине «пешки». Раздался сухой выстрел. Женщина очень осторожно, подогнув ноги, опустилась на пол, лицом вниз. Я с ужасом увидел у нее на спине ярко-красное пятно. Честно говоря, мне стало не по себе. Но Ираида Сергеевна, на глазах которой произошло убийство, сидела абсолютно спокойно.

— Олеся! — воскликнула Софья Леонидовна. — Очень плохо! Мы тебе не поверили, ведь так?

— Не поверили, — эхом отозвались «шахматы».

— Давай еще раз! — велела режиссер.

«Пешка» вскочила на ноги. Я расслабился. Скорей всего, пистолет был заправлен капсулой с краской, такими пользуются те, кто увлекается пентболом.

Ситуация повторилась. Но на сей раз «пешка» повалилась с легким криком и, оказавшись на полу, широко раскинула в разные стороны руки.

— Ладно, — согласилась Софья Леонидовна, — а кого позовем сейчас?

— Доктора, — отозвались «шахматы».

— Верно!

Софья Леонидовна хлопнула в ладоши. Откуда ни возьмись появились двое мужчин с носилками, они быстро погрузили на них «пешку», но тут раздался резкий звонок.

— Обед, — возвестила Софья Леонидовна, — все быстро переодеваются, складывают свои костюмы, моют руки и идут в столовую. Кто из вас не кладет сейчас одежду в шкафчик, а? Кому следует оставить костюм на скамеечке, ну-ка?

— Олесе, — бойко ответила черная «королева».

— А почему? — спросила Софья Леонидовна.

— Он грязный, его стирать надо! — пропел хор голосов.

— Молодцы, — восхитилась Софья Леонидовна, — значит, скоро мы сможем показать спектакль зрителям, раз вы такие умницы.

«Фигуры», оживленно болтая, цепочкой потянулись из зала. Парень в оранжевой бейсболке и «врач» тоже удалились.

— Пошли, познакомлю вас с Софьей Леонидовной, — велела мне Ираида Сергеевна, выталкивая меня из «наблюдательной» комнаты.

Не успели мы оказаться в зале, как доктор повернула голову и воскликнула:

— Как? Это вы? Вот так встреча!

Я тоже был немало ошарашен, передо мной сидела та самая девушка, чью заглохшую, красную «Ауди-ТТ» я тащил на тросе до сервиса!

— Вы знакомы с Иваном Павловичем? — удивленно воскликнула Ираида Сергеевна.

Соня кивнула:

— Помните, я рассказывала вам, как застряла тут, на безлюдной дороге, а незнакомый мужчина, изменив свои планы, довез мою машину до ремонтной мастерской? Знакомьтесь, добрый самаритянин Иван Павлович! Ну почему вы мне ни разу не позвонили, а? Я чувствую себя в долгу!

Ираида Сергеевна всплеснула руками:

— Иван Павлович! Аристарх Владиленович может гордиться вами! Когда Софья Леонидовна поведала нам о своих злоключениях, мы все хором заявили: «Таких благородных людей, способных бесплатно, из чистого сострадания, помочь постороннему человеку, осталось очень мало!»

— Вы сейчас поедете со мной обедать, — засмеялась Соня. — Ираида Сергеевна отпустит нас на часок.

— Конечно, — улыбнулась главврач.

— Я только быстренько причешусь, — бросила Соня и ушла.

Мы с Ираидой Сергеевной пошли в холл.

— Вот вам чудесная пара, — заговорщицки подмигнула главный врач. — Софья Леонидовна не замужем. Она великолепный человек, грамотный специалист. Думается, она вполне достойна стать родственницей Аристарха Владиленовича.

Я постарался изобразить приветливую улыбку. Большинство женщин при виде холостяка моих лет сразу мечтают нацепить на него узду. Милых дам нервирует вид свободного и совершенно счастливого мужика. При этом все «свахи» совершенно искренне считают меня несчастным человеком, который, женившись, познает истинную радость жизни. По этому поводу я всегда вспоминаю «бородатый» анекдот. Маленький мальчик спрашивает у отца:

«Папа, что такое счастье?»

«Эх, Петечка, — вздыхает тот, — вот женишься и поймешь, а когда поймешь, как счастливо холостым жил, то уже поздно будет».

— Присмотритесь к Сонюшке, — пела Ираида Сергеевна, — блестящая невеста. Высшее образование имеет, кандидатскую защитила, родом из очень достойной семьи. Но она сирота! Тещи у вас не будет! Это просто сказочный вариант. Правда, у Сонечки есть сводный брат, и, несмотря на неполное родство, он обожает ее, но вы быстро найдете с ним общий язык.

Я слушал Ираиду Сергеевну. Еще пять минут, и она притащит мне бумагу, чтобы господин Подушкин написал заявление в загс. Главврачу очень хочется заполучить поближе к себе племянника Аристарха Владиленовича. Или у нее иная цель?

— Сонюшка — моя ближайшая родственница, — закончила Ираида Сергеевна, — дочь моей безвременно умершей сестры. Я считаю Сонечку родным ребенком...

Все понятно, тут целый клубок причин. Желание пристроить племянницу замуж и породниться с самим Аристархом Владиленовичем.

Чувствуя себя мышью, угодившей в когти к орлу, я кивал головой, надеясь, что главврач вспомнит о своих профессиональных обязанностях и уйдет в кабинет. Но Ираида Сергеевна отпустила меня лишь после того, как в холле возникла Соня.

Мы вышли во двор.

— Глупо ехать утром на двух машинах, — улыбнулась Соня, — если вас не смущает женщина за рулем, давайте в мою сядем.

— Лучше я буду шофером.

Сонечка засмеялась.

— Считаете баб за рулем мартышками?

— Упаси бог, — галантно возразил я, — многие дамы управляются с автомобилем не так уж и плохо, просто мне лестно исполнить при вас роль водителя.

— Если проедем пару километров по шоссе в направлении области, то найдем там дневной ресторанчик, — сообщила моя спутница.

Поговорка «Послушай, что скажет женщина, и делай наоборот» в большинстве случаев оказывается правильной. Но трактир «Трасса» выглядел вполне пристойно, а меню поражало разнообразием.

Когда официант принес закуски, я вздохнул:

— Честно говоря, я испугался, увидев на «пешке» кровь.

Соня засмеялась:

— Это краска.

— Потом, конечно, я сообразил. Но вначале испытал страх. Зачем вы играете в смерть?

Сонечка порылась вилкой в салате.

— Что за идиотская манера во все класть орехи? Лично я их терпеть не могу. А в отношении смерти... Почти все наши пациенты полны страхов, вот таким образом мы их изживаем. Проигрываем ситуации убийства, и постепенно фобии уходят. Вы же психолог и должны знать, что этот метод придуман не мной. Иван Павлович, помнится, вы говорили, будто работаете секретарем в фонде «Милосердие», как же вы трансформировались в душеведа?

Я ждал, что она задаст этот вопрос, поэтому спокойно ответил:

— Образование я имею психологическое. В «Милосердии» работал временно и, как только представилась возможность, мигом удрал.

— А-а, — протянула Соня, повернула голову и радостно воскликнула: — Дрюша! Ты тут!

Сидевший спиной ко мне за соседним столиком парень повернулся, и я мгновенно узнал Андрея Павловича, того самого, к которому меня привез Кирилл. Брови Андрея поползли вверх:

— Соня! Ты с кем?

— Дрюша, — радостно воскликнула она и рассказала историю нашего знакомства.

Спустя несколько секунд мне стало понятно, что Андрей — сводный брат Сони.

— Вы меня не узнаете? — улыбнулся я.

Андрей вежливо покачал головой:

— Извините, нет.

— Помните Кирилла? Несчастного сумасшедшего?

Лоб Андрея разгладился:

— Бог мой, конечно, то-то ваше лицо показалось мне знакомым! Какими судьбами?

— Иван Павлович — племянник Аристарха Владиленовича, — принялась объяснять Соня, — родственник Подвойского, того самого, у которого Марина в аспирантках.

— Да ну? — восхитился Андрей. — Мир тесен! Пройдемте в отдельный кабинет, там нам никто не помешает.

Мы начали мирно болтать, потом Андрей пошел в туалет и застрял там на четверть часа. Когда он вернулся, я спросил:

— Но зачем вы продали дом?

— Кто? Я?

— Да.

— С чего вы решили, что я его продал?

— Так охранник ваш сказал, — начал я излагать историю.

— Вот идиот, — покачал головой Андрей, — я просто уехал за границу, отдохнуть решил, прислугу в отпуск отправил. А этот дуболом на воротах все по-своему понял. Что с ним делать, ума не приложу! Надо выгнать, да рука не поднимается! Жаль кретина. И оставить нельзя, постоянно все путает.

Я улыбнулся. Вот и Нора тоже до зубовного скрежета злится на домработницу Ленку, а дать ей расчет не способна.

Мы спокойно доели суп, мясо и заказали десерт. Андрей внезапно встал.

— Простите, я принесу из машины сигареты, очень хочется курить.

Мы прождали его минут десять. И за это время я сгреб в кучу все вопросы, которые сейчас задам Андрею Павловичу. К сожалению, нет возможности проконсультироваться с Норой. Может, пойти в туалет и оттуда позвонить хозяйке?

Я кашлянул:

— Простите, Сонечка, я отойду на секундочку.

— Конечно, Иван Павлович, — разрешила она, — вам заказать сладкое?

— Только кофе, — попросил я и отправился в сортир.

Услыхав мое сообщение, Нора воскликнула:

— Ваня, ты немедленно едешь домой!

— Но я еще не поговорил с Катей Коротковой, хотел это сделать после обеда...

— Немедленно сюда!

— Ладно сейчас только попью кофе.

— Нет, ты идешь на выход, не возвращаясь в зал.

— Но, Нора...

— Иван Павлович! Следуй незамедлительно к машине, бегом!

— Элеонора...

— Ваня! Ты кретин! — заорала хозяйка. — Мозгов у тебя, как у курицы, поэтому слушай умного человека, живо сюда!

— Но...

— Ты мне надоел, — рявкнула хозяйка, — позволь напомнить, что ты получаешь от меня деньги, я плачу тебе за послушание, причем очень хорошо. Я голова, ты ноги. С каких это пор нижние конечности обзавелись собственным мозгом? А ну, шагом марш домой. Ваня, ты дебил! Увидел хорошенькую прошмандовку и растекся сопливой лужей. Жду в течение часа, иначе выставлю твои вещи за порог!

Я молча выслушал отповедь. Внезапно со дна души поднялась черная волна и ударила в голову. Руки мои мелко затряслись, спина вспотела. Первый раз в жизни умение владеть собой отказало мне.

Я швырнул трубку на пол и наступил на нее ботинком. Раздался хруст. Средство мобильной связи превратилось в неаппетитную кучку пластмассовых обломков. Хватит! Накушался по самые брови. Что дает право Норе разговаривать со мной в подобном тоне?! Зарплата? Она пугает меня увольнением? Хорошо! Пусть выбрасывает чемодан секретаря за дверь. До сегодняшнего дня я, услыхав об отставке, пугался и прогибался, но больше не стану унижаться.

Значит, перееду к Николетте, вернусь в свою старую детскую комнату и заживу там. Естественно, жизнь моя превратится в кошмар. Маменька более не сможет ездить на курорты и шлендрать по магазинам. Но почему я должен потакать ее капризам? Почему считаю своим долгом служить старухам?

Ощущая себя Прометеем, который, разорвав сковывающие его цепи, свернул шею мерзкому орлу, клюющему его печень, я посмотрел на обломки сотового и внезапно почувствовал невероятное облегчение и полнейшее спокойствие.

Я более не обязан слушаться Нору. В моей душе произошел атомный взрыв, и теперь там выжженная пустыня, где не растут цветы воспитания. Но я интеллигентный человек. Поэтому сейчас спокойно вернусь в зал, выпью кофе, поболтаю чуть-чуть с очаровательной Сонечкой и милейшим Андреем Павловичем, потом доставлю девушку в «Голубое солнце» и признаюсь Ираиде Сергеевне в том, что я вовсе не племянник Аристарха Владиленовича. Главврач не сделала мне ничего плохого, и не следует водить ее за нос, ведь Ираида Сергеевна искренне надеется, что я окажу протекцию ее сыну.

Когда я вернулся в зал, Андрей уже сидел за столом. Соня улыбнулась мне:

— Кофе подали.

— Чудесно! — воскликнул я и, одним глотком опустошив крохотную чашечку, предложил: — Может, еще мороженое?

— Гулять так гулять, — закивал Андрей, — ванильное, с цукатами!

— Мне лучше шоколадное, — перебила его Соня.

Я хотел было признаться в любви к лимонному шербету, открыт рот и понял, что язык мне не подчиняется.

— Что с вами? — испуганно воскликнула Соня.

Я попытался улыбнуться, но тут стол стремительно прыгнул на меня, и наступила тишина.

Глава 31

Первым, что я увидел перед собой, было лицо незнакомого, толстого мужчины.

— Он открыл глаза, — сказал он.

— Как вас зовут? — донеслось из темноты.

Я понял, что вопрос относится ко мне, хотел пошевелить языком, потерпел неудачу и снова провалился в темноту.

Следующий раз мои глаза открылись от яркого света. Я поморщился. Некто в белом светил мне в лицо фонариком.

— Не стоит пугаться, — сообщил некто, — так и должно быть.

— Если он умрет, — перебил его голос Норы, — от вашей больницы останется котлован, я лично взорву все к едреной матери!

Внезапно мне стало смешно. Нора способна в момент злости разнести любое сооружение на атомы.

— Ванечка, — завопила хозяйка, — ты...

И я снова отчалил в темноту. Затем период бодрствования стал дольше, до меня дошло, что я нахожусь в клинике, и наконец настал момент, когда Нора, вкатившись на кресле в палату, воскликнула:

— Ваня, ты сидишь!

— Сижу, — эхом отозвался я, — и никак не пойму, что со мной произошло? Инфаркт? Инсульт?

— Для инсультника ты слишком разговорчив, — рявкнула Нора, — а сердце, тьфу-тьфу, имеешь, как у молодого быка.

— Да? — недоверчиво спросил я. — Тогда отчего я тут очутился?

— Из-за своей глупости! Почему ты не послушался меня и не поехал домой, не заходя в зал?

Внезапно в моей голове ожили воспоминания. Вот я швыряю на пол мобильный, топчу его каблуком... Мне стало стыдно.

— Нора...

— Я много лет Нора, — буркнула хозяйка, — намного больше, чем мне хочется! Знаешь, какое сейчас число?

— Нет.

— Двадцатое марта.

— Не может быть!

— Может! Ты пролежал в коме пару недель. Честно говоря, был момент, когда я подумала, что теряю тебя, но потом ты вдруг пришел в себя.

— Но каким образом...

Нора схватила меня за руку:

— Ты ничего не понял?

— Нет.

— А я разобралась в деле благодаря тебе. Два дня безостановочно слушала записи с диктофона, связала концы с концами и позвонила Максу.

Я молча слушал хозяйку, Макс — это мой лучший друг, который работает в милиции. Обратиться к нему Элеонора могла лишь в одном случае, если полностью размотала клубок до конца и решила наказать «авторов» преступления.

— Макс не поверил, что мы с тобой вдвоем справились с таким запутанным делом.

— Я тут ни при чем.

— Очень даже при чем, — возразила Нора, — кто собрал весь материал? Я лишь сделала выводы, слушай!

На меня начали выливать ведра, нет, корыта, бочки, цистерны информации.

— История эта очень запутана, — говорила Нора, — в ней много нитей. Сначала размотаю перед тобой ту, что связана с Ирой.

Ирина — существо удивительное, не обремененное никакими моральными принципами. В голове у нее с самого раннего детства сидела лишь одна заноза: все вокруг живут лучше ее. Редко можно встретить такого патологически завистливого человека, как Ирочка. А еще она жестока, эгоистична и готова ради получения богатства на все. Следует отметить, что Ирина унаследовала характер не от Веры, а от Семена Юрьевича, человека, который тоже ни перед чем не остановится ради умножения своего капитала. Ирочка унижала Веру, Семен любил втаптывать в грязь Наташу. Собственная дочь, Катя, раздражала отца, он считал ее мямлей, не способной ни на какие решительные действия. Катюша пошла в мать, и отец не любил дочь, хотя, ради того, чтобы посторонние видели, какая у него отличная семья, он не отказывал Кате ни в чем, одевал ее, обувал, нанимал ей репетиторов. Но это были рассудочные действия, любовью там и не пахло.

Когда Ирина узнала от Веры адрес отца, она ничтоже сумняшеся пошла к нему. Девица ни на секунду не сомневалась, что мать сообщила ей правду. По мнению Иры, такая дура и восторженная идиотка, как Вера, вполне могла знать, что ее любовник теперь богат, и из глупой гордости не брать у него алиментов. Наплевав на просьбу матери не ходить к Семену до ее кончины, Ира явилась к Короткову. В кармане у нее лежало свидетельство из загса о смерти Веры.

— И где она его взяла? — влез я.

— Вера правильно предположила, что бумагу Ирине помогла оформить подружка, соседка по подъезду, работающая в загсе. Милиция допросила ее, и она во всем призналась. Но это десятое дело.

Ирина и Семен прошли генетическую экспертизу, и потом отец с распростертыми объятиями принял дочь. Ира сразу ему понравилась. Бойкая, веселая, отличница, не хныкса, как Катя.

Здесь уместно упомянуть о том, что Ира очень хитра. С самого раннего детства она научилась филигранно притворяться. Золотую медаль в школе девица заработала не столько благодаря трудолюбию и отменным знаниям, сколько из-за умения понравиться учителям. Там, где другой ребенок получал «четыре», милой Иришке ставили «пять».

Поселившись в доме отца, Ирина моментально поняла, что Наташа ее терпеть не может, и принялась угождать мачехе. В конце концов Наташа стала считать Иру добрым ребенком, она даже не подозревала, какие демоны живут в душе девицы. Ира замыслила развести отца.

Вы уже знаете, что она великолепно умеет подделывать почерк. Поэтому написать десяток любовных писем не составило ей особого труда. Потом Ириша слазила на антресоли, запихнула связку писем в старый портфель и попросила отца помочь ей достать коробку.

Вообще говоря, Ира не ожидала, что Наташа покончит с собой, так далеко ее планы не заходили. Она предполагала, что отец, обладатель на редкость авторитарного, амбициозного характера, просто поколотит супругу и выставит из дома. Вместе с мамой, естественно, уйдет и Катя. Ира останется единственной родственницей и наследницей Семена Юрьевича, соответственно, вся любовь, ласка и деньги достанутся ей! А уж она знала, как вести себя, чтобы папочка в ней души не чаял!

— Но как она не побоялась, что Вера явится к Семену и обман раскроется! — воскликнул я.

Нора печально усмехнулась.

— Она очень хорошо знала свою несчастную мать. Во-первых, та органически не способна на дурной поступок. Она ни разу, даже в самый тяжелый момент жизни, не побеспокоила Семена, а теперь и подавно не станет к нему обращаться. К тому же Вера инвалид, с трудом добредающий на костылях до ближайшего магазина, телефон Короткова ей неизвестен, только адрес... Нет, Ирина не боялась увидеть родную мать на пороге. Впрочем, случись это, девица бы выкрутилась!

— Нет, но какая дрянь! — вырвалось у меня.

— Понимаешь, Ваня, — заявила Элеонора, — в человеке должно быть всего понемножку, тогда получается гармоничная личность. Вот у тебя, например, абсолютно отсутствует эгоизм, и каков результат? Николетта сидит у тебя на шее, свесив ноги в модельных туфлях, за которые сын, лишив себя удовольствий, отдал целое состояние. Был бы ты чуток поэгоистичней, лучше стало бы всем, тебе самому и Николетте. А то она, ощущая полную безнаказанность, распоясалась до последней стадии. Ира же находится на другом конце координатной прямой. Ваши душевные качества нужно смешать, потом разделить, и получилось бы два вполне нормальных человека.

Я откинулся на подушку.

— Ну откуда в молоденькой девушке, почти ребенке, столько мерзости?

— Интересно, что ты скажешь, когда узнаешь остальное, — ухмыльнулась Нора, — ладно, я продолжаю!

Оставшись вдвоем с Катей, Ирина решает избавиться от ненужной сестры и приносит Кате героин. Приобрести наркотик сейчас не проблема. В УПИ им просто торговали во время перерывов между лекциями.

— Давай-ка я сделаю тебе укол, — заботливо предлагает она сестре, — успокаивающий! Нельзя же так плакать!

Катя, полностью деморализованная произошедшим у нее на глазах самоубийством матери, не сопротивляется. К тому же она искренне полюбила Иру и не ждет от той ничего плохого. Очень скоро Катя становится наркоманкой, и Ира с самым озабоченным лицом делится с отцом «открытием»:

— Папа! Катя колется!

Семен Юрьевич порывается поколотить дочь, но Ира останавливает его:

— Папуля, Катюха ничего не соображает, ее нужно положить в клинику.

Хитрая Ира надеется, что Катя скоро скончается, на героине долго не живут. В больницу она просит поместить Катю лишь по одной причине: глупая сестра, впадая в кайф, до сих пор полагает, что Ирина колет ей успокаивающее. Катенька не слишком умна, наивна и очень страдает, думая о маме. У отца не должно быть возможности по душам поговорить с дочерью. Вдруг Семен Юрьевич заподозрит неладное?

Катю кладут в клинику. И тут, к вящей радости, Ирины врачи ошибаются в дозе лекарства, и девочка превращается в растение.

Ира ликует, Катя теперь ей не помеха. Семен Юрьевич помещает дочь в «Голубое солнце». Он просто не способен сказать правду никому из знакомых, и, если кто-то спрашивает: «Как девочки?», он отвечает: «Без проблем, учатся в УПИ, у нас все прекрасно».

Он и на самом деле платит за обучение Кати на заочном отделении. Коротков при всей своей удачливости и богатстве очень зависим от мнения окружающих.

Только потому Коротков и «учит» Катю, а о жене

предпочитает помалкивать, впрочем, особо близких друзей у него нет, а остальные лишь дежурно интересуются его делами.

Фира Базилевич, которой известна правда, практически не общается с Коротковым.

— Но нам он сказал, что Наташа в Германии! — с возмущением воскликнул я.

— Нет, — покачала головой Нора, — я очень внимательно прослушала все записи. Семен соврал, что Катя в Германии, а я уж сама додумала про Наташу. Логично было предположить, что если больная девочка содержится в клинике за границей, то мать находится при ней. Ладно, слушай дальше. Катю отправляют в «Голубое солнце», а Ира начинает бегать к ней три раза в неделю. Зачем?

Я пожал плечами:

— Может, совесть ее замучила?

— Вовсе нет! Я поняла, в чем дело, когда вчиталась в показания медсестры Лидочки. Помнишь, что она говорила о состоянии Кати?

— Ну, — напрягся я, — немотивированная веселость, потом агрессия, ступор, и все по кругу.

— Ира постоянно колола сестре героин, — пояснила Нора, — отсюда и такая забота. Мне сразу показалось странным, что она вдруг стала хлопотать вокруг Кати.

Ларчик просто открывался. Ирина, оставаясь с Катей наедине, доставала шприц.

— Но зачем ей это понадобилось?

— Катя, попав в «Голубое солнце», стала быстро поправляться, и Ирина испугалась: сестра того и гляди станет нормальной, а это никак не входило в ее планы. История тянулась долго, Ирина надеялась, что Катя в конце концов окончательно свих-

нется. Но, видно, организм Кати был на редкость
здоров и быстро восстанавливался, потому что, когда Ирина перестала колоть сестре героин, та резко
пошла на поправку. Помнишь, Лидочка, удивляясь,
говорила:

— Ее прямо ломало в начале февраля, а потом
вдруг она нормальной стала!

Так вот, несчастную Катю и правда крутило, се-
стра-то с героином к ней больше не приходила!

— Погодите! — воскликнул я. — С февраля?! Но
ведь Ира пропала в декабре! Вы хотите сказать...

Нора кивнула:

— Именно! Скажи, Ваня, ты спрашивал у обслу-
живающего персонала про Ирину?

— Нет!

Элеонора подняла вверх указательный палец.

— Вот! И это было нашей основной ошибкой.
Мы решили, раз Ира пропала в декабре, то в «Голубом солнце» ее не было с прошлого года. Ан нет!
Медведева находилась в лечебнице, жила в спальном
корпусе.

— Где? — подлетел я над матрацем. — Зачем?
Ничего не понимаю.

— На самом деле все крайне просто, — мрачно
ответила Нора. — Ира, великолепная актриса, явилась к Ираиде Сергеевне и спела той замечательную
песню. Дескать, их отец, Семен Юрьевич, ненавидит
Катю, буквально готов растерзать ее за все причи-
ненные ему страдания и унижения. Дела у Короткова сейчас идут плохо, бизнес пошатнулся, денег
лишних нет. С января месяца Семен Юрьевич не
станет больше платить за Катю. Девушку, по мнению отца, следует перевести в муниципальный при-
ют и забыть о ней! Ира попыталась спорить с отцом,

и он ее выгнал вон. Но девочка не может бросить Катю, поэтому вот деньги за полгода вперед, которые она раздобыла, продав свои драгоценности.

С этими словами наглое создание отдало Ираиде Сергеевне конверт, в котором лежала большая сумма. Накануне Семен Юрьевич вручил ее дочери и велел заплатить за клинику.

Коротков отдавал деньги за содержание Кати, но сам никогда не появлялся в «Голубом солнце».

Отдав Ираиде Сергеевне конверт, Ирина молитвенно сложила руки:

— Понимаете, мне некуда идти, можно я поживу у вас, на раскладушке, в одной комнате с Катей?

Ираида Сергеевна заколебалась. Но Ирочка очень хорошо разбиралась в людях, поэтому быстро добавила:

— Я буду сидеть очень тихо, днем уйду на занятия, появлюсь только вечером. Стану сама убирать Катюшкину палату. Мне бы месячишко перебиться, а потом я как-нибудь выкручусь.

И Ираида Сергеевна согласилась:

— Значит, Ирина жила в «Голубом солнце»?

— Именно.

— Но зачем?

Нора прищурилась:

— Ты еще не понял, что сия девица интересуется лишь деньгами? Историю с Романом, преподавателем института УПИ, и его женой Ольгой припоминаешь?

Я кивнул.

— Ирина, — продолжила Нора, — подумала, что из молодого, талантливого доктора наук выйдет отличный муж. То, что у него имеется законная супруга, ее совершенно не смущало. Да и Семену Юрьевичу зять мог прийтись по вкусу, он вполне соответствовал амбициям Короткова. Выдать замуж дочку за ученого — это хорошо, пусть все лишний раз убедятся, как шоколадно живет Семен Юрьевич. Чтобы заполучить Романа, Ирочка идет уже проторенным путем, пишет от лица Ольги письмо к несуществующему любовнику. Она, правда, перекатывая из учебника стихотворение Гейне, ошибается, но даже это не помешало Роману целиком и полностью поверить посланию.

Если бы Роман не зазевался на рельсах и не попал под поезд, Ира, скорей всего, сумела бы довести дело до свадьбы, но судьба распорядилась по-иному.

Глава 32

— Но зачем Ирине понадобилось уходить от отца и селиться в «Голубом солнце»? — повторил я.

Нора скривилась.

— Ну тому было несколько причин. Первая состояла в том, что около Семена Юрьевича появилась женщина, молодая, очень оборотистая, наглая. Она сумела прибрать к рукам стареющего ловеласа, дело стремительно катилось к свадьбе. Марина, так зовут пассию Короткова, не имеет ничего общего с покойной Наташей. В будущей супруге Семена Юрьевича нет благородства души, и она не собиралась мирно жить рядом с Ирой. Нет, Марина хотела единолично владеть мужем и его денежками, и она могла выдержать бой с Ириной. Собственно говоря, военные действия уже начались! Вторая причина в том, что Ирина узнала нечто, за что понадеялась получить громадный куш. Она разведала одну тайну, причем совершенно случайно. Просто часто посещая клинику, она кое-что увидела, сопоставила некоторые сведения, а затем поняла все. С отцом же она поругалась.

— Из-за чего?

— Повод был пустяковый. Ирочка попросила купить ей личную машину. А Семен Юрьевич, у которого денег куры не клюют, отказал ей, мотивируя свое решение просто: «На метро поездишь, чай, не барыня! Машины так просто не раздают, сама себе заработай. Да и Марина так считает».

— Немного странное заявление для человека, который осыпал Ирину драгоценностями.

Нора развела руками:

— На мой взгляд, тоже, но Семен Юрьевич не без влияния Марины уперся, Ирина обиделась и затаила злобу. Она поняла: от папы надо убегать. И тогда у нее появится немереное количество денег. Чтобы получить золотые горы, следует пожить в клинике.

— Господи, — искренне изумился я, — да о чем речь?

— О шахматах!

— О каких?

— Живых. Ты же был на занятиях кружка!

— Да.

— И что увидел?

— Ну... ничего особенного, — пожал я плечами, — бедные люди пытаются ставить спектакль. Соня пробует весьма странным образом избавить несчастных от страхов, разыгрывая сцены смерти. На мой взгляд, глупое занятие, но сейчас очень много всяких необычных методик. Аутизм пытаются лечить пением, глухонемых обучают танцам, может, несчастным умалишенным помогут передвижения по клеткам? Во всяком случае, ничего плохого в этой забаве нет...

— Ты фатально ошибаешься, — отчеканила Нора, — несчастных на самом деле приучали, повинуясь приказу, ходить по клеткам. Пешки и остальные фигуры должны были не бояться выстрелов, красных пятен и того, что их приятелей недвижимыми уносят на носилках... Только делалось все это не ради того, чтобы избавить бедняжек от фобии. Знаешь, почему их приучали не удивляться при виде человека с пистолетом? Для чего требовалось, чтобы «фигуры» встречали палача совершенно спокойно?

— Нет, — пробормотал я, чувствуя, как ледяная рука начинает сжимать мой желудок.

— Потому что их убивали по-настоящему, — закончила Нора.

На какое-то мгновение повисла тишина, потом я воскликнул:

— Вы с ума сошли!

— Вовсе нет, — мрачно ответила Нора.

— При мне одну пешку «убили», а потом она встала и продолжила занятия.

— Правильно, — кивнула Нора, — ты присутствовал на репетиции или, правильнее сказать, на уроке. Понимаешь? И потом, шахматами занимались почти все больные, а погибали только благотворительные.

— Пока не слишком понятно, — растерянно ответил я.

— Тогда рассказываю. Есть люди, для которых самое главное в жизни — испытать выброс адреналина. Они уже попробовали все: экстремальный туризм, гонки на велосипедах по Сахаре, русскую рулетку и поездку по шоссе в машине с неисправными тормозами. В какой-то момент подобная личность понимает, что круг будоражащих развлечений ограничен, и тут появляется милый, улыбчивый Андрей Павлович и предлагает доселе неведомую забаву. Вы можете поиграть человеческими жизнями. Стать либо тем, кто двигает пешками, либо палачом. Риска никакого. «Фигуры», почти лишенные разума люди, их приучили к виду пистолета, наивные больные полагают, что это очередное занятие шахматного кружка. То, что на нем присутствуют посторонние, их не удивляет, несчастным объяснили, что это спектакль для зрителей. Организаторов «партий» несколько. Во-первых, Ираида Сергеевна, которая доставляет в «Голубое солнце» новых жертв. Знаешь, где она их находит?

— Бедняги из муниципальных клиник! — закричал я. — Те, кого берут в «Голубое солнце» из благотворительных целей.

— Правильно, — кивнула Нора, — в «Голубом солнце» на самом деле очень хорошо ставят на ноги больных, за которых сполна платят родственники. А Ираида Сергеевна отыскивает в домах призрения, куда сдают даунов и отстающих в развитии людей, несчастных, у кого нет родственников, или тех, чьи близкие просто не заметят их смерти. Оформив все бумаги, главврач привозит очередные жертвы в «Голубое солнце». Документация ведется изумительно, комар носу не подточит. В государственном приюте вздыхают с облегчением, сбагрив очередного больного. Из «Голубого солнца» больной выписывается домой. Ни разу никто из родственников убогих не поднял скандала. Впрочем, один случай все же был. Бабушка Лизы Федькиной неожиданно явилась в «Голубое солнце». Ираида Сергеевна, забирая к себе

Лизу, ошибочно решила, что она сирота. Старухе дали немного денег и отправили назад. Ираида Сергеевна разозлилась, выходит, она зря держала Лизу в клинике, кормила, поила, лечила, учила... Никакой прибыли Федькина не принесет? Ее следует куда-нибудь деть! Но тут бабушка Лизы скончалась, и девушка отправилась на «спектакль», где ее убили.

Кое-кто из живых фигур месяцами ходил по доске, одним людям везло, игроки двигали ими умело, и палач редко подходил с пистолетом к жертвам. Другие, оказавшись во власти неопытных «гроссмейстеров», погибали сразу. От этого разнились и сроки проживания в «Голубом солнце» бесплатных больных. Полгода их никто не трогал, бедняг лечили и обучали, а затем уж как кому повезет.

Натаскивала больных Софья Леонидовна, племянница Ираиды Сергеевны, а Андрей Павлович, ее сводный брат, искал клиентов, которые хотели бы поиграть человеческими жизнями. Так сказать, семейный бизнес.

Деньги троица получала немереные. Андрей Павлович выстроил неподалеку от лечебницы загородный дом.

— Вот странность, однако, — перебил я Нору.

— Ну и что тебе непонятно? — насторожилась хозяйка.

— Зачем Андрей Павлович построил дом около «Голубого солнца»? Логичнее было жить подальше от того места, где совершаются преступления!

Нора кивнула.

— Правильно. Только большинство из тех, кто «играл» в шахматы, не москвичи. Андрей находил желающих по всей России, их следовало где-нибудь селить. «Игроки» не хотели селиться в гостиницах, им казалось опасным светиться подобным образом. Жилище Андрея одновременно служило гостиницей для клиентов. На большом участке расположено несколько зданий. В одном живет хозяин, в другом останавливаются гости. Некоторым из них так нравилась забава, что они «играли» не одну партию. Теперь ясно?

— Андрей Павлович произвел на меня самое хорошее впечатление...

— Ты, Ваня, ничего не понимаешь в людях, — отрезала Нора. — Ладно, слушай дальше! Софья Леонидовна постоянно меняла машины. Подсобным работникам, парню в оранжевой бейсболке и «докторам» тоже перепадали немалые суммы.

Эта троица, помимо всего прочего, занималась утилизацией трупов, отвозила их в крематорий. Естественно, погребальных дел мастерам тоже платили. Самой обиженной в этой компании считала себя Ираида Сергеевна... Иногда она устраивала родственникам скандалы, кричала:

«Я получаю меньше всех!»

«Это неправда, — спокойно парировал Андрей, — мы поровну имеем».

«Считать-то я умею», — горячилась главврач.

«Успокойся, тетя, — увещевал ее Андрей, — все получают одинаково».

«Ты же знаешь, львиную долю огребает владелец «Голубого солнца», нам крохи перепадают».

Обычно на этой стадии спор затихал, но в последнее время Ираиде Сергеевне стало казаться, что Андрей ее обманывает, никакого владельца клиники нет, главврач его никогда не видела и ни разу с ним не разговаривала. Вдруг Андрей врет? Скорей всего, лечебница принадлежит ему, а Ираиду Сергеевну тут за дурочку держат!

Порой у банды случались проколы. Как, например, с женой Кирилла — Аней. Тут уж Ираида Сергеевна была целиком и полностью виновата. Анина фамилия Потворова, да как на грех, из приюта была привезена Аня Ботворова, которую тоже определили в шахматный кружок. Напомню, что шахматами занимались все больные. Просто потом, вечером, когда в домике начиналась игра, туда вызывали обреченных по списку. Каждый знал свою роль, никто не поднимал скандала, никто ничего плохого не предполагал. Софья Леонидовна специально, проводя занятия, «смешивала» тех, кому предстояло умереть, и тех, кто просто посещал занятия. Больные должны были не только выучить свои роли, не пугаться пистолета, крови, палача и «докторов», но и привыкнуть к тому, что состав действующих лиц постоянно меняется, и не удивляться этому. Впрочем, как-то Софью Леонидовну спрашивали:

«А где Олеся? Почему она больше не занимается?»

«Олеся выздоровела и уехала домой», — спокойно ответила «учительница».

Так вот, медсестра явилась в столовую после полдника и стала собирать группу. Столовая на два корпуса одна, расположена она в первом здании.

Девушка стала выкрикивать фамилии и добралась до Анны Потворовой. Ираида Сергеевна, составлявшая список, сделала опечатку. Анечка давно посещала занятия, ей там очень нравилось. «Фигуры» собрали и отвели в домик, стоявший в глубине леса. Но только на этот раз Аня уже не вернулась — ее перепутали с Ботворовой. Когда Кирилл в десять вечера, как всегда, пришел за женой, она уже стояла на черной клетке, когда он в тревоге около половины одиннадцатого начал допрашивать администратора, Анечка уже была мертва. Ей ужасно не повезло, она пала первой.

Когда Ираида Сергеевна сообразила, какая фатальная ошибка произошла по ее вине, ей стало плохо, она моментально бросилась к Андрею. А тот, запаниковав, совершил еще одну глупость, усугубившую первую. Поехал домой к Кириллу, положил перед ним на стол сумму в тридцать тысяч долларов и сказал:

«Прошу, не поднимайте шума, скорей всего, ваша жена погибла по нашей вине. Охрана зазевалась и выпустила больную за ворота одну. Возьмите, пожалуйста, за молчание деньги».

«И о чем мне следует молчать?» — хмуро поинтересовался Потворов.

«Если станете на всех углах говорить о пропаже жены, — втолковывал ему Андрей, — люди заберут у нас своих родственников, и лечебница закроется. Пожалуйста, возьмите деньги, это хорошая сумма за жену, которая была вам в тягость!»

— Андрей сам поехал? — удивился я.

— Да, — кивнула Нора, — он не хотел никого вмешивать в это дело и совершил ошибку. Андрей считал, что Кирилл только обрадуется, избавившись от больной и получив деньги. Но его расчет оказался неверен.

Кирилл взял доллары с единственной целью. Он понял, что Андрей многого недоговаривает, что он, вполне вероятно, знает, куда подевалась Аня, и решил самостоятельно заняться этим делом. Но, следя за Андреем, он пошел по ложному пути, решил, что тот забирает из лечебницы плохо соображающих больных и продает их в рабство, в качестве проституток или бесплатной прислуги. Поняв, как ему показалось, суть аферы, Кирилл решил припугнуть Андрея и вернуть Аню назад. Но одному катить в логово негодяя было опасно. Вот тут Потворов и вспомнил рассказ Олега Семенова о частных детективах и явился к нам на прием.

— Но почему он нам рассказал бред про тещу-ведьму? — недоумевал я.

Нора тяжело вздохнула:

— Знаешь, мы долго говорили с Олегом на эту тему и, кажется, поняли, в чем дело. Кирилл был редкостный фантазер, патологический врун. Он просто не способен говорить правду. Любая ситуация обрастала в его устах невероятными, фантастическими подробностями. И еще одно: Потворов очень любил деньги. Ему хотелось получить назад свою непривередливую жену, но и тридцать тысяч баксов отдавать жаба душила. И он боялся ехать к Андрею один.

— Да, это я понял! Но зачем он наврал про тещу? Мы-то приняли его за психа!

Нора кивнула:

— Точно, чем здорово облегчили задачу Андрею, ведь, когда он завел речь о шизофрении гостя, ты поверил ему сразу. А почему Потворов выдумал такую идиотскую историю... Олег рассказал Кириллу, что я берусь лишь за загадочные, очень странные дела, отсюда и такая дикая выдумка. Кирилл думал заинтересовать меня таким образом.

— Но это же глупо!

Нора усмехнулась:

— На вкус и цвет товарищей нет. Ему история

показалась вполне удачной. Цели-то он достиг, ты поехал с ним!

— Но отчего он не сказал правду?

— Думал, что Андрей испугается и вернет Аню. Еще одна глупость с его стороны. А потом, я не исключаю того факта, что жадный Кирилл в дальнейшем предполагал шантажировать Андрея.

— Простите, но, похоже, он был дурак! — вырвалось у меня.

— Абсолютный кретин, — кивнула Нора.

— А каким образом открылось, что Кирилл думал о рабстве и проститутках? — удивился я.

— Кирилл изложил все свои соображения вплоть до желания нанять нас на бумаге, запечатал письмо и опустил в почтовый ящик Олега Семенова, — пояснила Нора. — Олег газет никаких не выписывал, письма ему давно отправляют по электронной почте, он и не заглядывал в железный ящик неделями. Открыл его пару дней назад, хотел выбросить кучу ненужной рекламы, нашел письмо и тут же примчался ко мне.

— Так вот почему Кирилл так странно разговаривал, стоя у ворот: «Это я... не томи...»

— Ага, — кивнула Нора, — натянул бейсболку на лицо, поэтому тупой, вечно все путающий охранник и принял его за своего, за «палача», который перевозил трупы.

И тут меня осенило.

— Я вспомнил!

— Что?

— Где я видел лицо парня! Я еще удивился, зима, а он в идиотской кепке цвета взбесившегося апельсина! Когда я уехал от Андрея, мне навстречу попалась машина, за рулем сидел этот субъект, мы разъезжались на узкой дороге, я еще тогда понял, что моя «десятка» вроде барахлит!

Нора кивнула.

— Ну да, Кирилла впустили, и он первым делом сказал, что ты из милиции, думал, Андрей испугается.

Но тот сразу понял, что это не так. Он принял тебя за приятеля Потворова, впрочем, потом ты сам рассказал ему про «Милосердие».

Сообразив, что органы МВД тут ни при чем, Андрей напоил Кирилла сильнодействующим ядом.

— Но как он сумел это сделать?

Нора улыбнулась.

— Он его всегда носит с собой, вместо пистолета. Он рассказал в милиции об этом, разглагольствовал там на тему, что выстрел — это шумно и грязно, а яд — тихо и без крови. Андрей незаметно бросил крохотную таблетку в стакан, который прислуга принесла для воды. Растворилась она мгновенно, яд без запаха и вкуса. Все закончилось мгновенно.

Я поежился.

— Ужасно! Но почему он не убил меня? Ведь я сидел рядом, был свидетелем всего!

Нора пожала плечами:

— А зачем? Андрею не нужны лишние неприятности. Он знал, что Кирилл живет один и никто особо по нему убиваться не станет. Ты же ответственный секретарь благотворительного общества, и потом, вдруг у тебя огромная семья? Ты, скорей всего, сообщил куда поехал... Нет, Андрей решил тебя успокоить. Вы сидели у него в кабинете, одна из картин имела глазок, через него подглядывала его любовница, ушлая девица, моментально просекшая ситуацию. Она командовала прислугой, а потом появилась перед тобой с мокрыми волосами в качестве жены Андрея, той самой якобы проданной Ани. Спектакль был разыгран как по нотам, и ты уехал успокоенный. Мы с тобой решили, что Потворов псих, он и производил странное впечатление, теперь, впрочем, понятно почему: нервничал, не хотел говорить правду. А Андрей и его «жена» полностью подтвердили нашу версию. Вот ты и отправился спокойно домой, да еще Андрей Павлович тебе понравился. Не случись на дороге аварии из-за сломанных тормозов, история была бы похоронена...

— Но каким образом девушка оказалась на дороге? — тихо спросил я. — И кто она была? Ира или Катя?

Нора хмыкнула.

— Ира. Приходя по три раза в неделю в «Голубое солнце», она стала понимать, что в шахматном кружке происходит нечто странное. Она была очень хитра, легко втиралась в доверие к людям, обладала актерскими способностями, ловко умела притворяться. Поэтому, когда Катя стала рассказывать ей про палача, докторов и про то, что она сегодня «умерла» на занятиях шахматного кружка, Ира насторожилась и решила посмотреть, что же там происходит.

Она украла лекарство на посту, сделала Кате укол снотворного, положила ее под кровать, прикрыла свисавшим одеялом и, переодевшись в ее одежду, отправилась на занятия. Девушки очень похожи. Софья Леонидовна не заметила подмены, а Ира укрепилась в мысли: в домике происходит что-то странное.

Потом она, тщательно занявшись расследованием, сообразила, кто хозяин «Голубого солнца», и стала размышлять, почему он скрывает сей факт. Затем сложила все сведения и решила шантажировать основного владельца. Впрочем, не знаю, может, она и сдала бы его в милицию.

— Скорей бы уж решила получить деньги за молчание, — предположил я.

— Ну, — протянула Нора, — в случае, если бы хозяина посадили, Ира получила бы большую выгоду...

Но у нее не было веских доказательств, и она, купив специальную, «шпионскую» аппаратуру, уходит из дома, селится в «Голубом солнце» и начинает слежку. Ей надо заснять момент настоящей игры, и Ира решает рискнуть. Она уже отлично понимает, что происходит в домике, поэтому соблюдает, как ей кажется, крайнюю осторожность.

Вечером медсестра оглашает список и велит жертвам построиться. Ирочка, сделав Кате очередной укол, присоединяется к цепочке людей, идущих в домик. Ира одета в спортивный костюм, вид у нее полубезумный, медсестра не пересчитывает участников, просто приводит их в дом, в раздевалку, где у каждого свой шкафчик, в котором висит форма.

Ира находит Катин костюм, надевает его. По дороге она выхватывает из чужого шкафчика черную шапочку и прячет ее. Ей нужны улики, и головной убор, на ее взгляд, одна из них. Потом она прячется за занавеску, всех участников спектакля уводят. Ира осторожно прокрадывается в комнату наблюдения и начинает снимать действо. Она вздрагивает от каждого шороха, но полагает, что сумеет выкрутиться, если ее застанут тут, притвориться безумной Катей, которая, перепутав все на свете, присоединилась к группе, а потом потерялась. Но все заканчивается плохо. В тот самый момент, когда Ира увлеклась съемкой, в комнату входит охранник и стреляет в девушку, пуля попадает той под левую лопатку. Ирина падает.

После спектакля охрана ставит в известность о происшествии Андрея. Тот приходит в ужас и велит немедленно отвезти труп в морг. Естественно, Софья Леонидовна увидела, что на полу лежит... Катя. Рядом валяется камера. Вызывают Ираиду Сергеевну, все в истерике. За ними следили, Катя притворялась! Но прибежавшая главврач кричит:

— Это Ира!

Дело принимает совсем скверный оборот. Тело Ирины запихивают в «каблук», и водитель отправляется было в крематорий. И тут происходит то, чего никто не ожидал.

От холода Ирина приходит в себя, открывает дверь машины, вываливается в снег, вскакивает, видит на дороге автомобиль, кидается к нему...

Нора замолчала, потом грустно добавила:

— И тут ты ее сбиваешь, случайно! Во-первых, у «десятки» отказали тормоза, во-вторых, ты просто испугался. Никакой твоей вины тут нет. Девушка отлетает в кювет и почти мгновенно умирает.

— Стойте! — закричал я. — Тут концы с концами не сходятся! Не получается! Как же она прожила столько времени с пулей в сердце?

Нора глубоко вздохнула:

— Ваня, вспомни, у Иры была патология, зеркальное расположение органов, сердце справа. Охранник-то по привычке стрелял под левую лопатку. Вот так-то!

Проехав с километр, водитель обнаружил, что дверь «каблука» открыта, остановился, понял, что случилось, и понесся назад. Но по дороге он увидел

«Газель» с включенными фарами и позвонил Андрею. Тот мгновенно связался с одним из местных милиционеров, который отлично знал, что происходит в «Голубом солнце», он помогал бандитам. Мент прибывает на место, осматривает кювет, видит труп Иры в форме пешки и врет тебе про местное привидение. Ему надо убрать тебя с дороги. Собственно говоря, это все. Мент дожидается, когда вы уедете, вытаскивает труп Иры и привозит в особняк к Андрею. Пропажу шапочки никто не заметил. Короче говоря, испугавшись, все наделали много ошибок. Андрей орет на слишком старательного милиционера:

— Офигел? Зачем мне тут покойница? Волоки ее в крематорий!

— Одежду снимите, — велит мент, — мы завсегда тела голыми туда отвозим. Одетый труп не возьмут!

Они зовут Настю, та, раздев покойницу, запихивает белую форму, в кармане которой лежит вторая, уже черная шапочка, в пакет. Мусор она спокойно отдает бабе, нанятой в деревне для черновой работы. Настя и предположить не может, что санитарка всегда роется в отбросах, отыскивая то, что можно продать.

Бандиты, избавившись от трупа Иры, успокаиваются. Ираида Сергеевна, знающая, что девушка ушла из дома и ночует в палате у сестры, надеется, что ее не станут искать, и в «Голубом солнце» все идет своим чередом. Увидав тебя в трактире вместе с Софьей Леонидовной, Андрей насторожился. Он-то помнит, что ты приезжал с Кириллом, потому под благовидным предлогом покидает столик, звонит по телефону и узнает у своей приятельницы, аспирантки Подвойского, что Аристарх Владиленович одинок. Он не имеет никаких родственников. Человек, назвавшийся его племянником, — самозванец! Андрей сразу настораживается. Теперь ему кажется, что отпустить тебя живым и здоровым в тот день, когда «убрали» Кирилла, было глупостью. Он мигом перезванивает своим знакомым в МВД и, коря себя за то, что не сделал этого сразу, как только увидел тебя, просит их срочно узнать, живет ли в Москве Иван Павлович Подушкин и если да, то чем он занимается.

Залезть в компьютер — это пара секунд, и спустя мгновение негодяй получает ответ. Да, есть такой! Служит секретарем у предпринимательницы, которая одновременно является и хозяйкой детективного агентства «Ниро». Подушкин — обладатель лицензии на частную сыскную деятельность.

Андрей начинает паниковать. Похоже, что их выслеживают. И тут от страха он делает ошибку. Вообще говоря, тебя обманом следовало заманить в укромное место, вызвать «врачей» и выбить все, что тебе известно. Но паника плохая советчица. Андрей поспешно принимает решение, и в твоем кофе оказывается яд. К счастью, Андрей сильно нервничает и не принимает в расчет, что мужик ростом в два метра не погибнет от стандартной дозы, ему следует дать большее количество отравы. И еще надо было увести тебя из ресторана и... «угостить» в другом месте. Но Андрей запаниковал и наделал ошибок. Я же поняла, что тут дело нечисто, и велела тебе немедленно ехать домой, без захода в зал ресторана. Отчего ты меня не послушался?

Я молчал.

— Все твоя глупость, — кипела Нора, — хорошо, что у меня мозги исключительно быстро работают, и я подняла Макса в ружье. Он летел в эту «Трассу» сломя голову. Примчался — ты лежишь на полу, хозяин и официанты в панике, «Скорая» не едет, Андрей и Софья Леонидовна смылись. Они просто оставили тебя за столиком, вышли, расплатились и сказали официанту:

«Вы нашего приятеля пока не трогайте, он там по телефону какие-то важные дела решает».

Вот халдей и не пошел в кабинет. Потом, правда, заглянул и решил, что у тебя инфаркт... В общем...

Нора махнула рукой:

— Ваня, ты идиот!

Я удрученно кивнул:

— Да. А кто хозяин «Голубого солнца»? Кто главный?

— Ты еще не сообразил?

— Нет!

— Семен Юрьевич, — сказала Нора. — Ира каким-то образом докопалась до сути. Она собиралась либо шантажировать отца, либо сдать его в милицию. В первом случае папенька мог и придушить наглую девицу, зато во втором Ирочка, законно признанная Коротковым дочь, получила бы полный контроль над всем его имуществом, папеньке, учитывая тяжесть преступления, грозит пожизненное заключение. Самое интересное, что Семен Юрьевич, хитрый, расчетливый, спокойно качавший деньги из смерти бедных безумных, абсолютно не подозревал, какую змею пригрел на груди, и, искренне расстроившись, начал поиски дочери. Только ему, как и нам, в голову не пришло, что дорогая потеря сидит себе спокойненько в «Голубом солнце».

— Скорей уж кукушонка, — протянул я, — не

змею. Ира — кукушонок, жадный, мерзкий кукушонок. И еще одно, учитывая тот факт, что служебная парковка клиники забита новыми иномарками, я не верю, что в махинациях с больными участвовало всего несколько человек.

— Правильно, — кивнула Нора, — в той или иной степени там у всех рыльце в пуху. А ты, Ваня, тоже хорош, нельзя же быть таким доверчивым, просто Али-Баба, который побежал в пещеру за богатством! Помнишь, кто его там поджидал? Сорок разбойников!

Я усмехнулся.

— Ну уж не настолько я наивен! Правда, дело мне пришлось иметь с самыми настоящими разбойницами.

ЭПИЛОГ

Семен Юрьевич, Ираида Сергеевна, Софья Леонидовна, Андрей Павлович и многие работники «Голубого солнца» были арестованы и осуждены на разные сроки. Клиника закрылась. Нора была страшно горда собой: она сумела распутать сложное дело самостоятельно, имея в помощниках лишь меня. Я был недоволен — наделал много глупостей, попал в больницу. Впрочем, выйдя из лечебницы, я снова совершил идиотство, позвонил Фире Базилевич и под предлогом того, что хочу рассказать ей правду про семью Коротковых, напросился на свидание. Фира чуть в обморок не упала, услыхав правду про кукушонка и про то, из какой скважины качал свое благополучие Семен Юрьевич.

— Как он мог отправить Катю в «Голубое солнце»! — возмущалась Фира.

Я пожал плечами:

— Это вполне в его духе, он хотел сбагрить нелюбимую дочь, в этой лечебнице он был владельцем, но, даже поместив туда Катю, не раскрылся перед Ираидой Сергеевной. Да ему, честно говоря, наплевать на девочку, он ни разу о ней, находясь под следствием, не вспомнил, вот Иру проклинает каждый день, а о Кате забыл напрочь.

И это правда. Судьбу Кати устроила Нора. Она, зная всю историю девушки, поместила ее в лучшую больницу, сейчас Катя почти здорова, но врачи пока не рискуют рассказать ей правду об Ире и Семене Юрьевиче.

Нора помогла и Вере. Нашла для нее надомную работу, за которую той отлично платят. Нора милосердный человек, грубит она оттого, что боится показать, что у нее нежное сердце.

Разрулилась ситуация и с моей «десяткой». Несчастная «лошадка» простояла довольно долгое время в ожидании экспертизы, и наконец выяснилось: моей вины в происшедшем нет, это заводской брак. Честно говоря, я слабо разбираюсь в технических деталях, но тем не менее понял: рабочие напортачили. За дело взялся адвокат Норы, до суда дело не дошло. Мне пригнали другую машину и вручили энную сумму, так сказать, за моральный ущерб. Представитель завода был крайне любезен, а на водительском месте новехонькой «десятки» стояла бутылка дорогого коньяка, на мой взгляд, не самый лучший презент для шофера.

Николетта приобрела себе новый мобильный телефон и теперь жаждет получить карточку Visa.

Ленка вернулась из больницы, Муся и Орест Михайлович у нас больше не работают. Мы теперь сно-

ва едим подгоревшую яичницу, носим плохо выглаженную одежду, ходим по пыльным коврам и, вот
парадокс, совершенно счастливы.

Вам, наверное, интересно узнать, куда подева-
лись домработница и повар? Так вот, они теперь слу-
жат у Валеры, и я с плохо скрытым злорадством вижу, как наш сосед, обожающий сладкое, толстеет не
по дням, а по часам. Кстати, о Валере. Он без конца
приходил к нам, ноя:

— Ну-ка, разберитесь, почему кошки облюбовали мой «Лендкрузер».

— Ваня, возьми фотоаппарат, спрячься в гараже
и сними того, кто льет валерьянку на джип, — в конце концов приказала мне Нора.

— Валерьянку? — изумился я.

— Ну да, — хихикнула Нора, — думаю, в ней все
дело, иначе с какой бы стати кошкам по машине кататься?

Я устроился в засаде и в районе полуночи увидел
дивную картину. Жена Валеры и его теща Ангелина
Степановна «обрабатывают» «Лендкрузер».

Узнав, кто автор затеи, сосед бросился убивать
баб. Через пару дней я встретил его во дворе и спросил:

— Ну, разобрался?

— Ага, — мрачно кивнул Валера, — они хотели,
чтобы я «Лендкрузер» продал.

— Отчего же?

Валерка почесал в затылке.

— Я возил тещеньку на рынок, так эта змея под
коврикам губную помаду нашла, ничего мне не сказала и Надьке показала. Дескать, скажи, доченька,
твоя это или нет?

Надя пришла в негодование, помада была чужая.

Мать с дочкой, обозлившись, решили отомстить неверному мужу и плохому зятю. Зная о любви Валеры к «Лендкрузеру», они и придумали забаву с валерьянкой. Когда парень налетел на своих баб, те заорали в один голос:

— А нечего из машины место для свиданий с потаскухами делать! Продавай джип, нам в него противно садиться!

— Вот сволочи, — гудел расстроенно Валера, — пакостницы! Я же и виноват оказался! Теперь и впрямь придется «Лендкрузер» на сторону толкать! Эх, я думал, что все про свою женушку с тещенькой знаю, всего от них ожидал, но чтоб такое?!

Я молча смотрел на его терзания. Валера полагал, что знает своих женщин? Если вам кажется, что вы все знаете, значит, вам просто ничего не рассказывают.

Литературно-художественное издание

Донцова Дарья Аркадьевна
АЛИ-БАБА И СОРОК РАЗБОЙНИЦ

Ответственный редактор *О. Рубис*
Редактор *Т. Семенова*
Художественный редактор *В. Щербаков*
Художник *Е. Рудько*
Компьютерная обработка оформления *И. Дякина*
Технический редактор *Н. Носова*
Компьютерная верстка *Е. Мельникова*
Корректор *Е. Дмитриева*

ООО «Издательство «Эксмо».
127299, Москва, ул. Клары Цеткин, д. 18, корп. 5.
Интернет/Home page — www.eksmo.ru
Электронная почта (E-mail) — info@ eksmo.ru

*По вопросам размещения рекламы в книгах издательства «Эксмо»
обращаться в рекламное агентство «Эксмо». Тел. 234-38-00.*

Оптовая торговля:
109472, Москва, ул. Академика Скрябина, д. 21, этаж 2.
Тел./факс: (095) 378-84-74, 378-82-61, 745-89-16.
Многоканальный тел. 411-50-74. E-mail: reception@eksmo-sale.ru

Мелкооптовая торговля:
117192, Москва, Мичуринский пр-т, д. 12/1. Тел./факс: (095) 411-50-76.

Книжные магазины издательства «Эксмо»:
Супермаркет «Книжная страна». Страстной бульвар, д. 8а. Тел. 783-47-96.
Москва, ул. Маршала Бирюзова, 17 (рядом с м. «Октябрьское Поле»). Тел. 194-97-86.
Москва, Пролетарский пр-т, 20 (м. «Кантемировская»). Тел. 325-47-29.
Москва, Комсомольский пр-т, 28 (в здании МДМ, м. «Фрунзенская»). Тел. 782-88-26.
Москва, ул. Сходненская, д. 52 (м. «Сходненская»). Тел. 492-97-85.
Москва, ул. Митинская, д. 48 (м. «Тушинская»). Тел. 751-70-54.
Москва, Волгоградский пр-т, 78 (м. «Кузьминки»). Тел. 177-22-11.

Северо-Западная Компания представляет весь ассортимент книг издательства «Эксмо».
Санкт-Петербург, пр-т Обуховской Обороны, д. 84Е.
Тел. отдела реализации (812) 265-44-80/81/82.

Сеть книжных магазинов «БУКВОЕД». Крупнейшие магазины сети:
Книжный супермаркет на Загородном, д. 35. Тел. (812) 312-67-34
и Магазин на Невском, д. 13. Тел. (812) 310-22-44.

Сеть магазинов «Книжный клуб «СНАРК» представляет самый широкий ассортимент книг
издательства «Эксмо». Информация о магазинах и книгах в Санкт-Петербурге по тел. 050.

Всегда в ассортименте новинки издательства «Эксмо»:
ТД «Библио-Глобус», ТД «Москва», ТД «Молодая гвардия»,
«Московский дом книги», «Дом книги в Медведково», «Дом книги на Соколе».

*Весь ассортимент продукции издательства «Эксмо»
в Нижнем Новгороде и Челябинске:*
ООО «Пароль НН», г. Н. Новгород, ул. Деревообделочная, д. 8. Тел. (8312) 77-87-95.
ООО «ИКЦ «ДИС», г. Челябинск, ул. Братская, д. 2а. Тел. (8512) 62-22-18.
ООО «ИнтерСервис ЛТД», г. Челябинск, Свердловский тракт, д. 14. Тел. (3512) 21-35-16.

Книги «Эксмо» в Европе — фирма «Атлант». Тел. + 49 (0) 721-1831212.

Подписано в печать с оригинал-макета 25.08.2003.
Формат 84×108^1/$_{32}$. Гарнитура «Таймс». Печать офсетная.
Бум. газетная. Усл. печ. л. 20,16. Уч.-изд. л. 14,8.
Тираж 420 000 экз. Заказ № 0309760.

Отпечатано на MBS в полном соответствии
с качеством предоставленного оригинал-макета
в ОАО «Ярославский полиграфкомбинат»
150049, Ярославль, ул. Свободы, 97.